D0297667

RELIURE
LAROCHELLE

RON HUBBARD
LE GOUROU DÉMASQUÉ

RUSSELL MILLER

RON HUBBARD
LE GOUROU DÉMASQUÉ

Traduit de l'anglais
par Sibylle Lang

PLON
76, rue Bonaparte
PARIS

Titre original

Bared-Faced Messiah
The True Story of L. Ron Hubbard

Première édition parue en Grande-Bretagne
chez Michael Joseph Ltd.

© Russell Miller, 1987.
© Librairie Plon, 1993, pour la traduction française.
ISBN édition originale : Sphere Books Ltd The Penguin Group, Londres,
0-7474-0332-5.
ISBN Plon : 2-259-02550-1.

A254128

*Ce livre est dédié à tous les scientologues
qui ont eu le courage de regarder la
vérité en face et de la proclamer.*

REMERCIEMENTS

J'aurais aimé pouvoir remercier les responsables de l'Église de scientologie de m'avoir assisté dans mes recherches pour la mise au point de cette biographie; c'est malheureusement impossible car, pour prix de leur coopération, ils exigeaient d'exercer un contrôle absolu sur mon manuscrit, prix que je n'étais nullement disposé à payer. Leur Église déploya par la suite des efforts constants pour interdire aux personnes ayant connu Hubbard de me parler et elle ne cessa de brandir la menace de poursuites judiciaires. A de nombreuses reprises, les avocats de la Scientologie à New York et Los Angeles me firent savoir par écrit qu'ils ne s'attendaient de ma part qu'à des calomnies diffamatoires sur L. Ron Hubbard. Lorsque j'ai protesté qu'en trente ans de journalisme je n'avais jamais été accusé de diffamer quiconque, ils ont enquêté sur mon compte à mon insu et écrit à mes éditeurs de New York en prétendant que cette assertion était « totalement inexacte ». Elle l'était pourtant alors, elle l'est aujourd'hui encore – et plus que jamais.

Ce livre n'aurait pu voir le jour sans la coopération des nombreux anciens scientologues qui, malgré les risques considérables auxquels leur franchise les exposait, m'ont consacré leur temps sans compter afin d'évoquer leurs tribulations. Certains d'entre eux ont accepté de voir figurer leurs noms dans ce récit, mais ma reconnaissance envers ceux qui ont préféré conserver l'anonymat n'est pas moins sincère. Leur honnêteté, leur intelligence et leur courage m'ont vivement impressionné.

Je n'aurais pas non plus été en mesure d'écrire ce livre sans l'existence de la loi américaine sur la liberté de l'information (*Freedom of Information Act*) garantissant le libre accès aux archives officielles. Ceci devrait donner à réfléchir à tous ceux qui, soucieux de la recherche de la vérité, s'opposent encore à la mise en place d'une législation similaire dans des pays tels que la Grande-Bretagne.

Je tiens à remercier tout particulièrement l'ancien scientologue John Atack, d'East Grinstead, qui a réuni l'une des documentations les plus exhaustives sur la Scientologie et son fondateur et a mis généreusement ses archives à ma disposition. Que mes informateurs bénévoles comme tous ceux qui, à divers titres, ont collaboré à la gestation de ce livre et m'ont soutenu de leur aide ou de leurs conseils, trouvent ici l'expression de ma profonde gratitude.

Russel MILLER
Buckinghamshire (Grande-Bretagne)

Depuis plus de trente ans, l'Église de scientologie s'évertue à promouvoir l'image de L. Ron Hubbard, son fondateur, sous les traits d'un audacieux découvreur doublé d'un philosophe inspiré que ses jeunes années avaient préparé, ni plus ni moins que Jésus-Christ, à la mission de rédempteur universel pour laquelle il se disait prédestiné. Une telle entreprise de glorification du personnage en surhomme et en sauveur de l'humanité ne pouvait être conduite sans un mépris désinvolte pour les faits; c'est pourquoi chacune des biographies de Hubbard publiées par son Église est lardée d'inventions pures et simples, de vérités adultérées et de grotesques enjolivures. Le plus risible, dans cette imposture, c'est que la véritable histoire de Ron Hubbard est infiniment plus extravagante et plus invraisemblable que le plus éhonté de ces mensonges.

INTRODUCTION

Ron Hubbard sans masque, ou la Révélation

L'épisode n'aurait pas déparé les pages jaunies d'un de ces magazines populaires de science-fiction dans lesquels L. Ron Hubbard publiait sa prose dans les années trente... Une troupe de jeunes, venus d'ailleurs et s'imaginant immortels, établit sa base secrète dans une station thermale abandonnée, au cœur du désert de la Californie méridionale. Ils se défient des étrangers au groupe et se croient traqués par le FBI. Alors, cédant à la panique, ils entreprennent de faire disparaître tout ce qui serait susceptible de nuire à leur leader vénéré. Sa protection constitue pour eux un devoir d'autant plus sacré qu'ils le savent seul capable de sauver le monde des catastrophes qui le menacent.

L'un d'eux, en furetant dans le grenier d'un hôtel délabré, y découvre une pile de vieilles boîtes en carton pleines de photographies pâlies, de manuscrits froissés, de cahiers couverts de griffonnages enfantins, de bulletins scolaires. Il recense ainsi vingt et une boîtes bourrées de vieilleries hétéroclites – jusqu'à de la layette.

L'inventaire de sa fouille plonge le jeune homme dans le ravissement. Il est persuadé d'avoir fait une découverte capitale, car ces documents constituent autant de témoignages sur l'enfance et la jeunesse de son leader. Enfin, pense-t-il, nous serons en mesure de réfuter les calomnies répandues par ses ennemis. Enfin nous pourrons démontrer avec éclat au monde entier que notre chef est réellement un génie et qu'il est doté de pouvoirs miraculeux...

Ainsi s'enclenche le processus inexorable qui allait dévoiler le véritable visage de Ron Hubbard : le rédempteur n'avait jamais été qu'un illusionniste.

Gerry Armstrong, le jeune homme agenouillé dans la poussière du grenier de l'ancien hôtel Del Sol à Gilman Hot Springs en cet après-midi de janvier 1980, était depuis plus de dix ans un zélé scientologue. Il était bûcheron au Canada en 1969 quand un de ses amis lui avait fait connaître la Scientologie, dont les grisantes promesses de pouvoirs surnaturels et d'immortalité l'avaient aussitôt séduit. Soumis à de constantes humiliations durant ses années au sein de l'Église, il avait été deux fois condamné à de longs « stages » au Centre de réhabilitation, pudique appellation de la prison de la secte, et vu son mariage sombrer ; en dépit de tout, il restait convaincu que Ron Hubbard était le plus grand homme que la Terre eût jamais porté.

La loyauté aveugle qu'inspirait Hubbard à ses fidèles procédait d'un véritable lavage de cerveau. Depuis la guerre, la Scientologie prospérait dans un contexte d'instabilité et de contestation où les jeunes, qui cherchaient à donner un sens à leur existence, étaient en quête de nouvelles croyances auxquelles adhérer et de nouvelles structures auxquelles s'intégrer. Avec la promesse d'apporter des réponses à leurs interrogations, Hubbard leur offrait les unes et les autres ; afin de mieux les isoler de la société, il cultivait chez eux le sentiment d'appartenir à une élite sélectionnée. Ainsi coupés des réalités, vivant de plus en plus en vase clos et exaltés par les connaissances ésotériques qu'ils avaient l'impression d'acquérir, ils étaient prêts à suivre Hubbard jusqu'au seuil de l'Enfer s'il le leur avait demandé.

Au moment où Armstrong découvrit son trésor à Gilman Hot Springs, Hubbard était déjà entré dans la clandestinité depuis plusieurs années. Nul ne connaissait sa cachette mais Armstrong savait qu'on pouvait lui transmettre des messages; il sollicita donc l'autorisation d'engager des recherches en vue d'établir une biographie officielle devant, selon lui, ouvrir la voie à une « reconnaissance universelle » de la Scientologie. Le livre se prolongerait par la production d'un film à grand spectacle retraçant la vie de Ron Hubbard; quant aux précieux documents, ils constitueraient un fonds d'archives conservées dans un futur musée Hubbard.

Alors âgé de près de soixante-dix ans, Hubbard vivait depuis si longtemps dans son univers de fantasmagorie qu'il était devenu incapable de faire la différence entre la vérité et ses divagations. Il se voyait réellement sous les traits du jeune globe-trotter intrépide puis du philosophe plein de sagesse dépeints dans ses biographies. Il avait l'esprit déjà trop sclérosé pour comprendre que, dans son cas, la réalité dépassait de très loin la fiction. Besogneux auteur de médiocre science-fiction, il avait bondi sans transition au stade de gourou milliardaire et de prophète infaillible; pendant près de dix ans, il avait commandé sa propre flotte sur les océans de la planète et presque réussi à s'emparer du pouvoir dans plusieurs pays; adulé par ses milliers de fidèles dans le monde entier, il était en même temps haï et redouté par la plupart des gouvernements. Son imagination délirante n'avait jamais inventé de péripéties plus invraisemblables que celles de sa propre vie et, malgré tout, il s'accrochait à des affabulations. Aussi, lorsque la requête d'Armstrong lui parvint dans sa retraite secrète en janvier 1980, il avalisa le projet sans hésiter.

Si Armstrong manquait d'expérience de chercheur et de documentaliste, il était intelligent, appliqué, scrupuleux et enthousiaste. Après avoir transféré l'essentiel de ses trouvailles de Gilman Hot Springs au siège de la Scientologie à Los Angeles, où elles remplirent six classeurs, il entreprit de les référencer, de les cataloguer, de les photocopier et, pénétré de leur valeur historique, préserva pieusement les originaux dans des pochettes en plastique.

Peu après qu'il eut entamé ce travail, des affiches apparurent dans les bureaux de la Scientologie annonçant la projection privée d'un film produit par Warner Brothers en 1940, *The Dive Bomber*, dont Hubbard avait écrit le scénario. Aucun scientologue n'ignorant que leur idole était avant la guerre un éminent scénariste de Hollywood, cette séance avait pour objet de réunir des fonds destinés à la défense de onze scientologues, parmi lesquels la propre femme de Hubbard, comparaissant devant un tribunal de Washington sous l'inculpation d'association de malfaiteurs. Soucieux de se rendre utile, Armstrong voulut apporter des précisions sur la participation de Hubbard à ce film; il se rendit donc à la bibliothèque de l'Académie du cinéma à Los Angeles, où il apprit avec stupeur que la paternité du scénario était attribuée à deux autres auteurs.

Ayant fait part de son indignation au bibliothécaire, il écrivit à Hubbard pour l'aviser de l'erreur commise par l'Académie. Hubbard lui répondit, par une note au ton fort enjoué, que la Warner avait distribué le film avec tant de hâte qu'on s'était aperçu trop tard que son nom avait été omis au générique. Lui-même débordé à l'époque, car il était en train de fermer son luxueux appartement de Riverside Drive à New York et se préparait à partir pour la guerre, il s'était contenté d'écrire au studio d'envoyer son chèque aux bons soins de l'Explorers Club dont il était membre. Cet argent lui avait servi, après la guerre, à s'offrir des vacances bien méritées aux Caraïbes.

Armstrong se serait pleinement satisfait de cette explication si un détail ne l'avait chiffonné : comme tous les scientologues, il savait que Ron Hubbard était revenu de la guerre aveugle et invalide et ne devait sa guérison qu'à la puissance de ses facultés spirituelles. A l'évidence, dit-il, Hubbard n'aurait pas fait un tel voyage d'agrément avant son rétablissement. Minutieux, craignant de commettre une erreur, il voulut vérifier la chronologie des événements et, dans le cadre de la loi sur la liberté de l'information, requit auprès des archives de la Marine l'autorisation de consulter le dossier de Ron Hubbard.

Les scientologues s'enorgueillissaient de ce que le fondateur de leur Église ait été un héros couvert de médailles, présent sur tous les théâtres d'opérations et victime de nombreuses blessures – il avait même été le premier Américain blessé dans le Pacifique. Aussi est-ce avec une incrédulité et un désarroi grandissants qu'Armstrong prit connaissance du dossier communiqué par Washington. D'un document à l'autre, il chercha en vain une explication sans vouloir se rendre à l'évidence étalée sous ses yeux : bien loin d'avoir été un héros, Hubbard était noté pour son incompétence et sa lâcheté, qui le poussait à simuler des maladies pour éviter d'être envoyé en première ligne.

Refusant toujours d'y croire, Armstrong mit le dossier de côté et décida de reprendre ses recherches par le début, c'est-à-dire au Montana où Ron disait avoir passé son enfance dans l'immense ranch de son grand-père. Il n'y trouva aucune propriété au nom de la famille Hubbard, à l'exception d'une modeste maisonnette dans le centre d'Helena. Il ne découvrit pas davantage de documents sur les pérégrinations de Hubbard à travers la Chine pendant son adolescence. A Washington, où Hubbard avait obtenu une licence de mathématiques et son diplôme d'ingénieur, les registres de l'université George Washington indiquaient qu'il avait dû abandonner ses études au bout de la deuxième année pour cause de mauvaises notes. Quant aux légendaires expéditions de l'intrépide explorateur Hubbard, elles n'avaient pas davantage laissé de traces.

– Je butais à chaque pas sur des contradictions et des incohérences, me déclara Armstrong. J'avais beau tenter de les justifier en me répétant que je finirais par mettre la main sur un autre document qui expliquerait tout, plus je cherchais, moins je trouvais et je comprenais peu à peu que ce type n'avait pas cessé de mentir sur son propre compte.

Au cours de l'été 1981, Armstrong avait ainsi compilé plus de 250 000 pages de documentation sur le fondateur de l'Église de scientologie. L'effarante mythomanie de Hubbard, révélée par ses recherches, n'avait cependant pas encore tout à fait ébranlé sa confiance.

– Je me disais, bon, nous savons maintenant qu'il est humain et qu'il dit des mensonges. Il suffit de les tirer au clair, tout le bien qu'il a fait pour le monde apparaîtra de manière plus éclatante. Je pensais que la seule façon de sauvegarder notre existence collective consistait à dire la vérité, finalement aussi passionnante que les mensonges.

Les objurgations d'Armstrong restèrent sans écho. Depuis que Hubbard vivait en reclus, l'Église de scientologie était tombée sous la coupe de jeunes militants connus sous le nom de « Messagers ». A l'époque où le « Commodore » dirigeait sa flotte privée depuis son navire-amiral, il s'agissait en fait de « Messagères », petites nymphettes en minishorts qui lui faisaient ses commissions et s'ingéniaient à qui mieux mieux à trouver le moyen de lui plaire. Elles en étaient arrivées à l'habiller et à le déshabiller, à lui laver la tête, à tartiner ses traits bouffis d'onguents rajeunissants, voire à le suivre, le cendrier à la main, pour ramasser ses cendres de cigarettes. Plus le Commodore sombrait dans la paranoïa et s'imaginait environné d'ennemis et de traîtres, plus les Messagères voyaient s'accroître leur pouvoir.

En novembre 1981, Armstrong leur soumit un rapport écrit énumérant les fausses assertions émises sur le compte de Hubbard et expliquant pourquoi il fallait impérativement les corriger. « Si nous persistons à vouloir faire passer pour la vérité des inexactitudes, des exagérations, voire des mensonges flagrants, écrivait-il, peu importe comment nous les interprétons : il suffira à un tiers d'apporter une preuve contraire avérée pour que notre chef soit considéré, au moins par les étrangers, comme un charlatan... »

Les Messagères réagirent en traitant Armstrong de traître. Il fut soumis à une « enquête de sécurité » et à un interrogatoire en règle auxquels il refusa de se prêter. Au printemps de 1982, accusé de dix-huit « crimes et délits » contre l'Église de scientologie, notamment de « vol qualifié, faux témoignage et divulgation d'informations mensongères sur l'Église et son fondateur », Gerald Armstrong fut déclaré « indésirable » et voué à la vindicte de ses anciens « frères » en Scientologie, qui avaient dorénavant licence de le persécuter et de le neutraliser par tous les moyens, y compris la ruse et la violence, avec la bénédiction de leur Église.

– Pour moi, à ce moment-là, le mirage de la Scientologie s'était déjà évaporé, me dit-il. J'étais conscient de m'être fait piéger par un tissu de mensonges, par des techniques machiavéliques de manipulation mentale et par la terreur. J'avais perdu la foi en découvrant jusqu'à quel point Hubbard mentait sur son propre compte. Il a passé sa vie à rouler tout le monde, à tricher en affaires, à frauder le fisc, à fuir ses créanciers et à esquiver des poursuites judiciaires. Cet homme était un mélange d'Adolf Hitler, de Charlot et de baron de Crac. Bref, un bateleur et un escroc.

Chapitre 1

Le pseudo-enfant prodige

Selon la légende destinée à l'édification de ses fidèles, L. Ron Hubbard descendait par sa mère d'un aristocrate français, un certain comte de Loupe, ayant participé à la conquête de l'Angleterre par les Normands en 1066; du côté paternel, les Hubbard étaient des colons anglais fixés en Amérique au cours du XIXe siècle. Les deux branches de la famille s'étaient illustrées sur les mers : son bisaïeul et son grand-père maternels, le « Commodore » I.C. De-Wolfe et le « Capitaine de vaisseau » Lafayette Waterbury, avaient « écrit des pages de l'histoire navale » américaine; quant à Harry Ross Hubbard, son père, il était lui-même capitaine de frégate dans la US Navy.

Pendant les longues absences de ce dernier, appelé au loin par le devoir, le jeune Ron s'épanouissait dans les immenses propriétés (couvrant un quart de la superficie de l'État, soit quelque 90 000 km²!) que son grand-père maternel, richissime éleveur, possédait dans le Montana. *Rancher* en herbe, Ron y avait pour familiers « des pionniers, des cow-boys, des sorciers indiens »; il courait la campagne, domptait les chevaux sauvages, chassait le coyote et faisait « ses premières expériences d'explorateur », car c'est par la fréquentation des Indiens Pikuni (ou Pieds-Noirs), dont il devint le « frère de sang », qu'il

21

eut ses premiers contacts avec une « autre culture ». En 1921, à l'âge de dix ans, il dut réintégrer le foyer familial; alarmé par les lacunes de sa scolarité, son père lui appliqua un programme intensif destiné à « rattraper le temps perdu » dans les solitudes sauvages du Far West. C'est ainsi qu'à l'âge de douze ans, Ron Hubbard avait déjà « lu et assimilé les plus grands classiques de la littérature mondiale » et senti s'éveiller sa « passion pour la religion et la philosophie ».

Rien de tout cela n'est vrai, ou presque. La véritable histoire de l'enfance de Ron Hubbard est infiniment plus prosaïque. Elle ne s'ouvre pas sur les vastes horizons d'un ranch prestigieux mais se déroule dans une succession de modestes logements de location, car son père n'était alors qu'un petit employé besogneux courant d'un job précaire à l'autre. Son grand-père n'était pas plus un magnat de l'élevage qu'un hardi navigateur ayant posé sac à terre, mais un obscur vétérinaire qui arrondissait ses revenus en exploitant une écurie et une remise de louage. Il est exact, en revanche, qu'il s'appelait Lafayette Waterbury.

Les Waterbury étaient originaires de la région des Catskills, chaîne montagneuse de l'État de New York, célébrée au début du XIXe siècle par Washington Irving qui y mettait en scène les aventures de Rip van Winkle, personnage à peine plus fantasmagorique que le futur rejeton des Waterbury...

Peu avant la guerre de Sécession, Abram Waterbury et sa jeune épouse Margaret avaient joint le flot des pionniers qui, en convois de chariots bâchés, partaient à la conquête de l'Ouest et d'un avenir meilleur. En 1863, Abram s'était établi vétérinaire à Grand Rapids, Michigan, où Margaret donna le jour en 1864 à un fils, prénommé Lafayette en souvenir de la ville de l'Indiana où ils avaient fait une longue escale.

Lafayette, bientôt surnommé Lafe, apprit de son père le métier de vétérinaire avant d'épouser Ida Corinne

DeWolfe, fille d'un banquier aisé de Hampshire dans l'Illinois, John DeWolfe, très attaché à une légende relative aux origines de sa famille. Si les dates et les détails restaient dans le flou, l'histoire, étoffée au fil des âges, relatait qu'un lointain ancêtre au service d'un prince français aurait arraché son maître à la gueule d'un loup furieux; le prince aurait manifesté sa gratitude en anoblissant son sauveteur et en lui conférant le titre de comte de Loupe *(sic)*, nom ultérieurement anglicisé en DeWolfe. (Il n'existe ni en France ni en Angleterre de documents permettant d'authentifier cette fable. Le vice-amiral Harry DeWolfe, descendant à la douzième génération de Balthazar DeWolfe, le premier du nom établi en Amérique, déclare pour sa part n'avoir jamais entendu parler du mythique « comte de Loupe »...)

John DeWolfe offrit au jeune ménage la jouissance d'une ferme dont il était propriétaire dans le Nebraska sur le territoire de Burnett, bourgade promise à un certain développement par l'ouverture en 1879 du Sioux City & Pacific Railroad. Lafe et Ida arrivèrent en 1884 à Burnett où Ida mit au monde sa première fille, Ledora May, en 1885. Elle donnera naissance à sept autres enfants au cours des vingt années suivantes et consacrera sa vie à sa famille.

Lafe exploita pendant deux ou trois ans la ferme de son beau-père. Celui-ci ayant alors annoncé qu'il entendait la léguer à son gendre, ses autres enfants s'estimèrent lésés. Plutôt que de semer la zizanie dans la famille, Lafe préféra se retirer et s'installer en ville, où il reprit son métier de vétérinaire et ouvrit une écurie de louage. Unanimement aimé et respecté de ses concitoyens, ses affaires ne tardèrent pas à prospérer. Malgré la ruine provoquée dans la région par le catastrophique blizzard de 1887, suivi de plusieurs années consécutives de sécheresse et d'invasions de sauterelles, Lafe accéda à une certaine aisance. En 1899, selon le journal local qui le citait en exemple, il était l'un des rares habitants de Burnett à avoir pu se construire une maison neuve dans le centre de la ville.

Parents étonnamment libéraux pour leur époque, Lafe et Ida Waterbury élevaient leurs enfants dans une atmosphère pleine de gaieté et d'affection. S'ils les encourageaient à aller à l'église, ils se disaient eux-mêmes trop occupés pour s'y rendre – Lafe ne leur cachait d'ailleurs pas son scepticisme envers les religions organisées. Trapu, direct, optimiste, doté d'un humour contagieux et d'un talent de comédien, il aimait s'asseoir le soir dans sa véranda et jouer des airs de danse au violon, instrument à la crosse sculptée d'une tête de nègre qu'il tenait de son père Abram.

En 1902, afin d'éviter les confusions avec une ville voisine portant un nom similaire, les citoyens de Burnett le changèrent en celui de Tilden. Ledora May Waterbury, l'aînée de la famille, obtint en 1904 son diplôme de fin d'études à la *high school* de Tilden. Grande fille décidée, indépendante et ardemment féministe, May déclara alors vouloir embrasser une carrière plutôt que de s'enfermer dans un rôle d'épouse et de mère de famille. Nul ne s'en étonna et elle partit, avec la bénédiction de ses parents, entreprendre des études d'enseignante à Omaha. Mais à peine l'État du Nebraska lui eut-il conféré ses certificats qu'elle fit la rencontre d'un séduisant jeune marin, Harry Hubbard, surnommé « Hub ».

Harry Ross Hubbard ne descendait pas d'une longue lignée d'ancêtres. Orphelin, né Henry August Wilson le 31 août 1886 à Fayette, Iowa, il avait été adopté en bas âge par un ménage d'agriculteurs de Frederiksburg, Iowa, M. et Mme James Hubbard, qui lui avaient donné leur patronyme et changé ses prénoms pour ceux de Harry Ross.

Élève médiocre à l'école, Harry voulut tâter d'une école de commerce mais abandonna quand il se rendit compte qu'il n'avait aucune chance de décrocher un diplôme. Le 1er septembre 1904, lendemain de son dix-huitième anniversaire, il s'engagea comme simple matelot dans la US Navy. Après son temps de service en mer sur le *USS Pennsylvania*, il fut affecté en 1906 au bureau de recrutement de la marine à Omaha où il fit la connaissance de May Waterbury. Celle-ci en oublia ses grands projets de carrière indépendante et ils se marièrent le 25 avril 1909. Au début de l'été 1910, May était enceinte et Hub, revenu à la vie civile, avait trouvé un emploi de démarcheur à la régie publicitaire du journal local, l'*Omaha World Herald*.

Entre-temps, les Waterbury avaient quitté Tilden pour s'installer à Durant, au sud-est de l'Oklahoma près de la limite du Texas. En voyant la première Ford-T s'aventurer dans la grand-rue boueuse de Tilden, Lafe avait pris conscience de la menace qui pesait sur l'avenir de ses chevaux de louage; puis, lorsqu'un de ses amis habitant Durant lui en fit valoir la douceur du climat, Lafe et Ida décidèrent d'un commun accord d'y partir avec leurs enfants. Seule de la famille, Toilie, leur seconde fille âgée de vingt-trois ans, restait à Tilden. Infirmière et secrétaire du Dr Campbell qui venait d'ouvrir sa propre clinique, elle ne voulait pas perdre cet emploi qui lui plaisait.

Toilie n'eut pas de peine à décider sa sœur May, dont elle avait toujours été très proche, de venir mettre son premier enfant au monde chez le Dr Campbell, qui avait officié aux deux derniers accouchements de leur mère. C'est ainsi que May Hubbard, soutenue avec sollicitude par son mari, débarqua en gare de Tilden à la fin de février 1911. Elle n'attendit pas longtemps l'« heureux événement » : les premières douleurs se manifestèrent dans l'après-midi du dimanche 10 mars. Son fils naquit pendant la nuit, le lundi 11 mars 1911 à 2 heures et une minute. Hub et elle avaient déjà décidé qu'il s'appellerait Lafayette Ronald Hubbard.

Lafe et Ida Waterbury virent leur premier petit-fils lorsque Hub et May vinrent passer les fêtes de Noël 1911 à Durant avec leur rejeton. Éveillé, souriant, pourvu de surprenantes mèches rousses, jusqu'alors inconnues dans les deux branches de la famille, le bébé fut aussitôt l'objet de l'adoration générale.

May apprit alors à ses parents qu'ils comptaient déménager après le Nouvel An à Kalispell, Montana, où Hub avait trouvé un nouvel et meilleur emploi. Au cours du printemps de 1912, elle écrivit à sa famille des lettres enthousiastes dépeignant les agréments de la ville et la beauté de la campagne environnante, en leur suggérant avec insistance de venir les y rejoindre.

Ces lettres leur donnèrent à réfléchir. Ida et Lafe devaient en effet s'avouer que leur installation à Durant n'avait rempli aucun de leurs espoirs; en outre, le climat d'insécurité provoqué par le viol d'une femme blanche par un Noir précipita leur décision. A l'automne 1912, les Waterbury revendirent donc leur maison et s'embarquèrent dans le train avec leurs possessions et leurs chevaux pour le long voyage de plus de 2 000 kilomètres jusqu'à Kalispell.

Les retrouvailles de la famille furent particulièrement joyeuses et le petit Ron, qui faisait ses premiers pas, redevint l'objet de toutes les attentions. Non loin de chez sa fille et du champ de foire, où il pourrait exercer ses talents de vétérinaire, Lafe acheta une maison pourvue d'une grange assez vaste pour loger sa cavalerie. Les Waterbury s'acclimatèrent très vite à Kalispell, où ils étaient d'autant plus heureux qu'ils voyaient tous les jours leur petit-fils adoré; quant à Ron, il se faisait gâter sans vergogne par ses tantes qui lui passaient tous ses caprices.

Un an à peine après l'arrivée de ses parents, May leur apprit que son mari et elle allaient encore déménager; Hub avait des problèmes dans son travail et on venait de lui proposer le poste de directeur du Théâtre des Familles à Helena, capitale du Montana. Cette nouvelle les plongea dans la désolation. Les deux villes avaient beau n'être distantes que de 300 kilomètres et bénéficier d'une liaison directe par le Great Northern Railroad, ils ne se consolaient pas de ne plus pouvoir embrasser tous les jours leur petit-fils.

Fondée en 1864 par des chercheurs d'or, Helena était devenue en 1913 une agréable petite ville aux maisons de brique et de pierre. Le Théâtre des Familles occupait un élégant bâtiment à fronton sculpté... situé au beau milieu du « quartier réservé », ce qui était fort gênant pour son public familial! Malgré son titre de directeur, Hub avait pour fonctions essentielles de déchirer le soir à l'entrée les billets qu'il avait lui-même vendus dans la journée, de rétablir l'ordre en cas de besoin pendant les représentations et de boucler la salle à la fin de celles-ci.

May n'était cependant pas au bout de ses peines. Le public boudait le théâtre, que son propriétaire envisageait de fermer. Les nouvelles étaient inquiétantes, malgré la promesse de Woodrow Wilson de garder l'Amérique à l'écart de la guerre qui venait d'éclater en Europe le 2 août 1914. A Butte, la ville voisine, les rivalités entre syndicats de mineurs débouchaient au même moment sur de telles violences que le gouverneur du Montana avait dû faire appel à la Garde nationale et proclamer l'état d'urgence.

Ce climat troublé donna le coup de grâce au Théâtre des Familles. Contraint une fois de plus de chercher un emploi, Hub se fit embaucher comme comptable par de gros négociants en charbon. Quant à May, il lui fallut se rabattre sur un logement moins coûteux et plus exigu.

A Kalispell, les Waterbury traversaient une mauvaise passe. Lafe s'était cassé un bras l'année précédente et se remettait avec peine de la fracture mal réduite, quand un coup de pied de cheval au même endroit lui fit pratiquement perdre l'usage de son bras, handicap qui le contraignait à renoncer d'exercer sa profession de vétérinaire. A cinquante ans, relativement à son aise mais loin d'être riche et avec ses quatre plus jeunes filles à sa charge, il ne pouvait se permettre de prendre sa retraite. Kalispell ne lui offrant aucune perspective valable de reconversion, Ida et Lafe envisagèrent alors de chercher fortune à Helena.

Leur fille Toilie, venue en vacances, les y conduisit au

cours de l'été 1915 dans la Ford-T que Lafe avait récemment acquise. Hub, bien placé par son travail de comptable pour connaître les chiffres, parla à son beau-père de l'expansion constante du marché du charbon dans la région et des profits réalisés par ses employeurs, ce qui décida Lafe à venir fonder sa propre affaire dans la capitale de l'État.

En 1916, les Waterbury débarquèrent donc à Helena. Lafe acheta une spacieuse maison non loin du Capitole, loua un terrain le long du chemin de fer et annonça au public l'ouverture de la Capital City Coal Company. La « Compagnie » n'était en fait qu'une affaire de famille : Lafayette Waterbury en était président, son fils Ray vice-président et sa fille Toilie, détournée par devoir filial de sa vocation d'infirmière, trésorière. Bien entendu, Harry Ross Hubbard participait aussi à l'entreprise... mais dans la position beaucoup plus humble de manutentionnaire.

Le 2 janvier 1917, âgé de bientôt six ans, Ron fut inscrit à l'école maternelle. Ses jeunes tantes, Marnie et June, l'y accompagnaient tous les matins en allant elles-mêmes à la *high school* voisine. Ron se vantera plus tard d'avoir, dès cet âge tendre, su mettre à profit les leçons de « savate » apprises dans le ranch de son grand-père pour défendre ses camarades contre une bande de voyous qui terrorisaient les enfants sur le chemin de l'école. L'un de ses plus proches amis d'enfance, Andrew Richardson, ne conserve néanmoins aucun souvenir de ce noble rôle de justicier : « Ce n'est qu'un tissu de mensonges ! Hubbard n'a jamais protégé personne, affirme-t-il. Mais comme vantard et comme bonimenteur, il n'avait déjà pas son pareil. »

Le 6 avril 1917, les États-Unis déclarèrent la guerre à l'Allemagne. Ancien engagé volontaire avec quatre ans de service dans la marine, Harry Hubbard estima qu'il devait se rendre utile à sa patrie et voulut devancer son ordre de mobilisation. Le 10 octobre, après avoir embrassé son épouse et son fils, il partit pour Salt Lake City où se trouvait le plus proche bureau de recrutement de l'US Navy. May quitta son petit appartement, s'installa avec Ron chez ses parents et prit un emploi dans une agence gouvernementale. Entouré de l'affection de sa mère, de ses grands-parents et de ses tantes, béats d'admiration devant son imagination sans cesse en éveil et qui passaient leur temps à le dorloter, le petit Ron n'eut donc guère à souffrir de l'absence de son père.

Dans ses lettres à May, Hub ne cachait pas sa joie d'avoir réendossé l'uniforme car, expliquait-il fièrement, il suivait un peloton d'élèves commissaires de bord et deviendrait officier. Le 13 octobre 1918, il fut en effet nommé commissaire en second et incorporé dans le service actif avec le grade d'enseigne – ce qui faisait sans doute de lui, à trente-deux ans, le plus vieil enseigne de l'histoire de la marine américaine, sinon des autres...

Moins d'un mois plus tard, l'armistice ramena la paix sans faire revenir Hub. Consciente de ses échecs répétés dans la vie civile, May savait qu'elle ne pouvait raisonnablement s'opposer à sa décision de faire carrière dans la marine. Il n'était d'ailleurs pas même assuré de retrouver son modeste emploi dans l'entreprise familiale car la Capital City Coal Company rencontrait de sérieuses difficultés, tant dans ses approvisionnements que par l'apparition de nouveaux concurrents.

Cependant, on riait beaucoup chez les Waterbury. Lafe n'ayant jamais été homme à laisser ses soucis assombrir sa vie de famille, le temps continua à s'écouler pour tous les enfants dans l'insouciance et la gaieté. Avec à peine huit ans d'écart, Marnie et Ron étaient comme frère et sœur et ne se quittaient pas. May gagnait bien sa vie; elle avait acheté un petit terrain dans la montagne et fait construire par un menuisier une cabane en planches, aussitôt baptisée « Le Vieux Ranch ». A pied ou dans la Ford-T de Lafe, la famille s'y rendait en chœur le dimanche et pendant les vacances pour le simple plaisir de courir sous le ciel bleu, de cueillir des brassées de fleurs sauvages et, la nuit tombée, de raconter des histoires autour d'un feu de camp.

Dans la région, le climat était toutefois nettement moins riant. La récession de l'immédiat après-guerre provoquait l'effondrement des prix agricoles, l'été 1919 ouvrait une dramatique série d'années de sécheresse. Chaque jour apportait son lot de faillites de banques, de terres abandonnées retombant en poussière et de fermiers ruinés partant au loin en quête d'une hypothétique survie. Contraint à son tour de cesser son négoce de charbon, Lafe Waterbury prit sa retraite en remerciant le Ciel de disposer encore d'un capital suffisant pour nourrir sa famille. Et si May participait aux dépenses du ménage, elle savait qu'elle ne pourrait pas s'éterniser avec Ron chez ses parents.

Pendant ce temps, Hub revenait passer toutes ses permissions auprès de sa femme et de son fils. Promu lieutenant de vaisseau de deuxième classe en novembre 1919, il était plus que jamais décidé à rester dans la marine, en dépit de quelques « problèmes » entachant déjà ses états de service. Ainsi, il avait dû comparaître en mai 1920 devant une commission d'enquête pour s'expliquer sur un trou d'un millier de dollars dans sa comptabilité. Il avait aussi une fâcheuse tendance à « oublier » ses dettes : il n'avait pas laissé moins de quatorze créanciers impayés à Kalispell, sans compter plusieurs autres au hasard de ses affectations, qui s'étaient tous plaints auprès de la marine, ce qui faisait à tout le moins mauvaise impression...

A partir de septembre 1921, affecté pour deux ans sur le cuirassé *USS Oklahoma* et la plupart du temps en mer, Hub ne put revenir aussi souvent à Helena. Malgré sa répugnance à déraciner son fils et sa tristesse de se séparer de sa famille, May obéit à son devoir conjugal et partit avec Ron pour San Diego, port d'attache du navire. Un an plus tard, l'*Oklahoma* étant transféré à la base navale du Puget Sound, les Hubbard émigrèrent de nouveau à Seattle. May s'inquiétait d'aussi fréquents changements d'écoles mais Ron, s'il lui arrivait de regretter la joyeuse atmosphère de la maison de ses grands-parents, n'en souffrait apparemment pas. Sociable, toujours de belle humeur, il se faisait sans peine de nouveaux amis. Ainsi qu'il le notera plus tard dans son journal intime, griffonné sur les pages d'un vieux livre de comptes, Seattle marqua même pour lui une étape mémorable car c'est là qu'il devint boy-scout et gagna ses premiers badges.

En octobre 1923, le lieutenant de vaisseau Hubbard fut envoyé compléter sa formation à l'École d'application de l'intendance à Washington. L'US Navy fit l'économie de deux billets de train en réservant à May et à Ron des couchettes à bord du *USS Grant,* ancien croiseur allemand récupéré au titre des dommages de guerre, devant appareiller de Seattle à destination de la base de Hampton Roads, en Virginie, par le canal de Panama. Au bout d'un long périple de plus de dix mille kilomètres, les Hubbard se trouvèrent enfin réunis au mois de décembre, sous une épaisse couche de neige.

C'est vraisemblablement au cours de ce voyage que Ron fit la connaissance de l'énigmatique personnage du capitaine « Snake » Thompson, médecin de marine et psychanalyste, à qui il attribuera par la suite le mérite d'avoir éveillé son intérêt pour Freud. Il n'y fit toutefois que de très brèves allusions dans son journal intime, plus volontiers consacré à ses prouesses de boy-scout et à la « rencontre historique » de sa troupe avec le président Calvin Coolidge à la Maison-Blanche, rencontre décrite en termes où l'on voit déjà percer sa mégalo-mythomanie. Il proclamera plus tard que son séjour à Washington avait représenté dans sa vie une étape cruciale, pendant laquelle il avait reçu de son ami le capitaine Thompson une « éducation approfondie dans tous les domaines de l'esprit humain ». Il notera de même que son amitié avec le fils du président Coolidge, Calvin Junior, et la mort prématurée de ce dernier avaient précipité son « intérêt précoce pour l'âme et les phénomènes spirituels ».

Collègue et sans doute ami du père de Ron, Thompson devait son surnom de Snake à sa passion pour les reptiles en tous genres. Très fier d'avoir été l'élève de Sigmund Freud à Vienne, c'est en tant que disciple du fondateur de la psychanalyse qu'il avait pris sur lui d'initier un garçon de douze ans aux théories freudiennes et de lui « plonger le nez dans les livres » en l'emmenant passer de longues heures à la bibliothèque du Congrès.

(Bien que Ron Hubbard fasse souvent référence à Snake Thompson par la suite, l'existence même du médecin-capitaine constitue un mystère qui demeure entier. On ne retrouve pas plus sa trace dans les dossiers de la marine américaine qu'on ne peut établir avec certitude ses rapports avec Freud. L'un des spécialistes de Freud les plus autorisés, le Dr Kurt Eissler, déclare tout ignorer d'une correspondance ou de contacts quelconques entre Freud et Thompson.)

Chapitre 2

Jusqu'à quels horizons ses pas l'ont-ils porté?

Ron Hubbard doit avant tout son image de prophète à la chronique de ses pérégrinations d'adolescent. Dès l'âge de quatorze ans, nous dit-on, il sillonnait seul l'Extrême-Orient dans le dessein d'étudier les « cultures primitives » et de s'initier aux mystères de la vie en recueillant les enseignements de sages et de lamas. « Très jeune encore, il avait maintes fois parcouru le littoral chinois de Ching Wong Tow à Hong Kong et s'était enfoncé dans l'intérieur vers Pékin et jusqu'en Mandchourie. » En Chine, il fréquenta un vieux magicien, dont les ancêtres avaient servi à la cour de Kublai Khan, ainsi qu'un fakir hindou capable d'« hypnotiser les chats ». Sur les hauts plateaux du Tibet, il fut adopté par une troupe de brigands « parce qu'il s'intéressait sincèrement à eux et à leur mode de vie ». Aux confins de la Mandchourie occidentale, ses prouesses équestres lui valurent l'admiration et l'amitié des « Seigneurs de la guerre ». Sur une île non identifiée du Pacifique Sud, l'intrépide jeune garçon apaisa les terreurs des indigènes en pénétrant dans une caverne qu'ils croyaient hantée afin de leur démontrer que les sinistres grondements qui en émanaient n'étaient dus qu'aux bouillonnements d'une rivière souterraine. « Au plus profond des jungles de la Polynésie » *(sic)*, il découvrit une ancienne nécropole « imprégnée de l'héroïque tradition des rois et des guerriers; passant outre aux adjurations de ses amis indigènes qui craignaient pour sa vie, son insatiable appétit de savoir le poussa à explorer l'enceinte sacrée. »

Les talents du jeune homme n'avaient pas de limites : « Je me souviens, relate-t-il, d'avoir appris en une seule nuit l'*igoroti*, une langue primitive, à l'aide d'un lexique compilé à Luzon, aux Philippines, par un vieux missionnaire. Les Igorots usaient d'une langue très simple, transcrite phonétiquement par le missionnaire qui en avait répertorié les mots principaux, avec leur signification et des éléments de syntaxe. Abrité sous une moustiquaire, les oreilles remplies du bourdonnement lancinant des insectes, j'ai appris par cœur à la lumière d'une lampe à pétrole la liste de ces trois cents mots dont je me suis servi le lendemain avec les indigènes, de sorte que je fus capable en très peu de temps de parler couramment leur langue. »

Déchargé de tout souci matériel grâce aux généreux subsides de son riche grand-père, le jeune Ron pouvait donc décrypter à loisir les secrets de l'Orient et se pencher sur la « destinée spirituelle » de l'humanité. « L. Ron Hubbard apprit ainsi que la vie renfermait bien davantage que ce que la Science serait jamais capable d'y découvrir, que l'Homme était loin d'en savoir tout ce qu'il fallait connaître et que ni l'Orient ni l'Occident, l'Esprit et la Matière, ne détenaient de réponse pleinement satisfaisante aux multiples interrogations des hommes. Pour Ron Hubbard, c'était là un immense domaine vierge dont il était urgent d'entreprendre l'exploration. »

Ce serait là, en effet, une noble ambition et un admirable point de départ à la carrière d'un jeune homme aussi doué – si seulement cela avait été vrai...

A la fin mars 1924, après son stage à l'École de l'intendance, Harry Hubbard fut promu lieutenant de vaisseau de première classe et réaffecté à la base navale du Puget

Sound, où stationnait la flotte du Pacifique Nord. La famille retraversa donc le continent et s'installa à Bremerton, petite ville bâtie autour de la base en face de Seattle, sur l'autre rive du détroit.

Pour un garçon de treize ans aimant le grand air, Bremerton était un paradis. Dès que le temps le permettait, Ron et ses camarades nageaient, pêchaient, faisaient du canoë ou partaient camper dans les collines environnantes. Cette vie idyllique ne dura pourtant que deux ans car, au milieu de l'été 1926, ses parents décidèrent de retourner habiter Seattle afin d'inscrire Ron, désormais âgé de quinze ans, dans une *high school* de meilleur niveau. Il y entamait à peine son second semestre quand son père reçut sa première affectation outre-mer à la base navale de Guam, la plus grande et la plus méridionale de l'archipel des îles Mariannes, cédée aux États-Unis à l'issue de la guerre hispano-américaine de 1898.

Hub et May discutèrent longuement de ce nouveau bouleversement dans leur existence. Hub devant rester en poste au moins deux ans, May était décidée à le suivre. Mais que faire de Ron pendant ce temps ? Il venait d'avoir seize ans et se réjouissait déjà de troquer l'ennuyeuse routine de son école pour la vie aventureuse d'un paradis tropical. Or, les officiers qui en revenaient rapportaient des histoires à frémir sur l'impudeur des îliennes qui se jetaient à la tête des jeunes Américains et sur les maladies vénériennes qui sévissaient à l'état endémique. Ils concluaient régulièrement en déclarant qu'ils ne laisseraient jamais leur fils mettre les pieds dans un tel lieu de perdition. Finalement, les Hubbard décidèrent à regret de confier Ron à ses grands-parents; son père adoucit toutefois la pilule en lui permettant d'accompagner sa mère à Guam pour profiter de quelques semaines de vacances avant de regagner Helena.

Le lieutenant Hubbard s'embarqua pour Guam le 5 avril 1927; sa femme et son fils suivirent peu après à bord du paquebot *President Madison*, appareillant de San Francisco à destination de Honolulu, Yokohama, Shanghai, Hong Kong et Manille. Le journal que tint Ron pendant la traversée dénote un sens certain de l'observation, au service d'une curiosité bien naturelle chez un jeune garçon de cet âge voyageant au loin pour la première fois de sa vie. Ses impressions aux escales reflètent toutefois un désintérêt à peu près total pour des coutumes et des peuples inconnus, qu'il abordait en touriste plein de préjugés et imbu de sa supériorité.

Ainsi, il ne relève à Yokohama que la saleté des rues et l'affligeant spectacle de mendiants dormant à la belle étoile : « Le Japon ne ressemble pas à l'heureuse contrée si souvent dépeinte... A mon avis, on n'y trouve de la beauté qu'au moment de la floraison des arbres ou dans les romans. » Si Shanghai le fascine au premier abord par le grouillement de « milliers de barques et de jonques » sur le Yang-Tse, il note surtout la crasse et la misère des coolies qui déchargent le navire. Quant aux rues, où se bouscule « une foule puante et mal lavée » entre des éventaires disparates, elles ne lui inspirent que du dégoût. Il ne jettera pas un regard plus indulgent sur Hong Kong, « très britannique en surface mais très indigène au fond », dont il juge la chaleur et l'humidité moins éprouvantes que la promiscuité de « ces coolies qui ne regardent même pas où ils crachent ». De ses quarante-huit heures à Manille, où sa mère et lui devaient emprunter un transport militaire pour la dernière partie du voyage, il ne retient que la pagaille dans le transbordement des bagages par la faute d'« indigènes paresseux et ignorants », ainsi qu'une soirée, en compagnie d'un officier ami de son père, dans un dancing où l'on faisait danser les filles moyennant une rémunération. « Naturellement, nous n'avons pas dansé, prend-il bien soin de noter, cela nous aurait déconsidérés. D'ailleurs, il faisait trop chaud... »

Le 6 juin, trente-six jours après leur départ de San Francisco, Ron et sa mère débarquèrent à Guam avec un soulagement d'autant plus vif que leurs sept derniers jours de mer s'étaient déroulés par très mauvais temps sur un navire de guerre sans confort. Les collines verdoyantes de l'île, avec ses maisons blanches aux toits rouges, plurent d'emblée à Ron et l'odeur douceâtre du copra qui emplissait l'air lui parut infiniment préférable aux miasmes de ses précédentes escales; la toute-puissante US Navy contraignait en effet la population Chamorro à respecter un minimum d'hygiène et à nettoyer les rues. Mais surtout, Hub disposait d'un vaste bungalow et de trois domestiques, luxe inaccoutumé qui causa à May un plaisir sans mélange.

Ron consacra le plus clair de son temps à satisfaire sa curiosité sur le passé et les coutumes du lieu. On relève ainsi d'étranges correspondances entre ses notes de l'époque et les récits d'«exploits» et de «découvertes» dont se nourrira plus tard la mythologie hubbardienne. Le dialecte chamorro, par exemple, qui comportait à l'origine un vocabulaire de plus de deux mille mots et idiomes, s'était réduit au fil des âges à quelque trois cents mots en perdant la plupart de ses règles grammaticales, ce qui n'est pas sans rappeler la langue « *igoroti* » apprise en une seule nuit sous une lampe à pétrole! De même, Ron tenait d'un des serviteurs la légende d'un mauvais génie, appelé Tadamona, censé avoir hanté les cavernes d'une falaise où les eaux d'un torrent souterrain produisaient parfois des grondements et des gémissements ayant jadis terrorisé la population...

Le 16 juillet 1927, Ron prit le chemin du retour à bord d'un transport de munitions, le *USS Nitro*. Après le confort et les distractions du *President Madison*, les cabines spartiates du *Nitro* et la monotonie de la traversée lui laissèrent un fort mauvais souvenir, malgré la compagnie de deux garçons de son âge, eux aussi fils d'officiers de marine, avec lesquels il forma même le projet de se retrouver à l'académie navale d'Annapolis – Ron et son père avaient en effet envisagé pour lui une carrière dans la marine. Lorsque le *Nitro* jeta l'ancre à Bremerton le 6 août dans un épais brouillard, Ron n'avait plus aucune envie de donner suite à ce beau projet et mit pied à terre avec soulagement.

Le lendemain, il prit le train pour Helena où les Waterbury l'accueillirent avec de grandes démonstrations de joie. Tout en savourant la cuisine de sa grand-mère, il régala la famille du récit de ses aventures – et s'il brodait un peu, nul n'aurait songé à lui en tenir rigueur... Un des journaux locaux les jugea même assez captivantes pour mériter deux colonnes sous le titre : « Ronald Hubbard nous raconte en exclusivité ses voyages et ses multiples expériences en Extrême-Orient. » L'interview suivait de près les notes de Ron – à l'exception d'une anecdote, curieusement absente de son journal de voyage, relatant une exécution capitale dont il aurait été témoin en Chine. L'article se concluait sur ce surprenant coq-à-l'âne : « Ronald Hubbard s'était distingué en étant le seul garçon des États-Unis à être promu scout routier à l'âge de douze ans. »

(Il avait en réalité treize ans, mais cette « légère » erreur ainsi que l'étrange omission, dans ses notes de voyage par ailleurs fort précises, d'un spectacle aussi impressionnant qu'une exécution capitale, sont moins déconcertantes que le fait que nul n'a jamais pu retrouver la trace du journal dont cette coupure serait extraite. Elle n'existe que sous forme de photocopie dans les archives de l'Église de scientologie, sous la référence : « Article paru dans un journal d'Helena, Montana, vers 1929 », alors que Ron était revenu de Guam deux ans auparavant...)

Le 6 septembre 1927, Ron fit sa rentrée à la *high school* d'Helena où il retrouva un de ses cousins, Gorham Roberts. En octobre, il s'enrôla dans la Garde nationale du Montana en mentant sur son âge, faute d'avoir les dix-huit ans réglementaires. Entre-temps, il s'était intégré à l'équipe du journal de l'école, baptisé *The Nugget* (La Pépite) en souvenir des chercheurs d'or ayant jadis fondé la ville.

La traditionnelle parade historique qui couronnait l'année scolaire eut lieu en mai 1928. Ron s'y déguisa en pirate – malgré l'absence notable de tels personnages dans l'histoire du Montana – et remporta un prix d'originalité.

Une semaine plus tard, il était envolé...

En ne le voyant pas venir au cours le lundi 14 mai, ses condisciples crurent sans hésiter qu'il avait été renvoyé. Selon son cousin Gorham Roberts : « On racontait qu'il s'était disputé avec un professeur et lui avait planté le derrière dans une corbeille à papiers. Le principal était un vieil Allemand qui ne plaisantait pas sur la discipline, si bien que Ron a dû se dire qu'il ne s'en tirerait pas après un coup pareil et a préféré ne pas revenir. »

Sa tante Marnie fournit une autre explication : « Ron avait l'aventure dans le sang et ne voulait pas s'encroûter dans un trou de province comme Helena. Il est d'abord allé à Seattle, chez ma sœur Midgie et son mari qui ont essayé de le retenir, mais il a continué sa route et a trouvé un bateau qui l'a embauché comme matelot pour payer son passage vers Guam. »

Quelle qu'ait été la véritable cause de sa fugue, Ron ne remit jamais les pieds à la *high school* de Helena. Deux ans plus tard, il écrivit deux versions, aussi fleuries l'une que l'autre, de son départ précipité. Bien qu'elles ne soient distantes que de quelques pages dans son journal, elles comportent d'importantes discordances sur de nombreux points; certains passages ressemblent même étrangement aux aventures fantastiques qu'il aimait déjà jeter sur le papier quand il avait un instant de liberté.

Il semblerait donc qu'il raccompagnait des camarades dans sa « puissante torpédo » (vraisemblablement la vieille Ford-T de son grand-père), quand un garnement leur lança au passage une balle de base-ball qu'il reçut sur la tête. Il infligea au coupable une correction si sévère qu'il se brisa « quatre phalanges » de la main droite. « C'était la goutte d'eau qui faisait déborder le vase... Il a fallu me réduire quatre fois la main, je n'avais plus goût à rien... Alors, j'ai revendu ma voiture et je suis parti... »

Après avoir informé son grand-père de sa décision de « changer d'air », il prit le train pour Seattle où il passa deux ou trois jours chez son oncle et sa tante. Le 7 juin, jouant de son « prestige de scout », il se fit héberger dans un camp qu'il jugea bientôt trop bondé pour son goût. « Je suis parti à midi, un lourd havresac sur mes épaules, vers les pentes inviolées du majestueux mont Olympus où je plantais ma tente à 9 heures ce soir-là. Douze heures plus tard, je gisais inerte sur un rocher, sauvé par mon havresac d'une fracture fatale de la colonne vertébrale. En voyant le sang couler à gros bouillons de mon poignet, je compris qu'il était urgent de rendre visite au docteur... »

Il n'apporte aucune explication sur ce grave incident de parcours, pas plus que sur la manière dont il parvint à gagner Bremerton dans un état aussi précaire. Quoi qu'il en soit, c'est en se faisant soigner par un médecin de marine qu'il apprit que le *USS Henderson* devait appareiller de San Francisco pour Guam une semaine (première version) ou quinze jours (deuxième version) plus tard. Le soir même, (première version) ou huit jours plus tard (deuxième version), il prit un train de nuit vers la Californie – pour constater, en arrivant à quai, que le *Henderson* avait déjà levé l'ancre. Il était sur le point de se faire engager comme matelot sur un paquebot en partance pour la Chine quand, saisi d'une inspiration subite, il décida de se renseigner auprès des autorités maritimes : le *Henderson* devait en effet relâcher à San Diego avant sa traversée du Pacifique. Jamais pris au dépourvu – et bénéficiant apparemment d'une chance à peine croyable pour ses moyens de transport – il sauta aussitôt dans un autocar à destination de San Diego.

Une fois là, cependant, on lui dit que sa demande d'embarquement devait être approuvée par Washington et qu'il lui fallait en outre l'autorisation de son père. Pour l'ex-plus jeune scout des États-Unis, ce n'était là qu'un jeu d'enfant : avec une obligeance extrême, l'adjoint du commandant de la base se chargea lui-même de câbler séance tenante à Washington et d'envoyer un message radio à Guam.

On imagine la surprise du lieutenant Hubbard à la réception d'un message officiel l'informant que son fils sollicitait le passage à bord d'un bâtiment de l'US Navy, alors qu'il le croyait sagement en classe sous la garde de son grand-père à quelque deux mille kilomètres de là... Hub n'écouta toutefois que ses sentiments paternels et accorda sa permission qui, selon le récit de Ron, arriva moins d'une heure avant que le navire ne cingle vers le grand large.

Tout cela ne cadre guère avec le journal de bord du *Henderson*, dans lequel il est noté que « L.R. Hubbard, fils du lieutenant de vaisseau H.R. Hubbard, s'est présenté le samedi 30 juin à 16 h 20 pour être transporté à Guam. » Le navire n'appareilla pas une heure après mais le lendemain à 13 h 30. De même, le dossier du lieutenant Hubbard révèle que Ron s'était renseigné par écrit auprès du ministère de la Marine dès le 10 mai, donc avant son départ de Helena, sur les conditions de passage à bord d'un bâtiment militaire et avait requis le 28 mai l'autorisation d'embarquer sur le *Henderson*...

N'ayant jamais été homme à laisser le strict respect de la vérité gâcher une belle histoire, Ron se décrivit donc haletant et couvert de poussière, sa valise à la main, en train d'attendre dans l'angoisse au pied de la passerelle l'arrivée du câble salvateur. Sa malle s'était égarée quelque part entre San Francisco et San Diego mais il en fallait davantage pour le démonter : « J'étais dénué de tout. Il me restait deux sous en poche, je ne possédais plus rien au monde que deux mouchoirs, deux paires de chaussettes, une brosse à dents et les vêtements que j'avais sur le dos. Mais quand le *Henderson* leva l'ancre, j'étais à bord... »

Cette partie de son journal se termine sur une notation désinvolte à l'adresse d'un hypothétique lecteur : « Je vais maintenant vous dévoiler le secret de mon aventureuse existence – mais, chut! Je suis né un vendredi 13. »

Cela aussi est faux, hélas! Lafayette Ronald Hubbard était venu au monde le lundi 11 mars 1911.

Chapitre 3

L'explorateur en fauteuil

« De 1925 à 1929, entre 14 et 18 ans, Ron Hubbard fut un globe-trotter enthousiaste et aventureux. Grâce à son père posté en Extrême-Orient et au soutien financier de son riche grand-père, il put consacrer son temps à voyager à travers l'Asie...

« Devant regagner les États-Unis avec sa famille à la mort de son grand-père, il s'inscrivit à l'Université George Washington à la rentrée de 1930. Il y devint corédacteur en chef du journal de l'université, *The Hatchet*, et membre de la plupart des clubs et associations universitaires... Il y suivit également l'un des tout premiers cours de physique nucléaire jamais enseigné dans une université américaine.

« A l'âge de 20 ans, il finançait déjà ses études en écrivant et parvenait ainsi à se forger en quelques années dans le monde littéraire une solide réputation d'essayiste... Malgré ses nombreuses occupations... il prit le temps de diriger en 1931 l'Expédition cinématographique des Caraïbes. Les prises de vues sous-marines réalisées au cours de ce voyage apportèrent au Bureau National d'Hydrographie et à l'Université du Michigan d'inestimables contributions à la poursuite de leurs recherches.

« En 1932, à 21 ans, L. Ron Hubbard donna la preuve de ses exceptionnelles qualités d'explorateur. Il accomplit cette année-là une première mondiale en réalisant, à la tête d'une équipe d'experts, le premier relevé minéralogique complet de Porto Rico. C'était là un tour de force dans la meilleure tradition de l'exploration, car il établissait ainsi pour le bien de la collectivité une base de données précises et facilement exploitables... » (*Mission into Time*, publication de l'Église de scientologie, 1973.)

Le 25 juillet 1928, le *USS Henderson* arriva à Guam. Ron écrivit dans son journal combien il était enchanté de la traversée. Il négligea toutefois de noter la réaction de ses parents à son retour intempestif : au bout d'un an de séparation, Harry et May étaient peut-être heureux de revoir leur fils, mais sans doute moins qu'il fasse l'école buissonnière sur un coup de tête. Faute de pouvoir le renvoyer aux États-Unis à temps pour la prochaine rentrée, ils décidèrent de le garder à Guam et, malgré son manque d'expérience pédagogique, May accepta d'assumer la lourde tâche de préparer son fils au difficile examen d'entrée à l'Académie navale. Trop heureux de substituer la douce tutelle de sa mère à la discipline de sa *high school* et le climat tropical de Guam aux rigueurs du Montana, Ron accepta le compromis sans se faire prier.

En octobre 1928, les Hubbard eurent l'occasion, avec d'autres familles d'officiers, de faire un voyage d'agrément en Chine à bord d'un bâtiment de l'US Navy, le *Gold Star*. Hub avertit son fils qu'il ne lui permettrait de les accompagner que s'il étudiait pendant la traversée. Ron promit tout ce qu'on voulut ; et s'il affecta de se plonger dans son travail, il n'oublia pas de tenir son journal sur les cahiers et les livres de comptes que son père lui procurait.

Après une brève escale à Manille, le *Gold Star* fit relâche à Tsing-Tao pour se ravitailler en charbon. Ron se renseigna sur l'histoire de ce port, récemment restitué à la Chine après une longue occupation par les Allemands puis par les Japonais. Il en conclut que les Chinois, rongés par la corruption, étaient indignes de reprendre leur propre territoire car ils n'avaient pas su profiter des efforts de l'Allemagne et du Japon pour le moderniser. Il notera le 30 octobre : « Nous quittons Tsing-Tao, pour toujours j'espère. »

Le lendemain, le *Gold Star* jeta l'ancre à Tchang-Kéou d'où les passagers prirent le train pour Pékin. La capitale de la Chine laissa de marbre le jeune « explorateur ». Ainsi, il ne trouve à dire du Temple du Ciel, chef-d'œuvre exemplaire de l'architecture chinoise classique, qu'il l'estime « clinquant et plutôt mal bâti ». Le Palais d'Été lui paraît « de mauvais goût » et le Palais d'Hiver « n'a pas grand-chose d'un palais, à mon avis ». Quant à la Cité interdite, elle ne « vaut même pas qu'on en parle ». Seule, la Grande Muraille trouva grâce à ses yeux, parce que c'était « la seule construction humaine visible de la planète Mars. » Et il ajoute : « Si les Chinois la transformaient en " montagnes russes ", cela leur rapporterait des millions de dollars... »

Mais le jeune touriste avait des idées trop arrêtées pour accorder au peuple plus de considération qu'aux monuments. Il juge les Chinois superficiels, bornés, malhonnêtes, paresseux et brutaux. « Quant au péril jaune qui menacerait le monde, laissez-moi rire... Les Chinois n'ont ni l'organisation ni l'endurance qu'il faudrait pour dominer un pays blanc, sauf par des mariages mixtes – et encore... Un seul *Marine* américain pourrait tenir tête sans effort à une armée de Jaunes. »

Rien ne lui plaît, pas même le climat : « L'hiver dure d'octobre à mai, il fait un froid glacial. La poussière est insupportable, on y enfonce jusqu'aux chevilles et elle donne des maux de gorge. » Il sera quand même impressionné par... les chameaux! « On voit tous les jours passer des caravanes dans les rues de Pékin... Moi qui avais toujours associé les chameaux aux Arabes, je n'en reviens pas de voir ces bêtes conduites par des Chinois. »

Avant de regagner Guam, le *Gold Star* fit escale à

Shanghai et Hong Kong. Ron dut cette fois les juger indignes de ses commentaires car il n'en souffla mot, sauf pour décocher une dernière flèche aux infortunés Chinois : « Ils puent de tous les bains qu'ils n'ont jamais pris... L'ennui, en Chine, c'est qu'il y a trop de Chinetoques *(sic)*. »

Son assiduité scolaire semble avoir décliné pendant le voyage de retour, car ses cahiers sont désormais remplis de courts synopsis de nouvelles. Il cherche aussi à donner l'impression d'être un vieux routier de l'écriture : on trouve ainsi, à la fin d'un synopsis intitulé « Armées à louer », une note spécifiant avec désinvolture que « l'intrigue comportera les rebondissements habituels ».

Le *Gold Star* jeta l'ancre à Guam le 18 décembre 1928. Au cours des semaines et des mois suivants, Ron produisit des nouvelles par douzaines. Sa mère photographia l'aspirant écrivain au clavier d'une machine à écrire, alors qu'il préférait couvrir les pages des cahiers de ses jambages désordonnés, souvent surchargés ou raturés. A dix-huit ans, adolescent encore gauche et inexpérimenté, il prenait le ton du voyageur chevronné ou de l'aventurier blasé, quand il ne faisait qu'exploiter sa connaissance rudimentaire d'une partie de l'Extrême-Orient pour parer d'un mince vernis de réalisme les produits de son imagination surchauffée.

On ne s'étonnera pas, dans ces conditions, de le voir échouer à l'examen d'entrée de l'Académie navale d'Annapolis. Son père, déçu, ne se découragea cependant pas. Sachant que son séjour à Guam touchait à sa fin et qu'il serait affecté à Washington, il y inscrivit Ron à une école spécialisée dans la préparation des candidats à Annapolis.

Rentrés aux États-Unis en août 1929, les Hubbard se rendirent d'abord à Helena pour de joyeuses retrouvailles familiales. (Leur retour n'était nullement provoqué par le décès du « riche grand-père », comme il est dit dans les biographies officielles : Lafayette Waterbury ne mourra que le 18 août 1931 à l'âge de soixante-sept ans.) Éprouvée par le climat tropical de Guam, May décida de rester quelque temps profiter de l'air salubre du Montana. Hub et son fils partirent donc seuls pour Washington, où Ron fit sa rentrée scolaire le 30 septembre.

Les espoirs du lieutenant de vaisseau Hubbard de voir son fils marcher sur ses traces allaient être bientôt déçus. Ron n'avait pas terminé son premier semestre qu'une visite médicale décela une forte myopie lui interdisant l'entrée à l'Académie navale. May étant revenue de Helena entre-temps, les Hubbard s'interrogèrent sur l'avenir de leur fils, avec d'autant plus d'angoisse que le krach de Wall Street plongeait le pays dans une crise sans précédent. De son côté, l'intéressé ne manifestait nul chagrin de devoir renoncer à une carrière navale : il était rédacteur au journal de l'école et faisait partie de la troupe théâtrale, activités autrement plus captivantes que la marine de guerre – opinion qu'il s'abstenait toutefois d'exprimer devant son père...

Celui-ci ne désespérait toujours pas : faute d'être marin, se disait-il, Ron pourrait au moins devenir ingénieur. Hub remua alors ciel et terre pour faire admettre son fils à l'université malgré la médiocrité de ses résultats scolaires; c'est donc grâce à la persévérance de son père que Ron put faire sa rentrée le 24 septembre 1930 à l'école d'ingénieurs civils de l'université George Washington.

En dépit de la Prohibition toujours en vigueur et de la plus sévère dépression économique de l'histoire des États-Unis, le campus vibrait d'activité et d'optimisme. Un ingénieur, Herbert Hoover, occupait la Maison-Blanche; le plus haut gratte-ciel du monde, l'Empire State Building, portait témoignage des prouesses techniques dont étaient capables les ingénieurs civils américains. Bientôt, prédisait-on, la technologie étendrait sa toute-puissance sur l'univers. Un avenir radieux s'ouvrait donc devant les élèves ingénieurs.

Cet avenir laissait malheureusement Ron indifférent. Tandis que ses professeurs lui exposaient les principes du calcul structurel et de l'analyse des contraintes, il préférait laisser son esprit divaguer dans le monde enchanté de la bande dessinée, qui commençait à s'imposer sur la culture populaire. Ses rêves étaient plus que jamais peuplés de pirates, d'espions, de soldats de fortune et d'agents secrets déjouant victorieusement les embûches d'énigmatiques Chinois.

Sa passion pour l'écriture, sinon la littérature, l'attira tout naturellement vers l'équipe rédactionnelle de l'hebdomadaire de l'université, *The Hatchet*. Mortifié de ne pas se voir proposer d'emblée le poste de rédacteur en chef, qu'il estimait mériter de plein droit, il dut se contenter d'être simple reporter, humiliation qu'il ne supporta que jusqu'au printemps de 1931. Pendant ce temps, sans doute à titre de compensation, il se prenait de passion pour le planeur et profitait de sa position au journal pour promouvoir la création d'un club universitaire de vol à voile. Bientôt élu président du club, il allait passer le plus clair de son temps dans les airs – au détriment de ses études, mais c'était là le cadet de ses soucis.

Nonobstant ses notes désastreuses à la fin de sa première année et la sévère admonestation de son père, Ron alla passer ses vacances dans le Michigan où un de ses amis, moniteur d'un club de vol à voile, lui apprit à piloter un avion à moteur. Informé du décès de son grand-père au mois d'août, il rejoignit sa famille à Helena pour les funérailles avant de retourner écumer les cieux du Middle West en compagnie de son camarade. Il fera de leurs aventures, réelles ou supposées mais artistement enjolivées, un article publié en janvier 1932 dans le magazine *Sportsman Pilot*. Le nom de Ron Hubbard figura ainsi pour la première fois au sommaire d'une vraie publication.

Au même moment, tout espoir de le voir se remettre sérieusement à ses études s'évanouit avec l'annonce par *The Hatchet* de l'édition d'une revue littéraire mensuelle. Il aurait été impensable à ses yeux que la revue paraisse sans un texte de lui; aussi publia-t-il dans le premier numéro du 9 février 1932 une nouvelle narrant les aventures d'un jeune soldat chinois périssant d'une mort tragique. Au mois de mai, Ron eut la satisfaction de se voir décerner le prix d'art dramatique de la revue pour une pièce en un acte intitulée *The God Smiles*, qui mettait en scène dans un café de Tsing-Tao un Russe blanc et sa maîtresse cachés derrière un rideau pour échapper à un chef de brigands, le tout sur un ton hésitant entre Tchekhov et la grosse farce.

Mais un autre projet accaparait déjà son attention au point de lui faire oublier le reste, y compris ses études et son cher vol à voile : une « expédition » aux Antilles.

Tout autre que Ron Hubbard aurait qualifié l'entreprise de simple croisière estivale ; pour lui, il ne pouvait s'agir que d'une expédition en règle dont il serait le chef. Il l'avait même déjà baptisée du titre grandiose d'Expédition cinématographique des Caraïbes.

L'idée lui en était venue avec son ami Ray Heimburger, vice-président du club de vol à voile, en découvrant dans le port de Baltimore un vieux schooner, le *Doris Hamlin*, long de deux cents pieds et jaugeant mille tonneaux, qui n'avait jamais été équipé de machines de sorte que les clients ne se bousculaient pas. Après avoir pris contact avec son skipper, le capitaine Fred Garfield, Ron calcula qu'il suffisait de partager les frais entre une cinquantaine d'étudiants pour louer le *Doris Hamlin* pendant les vacances d'été. Il ne lui fallut pas longtemps pour réunir le nombre adéquat de volontaires, ce qui porte au moins témoignage de ses dons de vendeur et d'organisateur.

Un article, non signé mais frappé du sceau de l'inimitable emphase propre à Ron Hubbard, annonça l'expédition dans *The Hatchet* du 24 mai 1932 : « Contrairement aux idées reçues, les jours de l'épopée des grands voiliers ne sont pas révolus – du moins pour les cinquante jeunes Chevaliers de l'Aventure qui appareilleront de Baltimore le 20 juin à bord du schooner *Doris Hamlin* pour cingler vers les Indes Occidentales et les repaires oubliés des pirates... » L'ambitieux programme des « Chevaliers de l'Aventure » comportait notamment la « reconstitution de scènes de piraterie » (dont on voit mal l'intérêt scientifique), la récolte de « précieux spécimens de la flore locale », la rédaction d'articles pour les magazines de voyage et le tournage de films de court métrage dont « les scénarios seront écrits à mesure en fonction des légendes et traditions de chaque île visitée et des recherches effectuées dans les nombreux ouvrages de référence dont sera dotée la bibliothèque de bord... »

Quant à l'itinéraire, il ne prévoyait pas moins de seize escales en cent jours. Un « chef d'expédition » pourvu d'un minimum d'expérience se serait inquiété de savoir s'il était matériellement faisable dans un tel laps de temps de parcourir plus de cinq mille milles marins à bord d'un voilier vétuste dépourvu de moteur auxiliaire, mais il en fallait davantage pour décourager un meneur d'hommes tel que Ron Hubbard, devant qui tout pliait. Son « expédition » bénéficiait d'ailleurs de soutiens aussi prestigieux que l'université du Michigan, l'Institut Carnegie et le Metropolitan Museum; un hydravion serait bientôt embarqué pour les prises de vues aériennes; Fox Movietone et les Actualités Pathé se disputaient l'exclusivité des droits d'exploitation cinématographiques alors que le *New York Times* avait déjà acquis par contrat toutes les photographies. Il va sans dire que les membres de l'expédition se partageraient équitablement le produit de ces lucratives retombées médiatiques. C'est ainsi qu'emporté par le souffle de l'optimisme, le *Doris Hamlin* appareilla de Baltimore le 23 juin, avec trois jours de retard sur son tableau de marche.

A Washington, nul n'en entendit plus parler jusqu'au 5 août, quand *The Hatchet* signala l'arrivée du schooner aux Bermudes le 6 juillet. Une longue lettre de la plume de Ron Hubbard expliquait, dans son style ampoulé, que l'expédition avait souffert à ses débuts de vents contraires conjugués à de fortes mers et suivis d'un regrettable encalminement mais qu'à part ces léger contretemps tout allait bien et que le moral était au zénith. La missive négligeait toutefois de préciser pourquoi, quinze jours après avoir levé l'ancre, le schooner se trouvait aussi éloigné de la Martinique, sa première escale, que de Baltimore, son port d'attache.

La réponse à cette énigme ne sera connue qu'au début septembre, lorsque le *Doris Hamlin* revint à Baltimore avec trois semaines d'avance sur son programme. Homme de peu de mots mais de longue expérience, le capitaine Garfield se borna à grommeler que le voyage avait été « le pire de sa carrière ». Ron Hubbard eut beau faire bonne figure, il ne pouvait lui non plus dissimuler que l'Expédition cinématographique des Caraïbes se soldait par un fiasco complet.

Dès le début, les vents contraires et le gros temps avaient détourné le *Doris Hamlin* au point de le forcer à relâcher aux Bermudes afin de refaire le plein d'eau douce, car les réservoirs fuyaient. Onze membres de l'expédition, sans doute déjà repus d'épopée, mirent à profit cette escale imprévue pour fausser compagnie à leurs camarades, de sorte qu'entre ces défections, les taxes portuaires, l'achat de l'eau douce et la réparation des réservoirs, le valeureux chef d'expédition se voyait sur le point d'épuiser ses fonds avant même d'avoir atteint la mer des Antilles.

Le *Doris Hamlin* arriva cependant en vue de la Martinique un mois après son départ de Baltimore. Les rapports déjà tendus entre Ron et le capitaine Garfield ne firent alors que se détériorer. A peine le schooner eut-il jeté l'ancre à Fort de France que plusieurs autres « Chevaliers » se déclarèrent à leur tour lassés de l'aventure et prirent le chemin du retour. Ron prétexta alors du désastre de l'eau douce pour menacer le capitaine Garfield de ne plus lui verser un sou ; le loup de mer répliqua par d'autres menaces tandis que l'équipage, qui avait désormais tout lieu de craindre pour sa paie, en exigea le règlement immédiat et à l'avance sous peine de se mutiner. Il ne restait au « chef de l'expédition » qu'à tenter d'apaiser la révolte en promettant de demander des subsides par télégramme.

De son côté, le capitaine avait déjà télégraphié à ses armateurs dont la réponse ne se fit pas attendre : Garfield avait l'ordre formel de rentrer sans délai. Ron eut beau supplier, tempêter et brandir la menace de poursuites judiciaires pour rupture abusive de contrat, rien n'y fit. Le *Doris Hamlin* leva donc l'ancre et mit le cap sur Baltimore sans que les « Chevaliers de l'Aventure » aient exploré un seul repaire de pirates, recueilli un unique échantillon de la flore, encore moins de la faune, ni tourné le moindre mètre de film. Et pourtant, lorsque Ron Hubbard et Ray Heimburger rendirent compte de leur périple le 17 septembre 1932 dans *The Hatchet*, la déroute était miraculeusement transformée en triomphe ; et si l'expédition avouait quelques retards et contretemps sans gravité, elle affichait avec orgueil un bilan scientifique des plus flatteurs.

On ne retrouve curieusement nulle part la trace de ces innombrables « contributions à la recherche scientifique ». Le Service hydrographique national n'a jamais reçu aucun film sous-marin, l'université du Michigan ne possède dans ses collections aucun des rares spécimens de la flore et de la faune prétendument récoltés par les « Chevaliers » ; quant aux archives du *New York Times*, elles ne contiennent pas plus de photographies inédites que de courrier exprimant l'intention de s'en réserver l'exclusivité. En fait, le prestigieux quotidien ignorait jusqu'à l'existence même de l'expédition...

Un mystère encore plus épais entoure le relevé minéralogique de Porto Rico. Ce « tour de force réalisé dans la plus grande tradition » par Ron Hubbard « à la tête d'une équipe d'experts » aurait à l'évidence constitué une réussite hors du commun pour un jeune élève ingénieur de vingt et un ans. Malheureusement, le Service géologique fédéral des États-Unis n'en a jamais rien su, pas plus que le Département des Ressources naturelles de Porto Rico, ou le Dr Howard Meyerhoff, professeur de géologie à l'université de Porto Rico en 1931-1932.

Dans tout cela, un seul fait est indiscutable : à son retour des Antilles, Ron Hubbard eut confirmation que ses notes de deuxième année à l'université George Washington étaient non seulement déplorables mais très inférieures à la moyenne, particulièrement en mathématiques et en physique moléculaire. Ceci le surprenait d'autant moins qu'il avait déjà fait son deuil d'un diplôme et résolu de ne pas perdre une troisième année à poursuivre vainement des études qui ne l'intéressaient en rien.

Il informa donc ses parents de sa décision de ne pas retourner à l'université. Harry et May Hubbard furent cruellement déçus, on s'en doute, de voir leur fils unique gâcher ainsi sa chance d'embrasser une profession d'avenir. Mais à toutes leurs supplications d'assumer ses responsabilités et de se remettre au travail, Ron fit la sourde oreille.

Finalement résigné, le lieutenant Hubbard chercha comment occuper son fils jusqu'à ce qu'il ait réfléchi à une carrière valable et, surtout, l'empêcher de continuer à perdre son temps en gribouillant des histoires à dormir debout. Ayant entendu dire à l'hôpital naval, dont il était trésorier-payeur, que la Croix-Rouge cherchait des volontaires pour Porto Rico, Hub écrivit le 13 octobre au ministère de la Marine en demandant une autorisation de passage pour son fils sur un bâtiment de l'US Navy à destination de San Juan. Sa requête fut acceptée deux jours plus tard.

Le 23 octobre 1932, en compagnie d'infirmières et d'autres bénévoles, Ron embarqua donc sur le *USS Kittery*. Afin de meubler ses loisirs pendant la traversée, il écrivit pour les lecteurs du *Sporstman Pilot*, qui purent s'en délecter dans le numéro de novembre, un nouveau récit de ses exploits aux commandes d'un planeur. Comment, par exemple, il avait vécu son « plus terrifiant cauchemar » quand une aile de son engin s'était brisée à plus de mille mètres d'altitude et comment il avait réussi à éviter de tomber en vrille ; ou encore, disait-il modestement, comment il avait établi un record mondial « officieux » en maintenant en palier la vitesse de 120 km/h pendant douze minutes...

Quand le *Kittery* arriva à San Juan le 4 novembre, Ron avait cependant formé d'autres projets que de s'enrôler dans les rangs de la Croix-Rouge afin de secourir les nécessiteux : puisque son expédition aux Caraïbes ne lui avait pas permis d'explorer les « repaires des pirates » et de découvrir leurs trésors cachés, il n'allait pas laisser passer la chance d'explorer les collines de Porto Rico où les Conquistadores avaient à coup sûr laissé derrière eux des tonnes d'or...

On sait peu de choses sur les motivations exactes de ce changement de programme et sur les conditions du court séjour de Ron dans l'île, sauf qu'il semble à un certain moment avoir été employé, probablement en qualité de chef de chantier, par une société de prospection, la West Indies Minerals. Il existe une photo de lui qui le montre, coiffé d'un casque colonial et les mains dans les poches, en train de surveiller avec ennui trois ou quatre terrassiers maniant sans conviction la pelle et la pioche au flanc d'une colline.

S'il a occupé une partie de son temps à diriger un « relevé minéralogique complet de Porto Rico », le résultat de ses labeurs ne figure en tout cas dans aucune des archives officielles ou autres où il aurait normalement dû se trouver. Et si cette entreprise n'a jamais existé que dans son imagination, elle n'avait rien d'une ambitieuse « expédition » librement consentie mais résultait au contraire d'un voyage imposé à titre de sanction par un père justement déçu et mécontent de son cancre de fils.

Chapitre 4

De sang et de tonnerre...

« La première chose qu'il fit en quittant l'université fut de dépenser son trop-plein d'énergie en dirigeant une expédition en Amérique centrale. Au cours des années suivantes, il en conduira trois autres afin de puiser dans l'étude des peuplades et des cultures primitives la matière de ses articles et de ses nouvelles. De 1933 à 1941, il observa ainsi de nombreuses cultures barbares *(sic)* et trouva malgré tout le temps de publier plus de sept millions de mots... » (*Biographie abrégée de L. Ron Hubbard*, 1959.)

Les nombreuses biographies de Ron Hubbard trahissent à tout le moins une étrange négligence. Quiconque aurait pris la peine de se pencher sommairement sur la question se serait très vite rendu compte que le volume de sa production au cours de cette période n'avait jamais pu, même de loin, approcher les sept millions de mots. Entre 1933 et 1941, il avait publié quelque cent soixante articles et nouvelles, parus en quasi-totalité dans des magazines populaires. Or, la nature même de ce support interdisait de longs développements, de sorte que les nouvelles de plus d'une dizaine de milliers de mots y étaient rarissimes. S'il avait réellement publié sept millions de mots, le calibrage moyen de chaque nouvelle ou article aurait été de l'ordre de quarante-quatre mille mots, ce qui aurait été matériellement impossible.

Des vérifications élémentaires auraient de même prouvé que Hubbard n'avait pas une seule fois quitté les États-Unis ces années-là ; il ne puisait donc pas la matière de ses histoires dans de lointaines expéditions mais plutôt dans les inépuisables ressources de son imagination. Quant aux « cultures barbares », les seules qu'il ait peut-être eu l'occasion d'observer sont celles qu'on rencontre à New York et à Los Angeles...

Ron revint à Washington en février 1933, moins déçu de n'avoir pas trouvé d'or qu'impatient de renouer connaissance avec une jeune fille rencontrée peu avant que son père ne l'expédie à Porto Rico.

L'objet de sa flamme, du nom de Margaret Louise Grubb mais que tout le monde appelait Polly, était la fille d'un fermier d'Elkton, Maryland. Jolie blonde de vingt-six ans, elle avait les cheveux courts et l'indépendance de caractère chers aux admiratrices d'Amelia Earhart, la première femme à avoir accompli la traversée de l'Atlantique en solo. Comme des milliers d'Américaines passionnées par l'aviation à l'exemple de cette pionnière, Polly passait volontiers ses week-ends sur un aérodrome.

Fille unique et orpheline de mère, Polly s'occupait de son père tout en gagnant courageusement sa vie depuis l'âge de seize ans. Ses responsabilités ne l'empêchaient cependant pas de vouloir apprendre à piloter ; elle était même sur le point d'obtenir sa licence quand, par un beau dimanche, un jeune homme à l'éclatante chevelure rousse apparut sur le terrain et dans sa vie. Comme d'habitude, Ron avait immédiatement accaparé l'attention. Au milieu d'un cercle d'apprentis pilotes qui riaient à ses moindres traits d'esprit, il parlait avec volubilité en illustrant de gestes expressifs le récit de ses exploits aériens. De son côté, le héros du jour n'avait pas tardé à remarquer la jolie fille en combinaison de vol qui se tenait un peu à l'écart et à s'en approcher pour lier conversation.

Polly avait quatre ans de plus que Ron mais leur différence d'âge, rédhibitoire pour beaucoup de femmes de sa génération, ne la gênait nullement. Son soupirant lui parut attentionné, amusant, irrésistible ; loin de s'ennuyer à l'entendre interminablement discourir sur ses voyages en Asie, elle l'admira d'avoir tant vu et tant fait aussi jeune alors que les garçons de son village n'avaient jamais eu la curiosité d'aller plus loin que Wilmington, Delaware, à quinze kilomètres de là.

Le père de Polly conçut une inquiétude compréhensible en apprenant que sa fille « fréquentait » Ron Hubbard. Non que le jeune homme lui déplût, car il était lui aussi tombé sous le charme ; il ne se formalisait pas davantage de le savoir plus jeune que Polly. Ce dont il se souciait, à juste titre, c'était que Ron n'avait pas plus d'argent que de situation en vue, qu'il ne manifestait aucune intention de chercher un emploi stable et prétendait gagner sa vie en écrivant. Aux yeux d'un homme tel que M. Grubb, l'écriture n'était pas un travail sérieux et rien de ce que Ron s'efforçait de lui faire entendre ne parvenait à l'en détromper – d'autant qu'en guise de preuve de ses capacités, Ron ne pouvait lui montrer que deux articles du *Sportsman Pilot*.

Finalement conscients de perdre leur temps à tenter de s'opposer au mariage – aussi têtue que Ron, Polly s'était mis en tête de l'épouser et Ron était toujours l'enfant gâté à qui ses parents ne savaient rien refuser – les familles se résignèrent à donner leur bénédiction et la noce eut lieu à Elkton le jeudi 13 avril 1933. Les invités s'étonnèrent de la brièveté des fiançailles et de la précipitation avec laquelle la cérémonie avait été organisée. L'événement justifia leurs soupçons : à Laytonsville, Maryland, où les jeunes mariés s'étaient installés, Polly fit une fausse couche peu après. En octobre, elle se rendit compte qu'elle était de nouveau enceinte.

Entre-temps, en mai, Ron avait été chargé par le

Sportsman Pilot de couvrir un meeting aérien à Washington. Il s'acquitta de sa mission dans son style fleuri habituel et sa prose parut dans le numéro de juin, illustrée par des photographies de l'auteur. S'il n'était pas peu fier de ce premier article de « journaliste professionnel », plusieurs mois s'écouleront avant que sa signature ne figure à nouveau dans une publication régulière.

Ses problèmes financiers avaient un moment semblé résolus par miracle car le vendredi 18 août, le *Washington Daily News* proclamait : « Un jeune explorateur découvre de l'or dans le Maryland. » L'article relatait que pendant ses vacances, L. Ron Hubbard, directeur général *(sic)* de la West Indies Minerals Inc., avait trouvé de l'or... dans la ferme de sa femme. Selon lui, le filon se révélait d'une richesse exceptionnelle et l'exploitation en serait bientôt entreprise « sur une grande échelle ».

Cette fortune tombée du ciel y était sans doute aussi vite remontée car l'impécuniosité de l'« heureux prospecteur » ne s'améliora pas : en septembre, il fut dans l'incapacité de renouveler sa licence de pilote de planeur, venue à expiration, faute d'avoir pu se payer au cours des six derniers mois les dix heures de vol en solo réglementaires. Il eut beau supplier la Direction de l'aviation civile de faire une exception en sa faveur et de proroger sa licence, l'administration ne se laissa pas fléchir et lui signifia une fin de non-recevoir qui mit un terme définitif à sa carrière aérienne.

En octobre, Ron écrivit deux autres articles pour le *Sportsman Pilot* et en vendit un au *Washington Star*, de sorte que l'ensemble de sa production publiée en 1933 se monte à quatre articles. Le tarif en vigueur pour les pigistes était alors d'un *cent* le mot. Polly, dont l'inquiétude croissait en proportion de son tour de taille, calcula que son mari n'avait réussi à gagner en tout et pour tout cette année-là que moins de cent dollars...

Mais le temps des vaches maigres touchait à sa fin, car Ron Hubbard allait bientôt découvrir le domaine où son talent pourrait enfin pleinement s'épanouir : l'univers de tonnerre et de sang des magazines populaires.

Cette presse à sensation avait aux États-Unis des anté-cédents honorables et touchait un public varié. Ainsi, John Buchan avait écrit *Les Trente-Neuf Marches* en 1915 pour le magazine *Adventure*, qui rapprochera un temps dans la même passion du mystère des abonnés aussi improbables que Harry Truman et Al Capone. De même, c'est grâce à ce média que des écrivains de la valeur de Joseph Conrad ou d'Erle Stanley Gardner se sont fait connaître de nombreux lecteurs et que des personnages tels que Buffalo Bill, Nick Carter ou l'énigmatique Dr Fu-Manchu sont devenus inoubliables. Le plus illustre de ces héros, Tarzan, d'Edgar Rice Burroughs, apparaîtra pour la première fois dans les pages du magazine *All Story* avant de régner de longues années sur la bande des-sinée et de se lancer dans la fulgurante carrière cinémato-graphique que l'on sait.

Dans les années trente, cette presse offrait à des mil-lions d'Américains un moyen commode d'oublier l'angoissante réalité quotidienne de la Dépression. Pour la modique somme de dix *cents*, le lecteur s'évadait dans un monde irréel d'exotisme et d'aventures dont les héros musclés se tiraient des situations les plus périlleuses ; le Bien y triomphait toujours du Mal et la sexualité ne venait jamais compliquer l'intrigue ni semer le trouble dans les cœurs. Rien qu'à New York, on en dénombrait en 1934 plus de cent cinquante titres dont les éditeurs les plus généreux rétribuaient leurs auteurs très au-dessus du tarif habituel d'un *cent* le mot. D'une périodicité géné-ralement hebdomadaire et à raison d'une moyenne de cent vingt-huit pages représentant quelque soixante-cinq mille mots par numéro, cette presse représentait pour les pigistes un marché au potentiel considérable et lucratif.

Ron Hubbard ne savait pratiquement rien de tout cela quand les circonstances le forcèrent à chercher de nou-veaux débouchés à sa prose. « Un jour, se souvient sa tante Marnie, il est allé chez un marchand de journaux acheter tous les magazines en rayon pour se rendre compte de ce qui plaisait aux gens. Il s'est dit que l'ensemble ne valait rien et qu'il pourrait faire mieux. » En réalité, Ron avait plutôt compris qu'il écrivait depuis toujours dans ce style : les histoires griffonnées à la hâte sur les livres de comptes de son père représentaient précisément le genre de « littérature » dont le public était friand et qu'il trouvait sous les couvertures bariolées de la presse populaire.

La grossesse de Polly avançait, les dettes du ménage s'amoncelaient ; le dos au mur, Ron se mit à produire à la chaîne sans même prendre la peine de se relire. Aventuriers, pirates, détectives, espions, légionnaires, as de l'aviation, soldats perdus, loups de mer, gangsters, tout l'éventail du genre y passa. Pendant six semaines d'affilée, attablé parfois des nuits entières devant sa machine à écrire, il « pondit » ainsi une histoire complète par jour qu'il expédiait à mesure aux magazines new-yorkais. La tactique se révéla bientôt payante : un matin, Ron trouva dans sa boîte à lettres deux chèques totalisant trois cents dollars – la plus grosse somme qu'il ait jamais gagné de sa vie !

La pompe ainsi amorcée, d'autres achats suivirent. A la fin d'avril, Ron eut assez d'argent devant lui pour offrir à Polly de courtes vacances en Californie, près de San Diego. Enceinte de sept mois, Polly souffrit de la chaleur à laquelle elle n'était pas accoutumée. Le 7 mai 1934, voulant se rafraîchir dans le Pacifique, elle se fit emporter par un rouleau et parvint à grand-peine à regagner le rivage bien qu'elle fût excellente nageuse. L'effort précipita l'accouchement et elle mit au monde un garçon, Lafayette Ronald Hubbard Junior, surnommé Nibs à la suite d'une plaisanterie de son grand-père. Le bébé pesait à peine plus de deux livres à la naissance et ne survécut que grâce aux soins de ses parents qui, deux mois durant, se relayèrent jour et nuit à son chevet.

Les angoisses de la paternité n'empêchaient cependant pas Ron de soigner son image d'as de la voltige aérienne et d'intrépide aventurier. C'est ainsi que le magazine *Pilot* lui rendit en juillet un vibrant hommage en le présentant comme « l'un des plus éminents pilotes de planeur des États-Unis », sans oublier de mentionner qu'il avait été sergent dans le Marine Corps, explorateur et chercheur d'or aux Caraïbes, cinéaste, journaliste, *crooner* à la radio, etc. (L'« éminent pilote » avait sans doute négligé de préciser qu'il n'avait pas volé depuis des mois et ne possédait plus de licence, qu'il n'avait connu les Marines que pour y avoir fait une période de réserviste et n'avait jamais trouvé la moindre pépite d'or, encore moins chanté sur les ondes.)

Une fois Nibs tiré d'affaire, l'intrépide père de famille de vingt-trois ans pensa qu'il était grand temps de se faire connaître de ses collègues en littérature. Laissant Polly et leur rejeton à la maison, il sauta dans un train pour New York et prit une chambre à 1,50 dollar la nuit au Forty-Fourth Street Hotel où, lui avait-on dit, descendaient la plupart des écrivains de passage. En 1934, au plus noir de la Dépression, New York ne regorgeait guère de touristes. Quant à l'hôtel de la 44ᵉ Rue, établissement miteux du quartier de Times Square, il n'en avait jamais attiré et n'abritait depuis le krach que des acteurs au chômage, des catcheurs, des camelots et des bookmakers. Frank Gruber, le seul auteur qui s'y trouvait à l'arrivée de Ron Hubbard, lui en dépeignit avec justesse la clientèle comme « un ramassis de minables et de propres à rien. »

Grisé d'avoir vendu deux ou trois histoires, Gruber était venu de son Illinois natal chercher fortune à New York où il ne mangeait pas tous les jours à sa faim. Moins motivé par l'altruisme que par un sens bien compris de ses propres intérêts, Hubbard l'invita au restaurant et le fit parler pour en savoir plus : quels éditeurs se laissaient le plus facilement approcher ? Quels magazines achetaient tel ou tel genre d'histoire ? Lesquels se montraient les plus généreux ? Quelques jours plus tard, Gruber emmena Hubbard chez Rosoff's, restaurant de la 43ᵉ Rue où les membres de la Guilde des auteurs de fiction se retrouvaient pour déjeuner tous les vendredis. Il y avait là des noms révérés de millions de lecteurs, mais Ron n'était pas homme à se laisser intimider pour si peu et fit son entrée comme s'il était déjà aussi célèbre que le plus illustre des convives présents. Le repas n'était pas terminé qu'il présidait son bout de table et accaparait l'attention de ses voisins en narrant avec conviction ses explorations des repaires de pirates aux Caraïbes.

La Guilde des auteurs de fiction admettait parfaitement que ses membres soient enclins à dédaigner parfois la frontière entre le réel et l'imaginaire, à condition qu'ils se montrent distrayants. Ron Hubbard ne pouvait être pris en défaut sur ce point; conteur né, il savait dresser un décor en quelques mots, étayer l'action par des détails crédibles, créer des dialogues vivants et y insuffler de l'humour, le tout sur un rythme digne d'un comédien de métier. Arthur Burks, président de la Guilde, fut donc heureux d'introniser une nouvelle recrue aussi brillante – moyennant, cela va sans dire, le versement de ses dix dollars de cotisation.

Ron sut mettre à profit son séjour à New York. Dans la journée, il se montrait partout où il fallait, faisait la tournée des rédactions et vendait ses histoires. Le soir, il discutait interminablement avec d'autres jeunes auteurs dans la chambre d'hôtel de Gruber. A la fin, toutefois, celui-ci commença à se lasser de ses fanfaronnades. Un soir, après avoir subi un long récit de ses exploits dans le Marine Corps, de ses aventures en Amazonie et de ses safaris en Afrique, il lui demanda d'un ton sarcastique :

– Au fait, Ron, vous avez bien quatre-vingt-quatre ans, n'est-ce pas?

– Qu'est-ce que ça veut dire? s'enquit Ron sèchement.

Gruber brandit le calepin sur lequel il avait pris des notes au cours de la soirée :

– Voyons : vous dites avoir passé sept ans chez les Marines, avoir été six ans ingénieur civil, être resté quatre ans au Brésil, trois en Afrique, avoir tourné six ans avec votre équipe de voltige aérienne – et j'en passe... Si on additionne, cela donne quatre-vingt-quatre.

Ron devint furieux qu'on ose mettre publiquement en doute ses affabulations. «Il a piqué une crise, raconte Gruber. Il réagissait de la même manière aux déjeuners de la Guilde si quelqu'un levait seulement un sourcil quand il était lancé. Aucun des autres membres ne s'attendait à ce qu'on prenne ses salades au sérieux. Ron, si. Il en arrivait à croire ses propres inventions. »

De retour au foyer, Ron se remit à écrire comme un forcené. Ses héros se frayaient un chemin dans la jungle poursuivis par de féroces coupeurs de têtes, fendaient les cieux dans des duels aériens au terme desquels l'ennemi était descendu en flammes, luttaient à mains nues contre des pieuvres géantes à cent pieds sous la mer, se battaient au sabre contre des pirates sanguinaires sur un galion secoué par la tempête ou repoussaient à la mitrailleuse des hordes de sauvages fanatisés. Les femmes n'apparaissaient dans ces aventures que s'il fallait les sauver in extremis des crocs d'un lion affamé ou des griffes d'un ours enragé. Quant aux titres – *La Patrouille fantôme*, *Les Tambours du Destin*, *Otage de la mort* ou *Légionnaire de l'Enfer* – ils étaient en tous points dignes du genre

Entre ces bouleversantes sagas, Ron produisait de temps à autre une chronique pour le *Sportsman Pilot* où il continuait à jouer de sa réputation de casse-cou et d'as de la voltige. En décembre, il donna aux lecteurs ses conseils éclairés pour le survol des Antilles ou l'atterrissage à Haïti. Deux mois plus tard, le 25 février 1935, il formula une demande de licence d'élève pilote, demande à laquelle il ne donnera jamais suite – ce qui ne l'empêchera pas de poursuivre dans le magazine la série de ses avis aux aviateurs et le récit de ses exploits.

En octobre 1935, le magazine *Adventure* lui offrit de figurer dans une rubrique intitulée « Autour du feu de camp », où les auteurs se présentaient aux lecteurs. Bien entendu, Ron y développa les hauts faits de son aventureuse carrière, de ses explorations de l'Asie profonde à ses exploits d'as de la voltige aérienne, sans oublier son intermède de « dur à cuire » dans le Marine Corps avec lequel il était censé avoir sillonné la Terre entière et qui, à ses yeux, valait cent fois mieux que la Légion étrangère française que tout le monde admirait. Il concluait par cette promesse, qui devait mettre l'eau à la bouche de ses lecteurs : « A mon retour d'Amérique centrale, où je m'apprête à partir, j'aurai bien d'autres choses passionnantes à vous raconter. »

En réalité, il ne se rendait pas en Amérique centrale mais à Hollywood, où la Columbia avait acheté les droits d'une de ses nouvelles, *Le Secret de l'île au trésor*, pour en faire une série de quinze épisodes destinés à être projetés en première partie des matinées du samedi. Rien ne pouvant lui faire plus de plaisir que d'ajouter le titre de scénariste à la liste déjà longue de ses distinctions, ses biographies donneront à sa carrière hollywoodienne un tour triomphal : « En 1935, L. Ron Hubbard partit pour Hollywood, où il travailla sous contrat comme scénariste de nombreux films célèbres... Il s'acquit une éminente réputation dont Hollywood conserve le souvenir vivace... » Il aurait aussi sauvé les carrières de Bela Lugosi et de Boris Karloff, alors sans emploi, en écrivant des rôles à leur intention dans les scénarios de ses « nombreux films célèbres ». Bref, il serait devenu à son tour une « légende de Hollywood ».

Une légende bien obscure car, à l'exception du *Secret de l'île au trésor*, le nom de L. Ron Hubbard ne figure au générique d'aucun film – ce qui ne l'empêchera pas de se remémorer ses jours de gloire au paradis du septième art : « J'écrivais des nouvelles pour mes éditeurs de New York dans mon *penthouse* de Sunset Boulevard avant d'aller à mon bureau du studio, où je disais à ma secrétaire de répondre que j'étais en conférence pendant que je rattrapais mon sommeil en retard... Personne ne me croyait capable d'écrire cent trente-six scènes par jour et la Guilde des scénaristes m'aurait tué si elle l'avait su : elle imposait un quota de huit ! »

Ron ne s'attarda pas à Hollywood à bâcler cent trente-six scènes par jour et regagna New York à la fin de l'année. Polly était de nouveau enceinte ; craignant un accident comme à la naissance de Nibs, Ron et elle avaient décidé que l'accouchement aurait lieu cette fois à l'hôpital. Le mercredi 15 janvier 1936, elle mit au monde une fille, Catherine May, née à terme en parfaite santé.

Les Hubbard prirent le train peu après pour aller rendre visite aux parents de Ron, qui s'étaient entre-temps réinstallés à Bremerton.

En décembre 1934, à l'âge de quarante-huit ans, Harry Ross Hubbard avait été enfin promu capitaine de corvette avant d'être affecté pour la troisième fois à la base navale du Puget Sound, à Bremerton, en juillet 1935. May s'en réjouissait d'autant plus que Toilie, sa sœur préférée, y habitait déjà et que sa jeune sœur Midgie était établie à Seattle, sur l'autre rive de la baie. Décidés à se fixer à Bremerton quand Hub prendrait sa retraite, les Hubbard s'y étaient acheté une maison non loin de la base.

Ida Waterbury, la grand-mère de Ron alors âgée de soixante-douze ans, vivait toujours à Helena. En octobre 1935, de violents tremblements de terre avaient réduit en poussière une moitié de la ville et semé la panique dans la population. La vieille maison de Lafe Waterbury avait résisté, mais dans un état si précaire que Mme Waterbury était partie chercher refuge chez Hub et May. C'est ainsi qu'au printemps 1936, Ron, Polly et leurs deux enfants trouvèrent à Bremerton la famille Waterbury, en partie reconstituée, qui accueillit Polly à bras ouverts.

La sympathie fut d'emblée réciproque et l'atmosphère familiale si plaisante que Ron et Polly décidèrent bientôt de s'établir à leur tour dans la région et achetèrent une petite maison à South Colby, bourgade rurale proche de Bremerton. Située à flanc de coteau au milieu des cèdres, la maison dominait vergers et pâturages étagés jusqu'au Puget Sound; le soir, on voyait les lumières de Seattle se refléter sur la baie. Polly tomba aussitôt amoureuse de cet endroit idyllique et baptisa la maison « Le Belvédère ».

Jaloux de sa tranquillité, Ron se fit bâtir une cabane en planches au bout du terrain, y installa sa machine à écrire et se remit à produire des chefs-d'œuvre tels que « Le baron de la Rivière du Coyote » pour *All Western* ou « Meurtre à la lampe à souder » pour *Detective Fiction*. Absorbé par sa « création », il ne faisait aucun effort pour adapter ses habitudes de travail aux obligations de sa vie de famille. Il écrivait toute la nuit et dormait jusqu'à 2 ou 3 heures de l'après-midi sans s'inquiéter de voir s'accumuler les factures impayées, car s'il vendait au moins une histoire par semaine et gagnait correctement sa vie, il gaspillait allégrement les ressources du ménage qui était toujours à court d'argent – l'épicier de South Colby les menaçait périodiquement de leur couper le crédit...

A part ses soucis financiers, Polly était heureuse au Belvédère, où elle menait une vie paisible de mère de famille et s'adonnait au jardinage. Ron était en revanche incapable de rester en place et se rendait fréquemment à New York pour « ses affaires ». Plus ses absences s'allongeaient, plus Polly le soupçonnait de la tromper – non sans raison, comme elle en aura la preuve par la suite. En réalité, ce qui attirait aussi souvent Ron à New York était moins le démon de la luxure que l'ennui de ternir, par une existence dénuée d'imprévu dans un trou de campagne, sa réputation d'aventurier et de casse-cou qu'il s'était donné tant de mal à établir. Il avait absolument besoin de garder le contact avec ses confrères, de les éblouir par des récits toujours plus haletants d'aventures toujours plus échevelées et de répandre à tous les échos son sobriquet de « Flash » Hubbard dont personne, ses éditeurs moins que quiconque, n'osait désormais douter qu'il ne fût pleinement justifié.

En juillet 1936, l'agent littéraire et échotier Ed Bodin accrédita la prodigieuse prolixité de Ron Hubbard en rapportant qu'il avait déjà publié plus d'un million de mots, affirmation aussi absurde que gratuite qui sera ensuite amplifiée sans scrupules – au point qu'en 1941, on portera à son crédit des chiffres allant de sept à quinze millions de mots! Quoi qu'il en soit, Ron était très fier de sa productivité, que nul d'ailleurs ne songeait à lui dénier : il écrivait en effet avec une rapidité phénoménale qui, on s'en doute, ne rimait pas toujours avec qualité. On racontait, à ce sujet, que des éditeurs new-yorkais lui faisaient porter par coursier à son hôtel une maquette de couverture afin qu'il écrive l'histoire correspondante – et que les coursiers avaient l'ordre d'attendre...

Vers la fin de 1937, Ron vendit à l'éditeur Macaulay son premier roman, *Buckskin Brigades*, basé sur ses prétendues aventures d'enfance dans le Montana où il disait être devenu « frère de sang » des Indiens Pieds-Noirs. Polly se réjouit de voir son mari accéder enfin à l'édition « respectable »; elle s'en félicita doublement en apprenant que le contrat était assorti d'un à-valoir de 2 500 dollars, somme dont les Hubbard avaient le plus pressant besoin pour éponger leurs dettes.

Lorsque le bureau de poste de South Colby l'avisa un matin qu'un mandat l'attendait au guichet, Ron se précipita... et ne revint que dans la soirée. Surexcité, il annonça à Polly qu'il avait acheté un ketch de trente pieds, *The Magician* aussitôt surnommé *Maggie*, et lui décrivit avec enthousiasme les améliorations qu'il comptait entreprendre – nouveau moteur, nouveau gréement, etc. Atterrée, Polly n'en croyait pas ses oreilles : elle avait un tiroir débordant de factures impayées et son mari venait de dépenser toute la fortune du ménage.

Les Hubbard s'étaient fait d'excellents amis à South Colby en la personne d'un jeune agent d'assurances, Robert McDonald Ford et de sa femme Nancy. Ron et Robert avaient le même âge, ils aimaient autant l'un que l'autre la voile et la conversation. Polly et Nancy se montraient aussi douées à la cuisine qu'au jardin de sorte que les deux couples devinrent vite inséparables. Ils se recevaient souvent à dîner, jouaient aux échecs et parlaient des heures durant de ce qui se passait dans le vaste monde, notamment des agissements de Hitler et des menaces de guerre qui planaient sur l'Europe.

Si Robert Ford n'était pas toujours dupe des discours fleuris de son ami Ron, il rendait toutefois hommage à ses talents de causeur et à la fertilité de son imagination. Il jugeait ses rapports avec Polly « ... plutôt bons. Elle avait un caractère indépendant et ne s'en laissait pas conter. Il leur arrivait de se quereller, bien sûr, mais cela n'allait jamais très loin... Ils étaient toujours à court d'argent, l'épicier les harcelait, si bien que Ron devait bâcler une nouvelle en deux ou trois soirs. Dès qu'il touchait une somme, il payait l'épicier et allait se détendre sur son bateau, le *Maggie*. »

Les Ford et les Hubbard devinrent ensemble membres du Yacht Club de Bremerton, où ils partageaient toujours la même table lors des soirées dansantes du samedi et s'amusaient beaucoup. En semaine, les deux amis naviguaient sur le *Maggie* ou se lançaient dans des expériences farfelues d'embarcations « révolutionnaires ». Pendant ce temps, seules avec leurs enfants, Polly et Nancy se racontaient leurs secrets. Avertie des soupçons de Polly sur les infidélités de son mari, Nancy se refusait encore à y croire quand, un samedi soir, les deux ménages se retrouvèrent au Yacht Club pour le dîner dansant hebdomadaire.

Polly était venue seule en voiture tandis que Ron, qui avait traversé la baie à bord du *Maggie*, débarquait sans chercher à dissimuler sa mauvaise humeur. « Ils ne se sont pas adressé la parole, se souvient Ford, et il nous a fallu un certain temps pour découvrir ce qui s'était passé. Ron avait écrit à deux filles de New York et déposé les lettres dans sa boîte pour être relevées par le facteur. Polly les y avait trouvées, elle les avait ouvertes et interverti les lettres avant de les remettre dans les enveloppes. Elle ne l'avait dit à Ron qu'après le passage du facteur. Avec Polly, on ne s'ennuyait jamais... »

Le lendemain matin, toujours fou de rage, Ron avait bouclé ses valises et pris le premier train pour New York.

Chapitre 5

Science et fiction

« En 1938, sa réputation d'écrivain déjà solidement établie... Hubbard fut sollicité de tourner son talent vers la Science-Fiction. Objectant qu'il ne s'intéressait pas " à des machines et à des mécaniques " mais à des êtres humains, il lui fut répondu : " C'est justement ce que nous voulons. " Hubbard releva le défi avec une série d'œuvres qui allaient repousser les frontières de ce genre littéraire et le transfigurer... » (*About L. Ron Hubbard, Writers of the Future, Volume II, Bridge Publications Inc., 1986.*)

Pour les amateurs, 1938 marqua le début de ce qu'ils qualifient l'« âge d'or de la science-fiction ». Jusqu'alors, les magazines spécialisés, affublés de titres ronflants tels que *Amazing*, *Wonder* ou *Planet Stories*, étaient méprisés ou ridiculisés. Ils ne végétaient que grâce à une poignée de fanatiques du genre qui, rêvant en pleine Dépression de machines à voyager dans le temps et dans l'espace, étaient généralement traités d'illuminés ou de cerveaux fêlés.

Il faut avouer qu'au début des années trente, l'héritage des grands auteurs du XIXᵉ siècle, Mary Shelley, Jules Verne, Edgar Allan Pœ et H.G. Wells, était tombé en totale déliquescence. Il n'était plus question que de robots fous ou de monstres venus de lointaines galaxies à seule fin de réduire les Terriens en esclavage ou d'enlever les « gentes damoiselles » pour se livrer sur elles aux pires turpitudes, le tout bâclé dans un style infantile. Il fallait aux lecteurs une bonne dose de foi ou de naïveté pour ingurgiter les mêmes sempiternelles moutures des mêmes thèmes éculés.

On peut dater précisément le renouveau du genre et l'éclosion de l'âge d'or à la nomination de John W. Campbell Jr., alors âgé de vingt-sept ans, à la direction du magazine *Astounding* au début de 1938. C'est lui qui a arraché la science-fiction aux marécages où elle s'enlisait pour la hisser au niveau d'une forme d'art. Depuis sa première nouvelle publiée en 1930, sa réputation d'auteur original et imaginatif n'était plus à faire. Devenu éditeur, Campbell se servit de son magazine pour pousser la réflexion sur les implications psychologiques, philosophiques et sociologiques des futures découvertes scientifiques.

Exigeant de ses auteurs du style, du métier, une imagination créatrice doublée de solides connaissances, il en trouva bien peu qui soient capables de le satisfaire dans les « écuries » existantes et entreprit de recruter et de guider de nouveaux talents. S'il rejetait impitoyablement les intrigues boiteuses et les théories absurdes, Campbell se donnait chaque fois la peine d'expliquer en détail les corrections à apporter et soumettait à ses « poulains » des idées nouvelles qui, souvent, leur apporteront la gloire. C'est ainsi que les plus grands noms du genre – Isaac Asimov, Robert Heinlein, E. van Vogt et combien d'autres – ont fait leurs premières armes dans *Astounding*.

A la fois visionnaire et réaliste, Campbell croyait aux pouvoirs surnaturels, à l'exploration de l'espace, aux fusées et à la multiplicité des mondes; il estimait surtout que la science-fiction devait se montrer digne de ce nom. Il répétait volontiers que l'homme n'utilisait pas le quart de ses capacités cérébrales et qu'un cerveau pleinement exploité atteindrait un tel niveau d'intelligence qu'il pourrait « conquérir le monde sans grande difficulté ». A partir de ce postulat hasardeux, Campbell s'efforcera d'intégrer l'ESP, la télépathie et les autres phénomènes psychiques dans une science qu'il baptisera la « psyonique ».

Campbell fit la connaissance de Ron Hubbard peu après avoir pris la direction du magazine et les deux jeunes gens se sentirent d'emblée des atomes crochus. « The Dangerous Dimension », la première nouvelle écrite par Hubbard pour *Astounding*, parut dans le numéro de juillet 1938. Pour son coup d'essai en science-fiction, il racontait l'histoire d'un paisible professeur, inventeur d'une « équation philosophique » lui permettant de se déplacer partout dans l'Univers par la seule force de la pensée, faculté qui le plonge dans les situations les plus imprévues auxquelles il fait face avec flegme : « Tiens, me voilà sur Mars ? Quelle surprise ! »

« The Dangerous Dimension » sera suivie la même année d'une longue nouvelle en trois parties, « The Tramp », qui traite également des pouvoirs de l'esprit. Le héros, un vagabond victime d'une fracture du crâne en tombant d'un train, est sauvé grâce à l'insertion d'une plaque d'argent dans sa boîte crânienne. Il se découvre alors le pouvoir de guérir ou de tuer d'un simple regard ; jaloux, le chirurgien qui l'a opéré se soumet à la même intervention – mais avec des résultats moins heureux.

Lorsqu'il faudra par la suite promouvoir l'image de Ron Hubbard comme l'un des grands penseurs et philosophes du monde, ces deux histoires serviront à démontrer qu'il avait déjà entrepris des recherches approfondies sur le fonctionnement de l'esprit humain. La science-fiction, expliquera-t-on sans rire, n'était que « la méthode dont il se servait pour développer sa philosophie » – philosophie exposée en entier dans un livre inédit, *Excalibur*, écrit en 1938. Modestement qualifié d'« ouvrage sensationnel... rien de moins qu'une somme de la vie fondée sur son analyse de la condition humaine », on entendra beaucoup parler de cette « œuvre capitale », pierre angulaire de la mythologie édifiée autour de son auteur. Hubbard y exposait sa « découverte » de l'instinct de survie comme loi fondamentale de la vie – étant précisé, bien entendu, que « ses explorations, ses travaux, les expériences glanées aux quatre coins du monde au contact des hommes les plus divers » avaient, eux aussi, « joué un rôle essentiel » dans cette découverte.

Les premiers lecteurs du manuscrit en furent, dit-on, bouleversés au point d'en perdre la tête... On notera cependant qu'aucun confrère de Ron n'eut jamais connaissance de ce troublant ouvrage, à l'exception d'Arthur Burks : « Ron m'a téléphoné un jour pour me dire : " Il faut que je vienne vous voir sur-le-champ. J'ai écrit le Livre ! "... Il m'a dit que [son livre] allait révolutionner le monde entier et transformer les rapports des hommes entre eux... et qu'il aurait un plus grand retentissement que la Bible... »

Le manuscrit, selon les souvenirs de Burks, débutait par la fable d'un roi qui convoque ses conseillers et leur ordonne de résumer toute la sagesse du monde en cinq cents volumes. Cela fait, il leur commande de condenser les cinq cents livres en cent, puis en un seul et, enfin, d'exprimer toute la sagesse du monde en un mot unique. Après en avoir longuement délibéré, ils lui soumettent le mot « survivre ». Pour Hubbard, en effet, tous les comportements humains peuvent s'expliquer par l'instinct de survie, de sorte que celui qui maîtrise la connaissance de cet instinct connaît les secrets de la vie...

Burks fut assez impressionné par *Excalibur* pour accepter d'en écrire la préface, où l'on relève une information insoupçonnée jusqu'alors : Hubbard aurait formulé en 1934 sa propre « application de la géométrie analytique à la navigation aérienne » ! Burks y fait aussi état de la modestie de l'auteur et de sa répugnance à parler de lui-même – trait de caractère que les membres de la Guilde des auteurs de fiction n'avaient encore jamais eu l'occasion d'observer...

Bien qu'aucun éditeur ne s'intéressât à son chef-d'œuvre, Ron ne désespérait pas de le publier un jour et restait convaincu qu'il lui vaudrait de passer à la postérité.

Dans une lettre à Polly d'octobre 1938, il se laisse aller aux confidences : « ... J'ai peut-être tort, mais j'espère que mon nom s'imposera dans l'Histoire avec tant de force qu'il deviendra légendaire, même si tous les livres devaient disparaître. Ce but est pour moi le seul qui compte... Quand j'ai écrit *Excalibur*, je me suis moi-même donné une éducation qui surpasse toutes les autres... Il fallait un fantastique travail cérébral pour mettre [mes théories] au point et les rendre utilisables... Je pourrais, par exemple, définir un programme politique capable de susciter le soutien à la fois des chômeurs, des industriels, des employés et des ouvriers. Quel enthousiasme cela soulèverait ! Je sens qu'il se passera quelque chose d'ici cinq ou six ans, tu verras... »

A la fin de la lettre, il dit sentir bouillonner en lui des forces étranges qui lui procurent un sentiment de détachement et d'invincibilité. « Qui suis-je ? » se demande-t-il, avant de conclure : « Dieu devait se sentir sarcastique quand Il a créé l'Univers. Il faut qu'un homme se dresse tous les quelques siècles pour Lui faire ravaler son rire. » Inutile de préciser à quel homme chargé de remettre Dieu à sa place pensait Ron Hubbard en écrivant ces mots...

Tandis que l'« œuvre philosophique » de Ron Hubbard dépérissait faute d'éditeur, ses autres activités « littéraires » prospéraient. 1938, l'année de ses débuts dans la science-fiction, fut aussi celle de sa conquête du Far West : son nom figura presque tous les mois au sommaire du magazine *Western Story*. Campbell estimait qu'il y perdait son temps et souhaitait plutôt qu'il collabore à *Unknown*, un nouveau magazine consacré au fantastique qu'il était sur le point de lancer. Ron s'exécuta avec « The Ultimate Adventure » dans le numéro d'avril 1939, puis avec « Slaves of Sleep » en juillet. Il collaborera ensuite régulièrement à ce magazine.

Par rapport aux années précédentes, sa production de 1939 – pas plus de neuf nouvelles – resta toutefois quasi squelettique parce qu'il avait autre chose en tête. Quelques mois auparavant, en effet, son ami H. Latane

Lewis II (le journaliste qui lui avait consacré un éloge dithyrambique dans le magazine *Pilot* et travaillait depuis à la National Aeronautic Association) l'avait recommandé au ministère de la Guerre à Washington pour un poste de... conseiller dans l'armée de l'air! Dans sa lettre d'introduction au général Walter G. Kilner, chef d'état-major adjoint, Lewis n'avait pas hésité à conférer à Hubbard le grade de capitaine, à en faire un membre de l'Explorers Club et un conférencier à Harvard, sans oublier ses divers titres d'écrivain célèbre, d'explorateur et d'expert en navigation aérienne, détenteur de plusieurs records. Le général n'avait pas donné suite à cette démarche, sans doute parce qu'il s'était rendu compte que Ron Hubbard n'était pas plus capitaine que titulaire de records aériens, conférencier ou membre de l'Explorers Club.

Mais il en fallait davantage pour décourager un homme tel que Ron Hubbard qui, à mesure que les rumeurs de guerre en Europe devenaient plus alarmantes (la presse parlait déjà de l'imminente invasion de la Pologne par l'Allemagne), ne pouvait se résigner à l'idée que ses talents aussi rares que multiples ne profitent pas au gouvernement. Le 1ᵉʳ septembre 1939, l'avant-veille de la déclaration de guerre, il écrira lui-même au secrétaire à la Guerre pour offrir ses services. Rendons-lui justice : sa présentation de son curriculum vitae démontre pour une fois un souci de la véracité confinant, de sa part, à une touchante modestie. Malheureusement pour lui, le président Roosevelt proclamera deux jours plus tard la neutralité de États-Unis, ce qui étouffera pour un temps son ambition de jouer un rôle clé dans l'écrasement des nazis.

Depuis son installation à South Colby, Ron avait pris l'habitude de passer l'été au Belvédère, où il consacrait ses nuits à écrire dans sa cabane et ses week-ends à fendre les flots du Puget Sound à bord du *Maggie*, et l'hiver à New York, où il retrouvait la stimulante compagnie de ses frères de plume qui se réunissaient autour de John Campbell dans les bureaux de ses magazines. Lassé des hôtels bon marché, il décida à l'automne 1939 de louer à Manhattan un petit appartement, au coin de la 95ᵉ Rue et de Riverside Drive, où il se ménagea avec des rideaux un « isoloir », à peine plus grand qu'une cabine téléphonique, afin de travailler à l'abri des distractions extérieures.

Pendant ses séjours à New York, Ron n'épargnait pas sa peine pour assouvir une ambition longtemps caressée : se faire admettre à l'Explorers Club auquel, depuis des années, il se vantait indûment d'appartenir. Fondé en 1904, le club conférait à ses membres un prestige qui légitimerait, d'un coup de baguette magique, la douteuse carrière d'explorateur dont Hubbard aimait tant se parer. Sachant se montrer le plus sociable et le plus charmant des hommes quand il voulait s'en donner la peine, il multiplia donc les contacts utiles jusqu'à ce que ses efforts soient couronnés de succès.

Soumis le 12 décembre 1939, son dossier de candidature énumérait, entre autres exploits, ses « précieuses contributions » aux travaux du Service hydrographique fédéral et de l'université du Michigan lors de ses expéditions aux Caraïbes, ses relevés minéralogiques de Porto Rico et ses « survols de reconnaissance topographique » des États-Unis. Le comité dut sans doute estimer qu'il était inutile de vérifier le bien-fondé de si brillants états de service car, à son immense satisfaction, L. Ron Hubbard fut dûment élu membre du club le 19 février 1940. Sa gloire toute neuve ne le dispensant toutefois pas de l'obligation de gagner sa vie, il s'enferma derechef dans son « isoloir » et produisit coup sur coup trois histoires dont deux, « Fear » et « Final Blackout », seront considérées comme des classiques du genre.

Paru en feuilleton dans les numéros d'avril, mai et juin 1940 d'*Unknown* et jugé par beaucoup d'amateurs comme sa meilleure œuvre, « Final Blackout » souleva de violentes controverses et fit accuser Hubbard, selon les opinions du lecteur, de propagande fasciste ou communiste, pacifiste ou belliciste. Mise en scène dans une Europe ravagée par d'interminables guerres et vouée à l'anarchie ou à la dictature, l'histoire se prêtait en effet aux interprétations les plus contradictoires; elle tombait surtout fort mal au moment même où l'offensive allemande, qui écrasait la France et menaçait l'Angleterre de mort, exacerbait aux États-Unis les affrontements entre la droite isolationniste et la gauche interventionniste. Les amis de Ron savaient eux-mêmes d'autant moins dans quel camp le ranger qu'il affectait l'indifférence envers la politique et, devant l'imminence de la guerre, laissait tomber avec mépris : « Me battre, moi, pour un système politique ? »

L'Allemagne lui inspirait cependant de l'hostilité car il écrivit le 16 mai au FBI pour dénoncer un « individu dont les activités nazies menacent la sûreté de l'État ». La sœur de ce dangereux personnage, garçon d'étage d'origine allemande dans un hôtel de New York, était également membre de la Gestapo !... J. Edgar Hoover répondit en félicitant Ron de son patriotisme et en promettant l'ouverture d'une enquête. Mais lorsqu'un agent du FBI se présenta à son appartement de Riverside Drive afin de recueillir son témoignage, il apprit que Hubbard avait déménagé sans laisser d'adresse depuis le 1er juin et l'affaire fut classée.

Ron était en effet parti au Belvédère retrouver Polly et les enfants. Il n'accorda toutefois pas beaucoup de temps aux effusions familiales car il était déjà plongé dans les préparatifs de sa prochaine grande aventure, l'« Expédition radio-expérimentale d'Alaska », qui devait déployer le pavillon officiel de l'Explorers Club. Le club n'accordait cet insigne honneur à ses membres que pour la poursuite d'objectifs scientifiques d'une valeur sérieusement démontrée ; ceux du « Capitaine » Hubbard comportaient notamment la mise à jour d'un guide de navigation côtière et l'étude de nouvelles méthodes de radio-navigation à l'aide de matériel expérimental, louable programme que le comité approuva sans hésiter.

De son côté, la famille Waterbury qualifiait plus prosaïquement l'expédition de « croisière de Ron et de Polly en Alaska ». Pour sa tante Marnie, Ron y trouvait surtout « un moyen commode d'équiper le *Maggie*... Faute de pouvoir se les offrir lui-même, il écrivait aux fabricants

en leur proposant d'essayer leurs instruments... » **Rédigées**
sur du papier à en-tête de l'ALASKAN RADIO-EXPERIMENTAL
EXPEDITION, domiciliée à l'Explorers Club de New York et
se proclamant chargée de mission par divers organismes
fédéraux, ces missives impressionnèrent suffisamment
leurs destinataires pour recevoir des réponses positives
quasi unanimes.

Le Belvédère et les enfants confiés à la garde de la
tante Marnie et de son mari, Ron et Polly mirent cap au
nord un beau jour de juillet 1940. Le moteur du *Maggie*,
installé quelques semaines auparavant, donna dès le
départ des signes de faiblesse et rendit l'âme par deux fois
en plein brouillard à quelques encablures des brisants de
la côte canadienne. Le vendredi 30 août, dans d'inquiétants claquements de vilebrequin, le *Maggie* parvint péni-
blement à gagner le petit port de pêche de Ketchikan,
situé à l'extrême sud de l'Alaska et à moins de sept cents
milles marins de Bremerton. L'événement mérita dans le
Ketchikan Chronicle un article qui, curieusement, omettait toute référence à l'ambitieuse « Expédition radio-
expérimentale » : « Le capitaine Ron Hubbard, célèbre
auteur et voyageur, est arrivé en compagnie de son
épouse à bord de son " yacht de poche ", le *Magician*...
dans le double but de gagner un pari et de rassembler des
éléments sur la pêche au saumon en vue d'un de ses pro-
chains romans... »

Ron avait en effet raconté au journaliste que des amis
avaient parié qu'il ne pourrait pas gagner l'Alaska à bord
d'une embarcation d'aussi petite taille. Son succès,
conclut l'article, « donnera au capitaine Hubbard la satisfaction d'empocher les enjeux ». Ron aurait sûrement
bien voulu que son invention fût vraie, car il avait si mal
estimé les coûts de son équipée qu'il se retrouvait déjà à
court d'argent et hors d'état de faire réparer son moteur.
Il envoya à son fournisseur de Bremerton une mise en
demeure de lui expédier gratuitement un vilebrequin de
rechange mais, en attendant l'hypothétique résultat de sa
démarche, Polly et lui étaient bel et bien bloqués à Ketchikan.

Tout en rongeant son frein, le capitaine s'efforça de donner une tournure scientifique à ses loisirs forcés. Ainsi, à la mi-septembre, il fit parvenir au Service hydrographique une série de cartes de navigation révisées et onze rouleaux de film. Il informa également la Cape Cod Instrument Company de Hyannis Port que le « Cape Cod Navigator », testé sur 721 fréquences radio, se comportait de manière irréprochable. Ce devait être pourtant une autre application des ondes hertziennes qui allait lui mettre du baume sur le cœur.

Ce dérivatif à ses épreuves se présenta en la personne de Jimmy Britton, propriétaire de KGBU, la station de radio locale qui se proclamait « la voix de l'Alaska » pour l'excellente raison qu'elle y était à peu près la seule. Britton présentait les émissions, lisait les informations, réalisait les interviews, passait des disques et, en général, tuait le temps comme il pouvait. L'arrivée inopinée à Ketchikan d'une personnalité de l'envergure du capitaine Hubbard, chef d'une expédition scientifique couverte du prestigieux pavillon de l'Explorers Club, était donc pain bénit pour KGBU, d'autant plus que Hubbard accepta avec enthousiasme de se produire à l'antenne et régala bientôt les auditeurs du récit de ses captivantes aventures. Quand il n'était pas au micro, il réorganisait la grille des programmes avec l'autorité d'un homme qui aurait fait cela toute sa vie.

Émettant sur 900 watts et 1 000 kilocycles sans interférences notables, KGBU portait loin. La station pouvait même être captée jusqu'à Seattle et Bremerton, de sorte que Ron s'arrangeait tous les jours pour mentionner que sa femme et lui étaient bloqués en Alaska à cause de la mauvaise foi de l'accastilleur de Bremerton qui refusait de remplacer son vilebrequin défectueux – harcèlement qui dut porter ses fruits, car la nouvelle pièce parvint enfin aux « naufragés » au début de décembre. Ron et Polly prirent donc le chemin du retour – au grand désespoir de Britton et de ses auditeurs, qui avaient à peine entrevu les inépuisables ressources de l'imagination de leur hôte – et le *Maggie* réintégra son port d'attache le

27 décembre 1940. Encore une fois criblé de dettes et le portefeuille à sec, son capitaine se remit au travail et l'on vit de nouveau la lumière briller des nuits entières dans la cabane en planches derrière le Belvédère.

Quand il n'écrivait pas, Ron passait comme avant de longues heures en compagnie de son ami Robert Ford, élu entre temps au Parlement de l'État. Les deux hommes jouaient aux échecs en parlant de la guerre, dans laquelle il devenait de jour en jour plus évident que les États-Unis finiraient par intervenir. Depuis son retour d'Alaska, Ron paraissait préoccupé ; il se disait convaincu que le Japon se préparait à attaquer la côte Ouest et prédisait que l'armée américaine serait repoussée jusqu'aux montagnes Rocheuses avant de réussir à endiguer l'invasion.

Ford ignorait encore que Hubbard avait déjà pris la décision de s'engager dans la marine. Résolu à être d'emblée officier, il cultivait les relations susceptibles de lui être utile et sollicitait de toutes parts des lettres de recommandation. C'est ainsi que Jimmy Britton, le patron de KGBU, adressa le 15 mars 1941 au ministère de la Marine un panégyrique de deux pages énumérant les titres de gloire de son speaker-vedette, parmi lesquels celui de « talentueux photographe professionnel » dont il disait avoir « admiré les œuvres dans le *National Geographic* », affirmation surprenante car nul autre que lui ne les y avait vues ni ne les y verrait jamais. Dix jours plus tard, le capitaine de vaisseau W.E. McCain, de l'arsenal d'Indian Head, Maryland, se portait personnellement garant de l'honorabilité et du dévouement de Ron Hubbard, qu'il connaissait depuis vingt ans et recommandait avec chaleur. (Le commandant McCain était le jeune lieutenant qui avait servi de guide à Ron et à sa mère quand ils avaient fait escale à Manille en 1927.)

Entre-temps, Ron avait pris contact avec son député à la Chambre des représentants, Warren G. Magnusson, membre de la Commission des Affaires maritimes, en lui suggérant la création par l'US Navy d'un service d'information destiné à améliorer ses relations publiques et combattre la « propagande défaitiste » qui, selon lui, « inondait la presse ». Magnusson lui demanda un rapport de neuf pages qu'il soumit lui-même à la Commission avec une introduction des plus flatteuses. Non content de se rendre ainsi utile à un si valeureux électeur, le député prit l'initiative d'écrire au président Roosevelt en personne pour exalter les vertus du « capitaine » Hubbard, dont il vantait « l'extrême discrétion et la répugnance pour toute forme de publicité personnelle ». A l'appui des qualités d'explorateur de son protégé, Magnusson citait le témoignage d'un certain capitaine Bryan du service hydrographique de la marine. (En réalité, le capitaine Bryan s'était contenté d'accuser réception des cartes marines et des films expédiés d'Alaska par Hubbard.)

Le 18 avril, profitant de son passage à Washington pour y subir une visite médicale au Q.G. de la réserve navale, Hubbard sollicita une recommandation du doyen de l'École d'ingénieurs de l'université George Washington. Tout en exaltant l'esprit de décision et les diverses qualités de son ancien élève, le professeur Arthur Johnson fut bien en peine d'expliquer pourquoi un si brillant sujet avait si piteusement échoué; il s'en tira avec élégance en disant que « la faiblesse de ses notes était due à ce qu'il s'était engagé dans une voie qui ne lui convenait pas. Elles ne reflètent en aucun cas ses véritables capacités. »

De toutes ces lettres de recommandation, la plus lyrique était sans conteste celle portant la signature de Robert Ford sur le papier à lettres officiel de la Chambre des représentants de l'État de Washington. Ford n'était pas homme à s'encombrer de formalisme et de paperasserie : « Ron voulait une lettre de moi, je ne sais pourquoi. Alors, je lui ai donné une feuille de papier en lui disant : " C'est toi l'écrivain, écris-la toi-même. " » On imagine aisément en quels termes Ron dépeignit ses propres qualités...

Et c'est ainsi que le 19 juillet 1941, L. Ron Hubbard fut incorporé dans la réserve de l'US Navy avec le grade de lieutenant de vaisseau de deuxième classe.

Chapitre 6

Le foudre de guerre

Engagé dans la marine en 1941 avant l'entrée en guerre des États-Unis, Hubbard fut affecté aux Philippines dès le début des hostilités. Premier blessé américain rapatrié de ce théâtre d'opération, il revint à la fin du printemps de 1942 dans l'avion personnel du secrétaire à la Marine. *(Biographie abrégée de L. Ron Hubbard.)*

Après avoir servi dans le Pacifique Sud... il fut affecté en 1942 au commandement d'une corvette engagée dans la lutte contre les sous-marins allemands dans l'Atlantique Nord. Promu Commodore en 1943, il commandera des unités amphibies en 1944... Après avoir servi sur les cinq théâtres d'opérations de la Seconde Guerre mondiale, titulaire de vingt et une palmes et médailles et grièvement blessé en 1944, il fut admis infirme et aveugle à l'hôpital naval d'Oak Knoll. *(Facts about L. Ron Hubbard.)*

En juillet 1941, les États-Unis étaient déjà effectivement, sinon officiellement, entrés en guerre. Les *Marines* avaient pris position en Islande et les bâtiments de l'US Navy escortaient les convois qui traversaient l'Atlantique chargés de matériel au titre de la loi Prêt-Bail. Le

81

lobby isolationniste avait beau accuser le président Roosevelt d'entraîner inutilement le pays dans un conflit qui ne le concernait pas, l'élan ne pouvait plus être stoppé. En août, quelques jours après la signature de la Charte Atlantique par Roosevelt et Churchill, un sous-marin allemand attaqua sans succès un destroyer américain, le *USS Greer*, au large de l'Islande et Roosevelt donna l'ordre de « tirer à vue ». En octobre, après le torpillage dans l'Atlantique Nord d'un autre destroyer, le *USS Kearney*, une guerre navale non déclarée fit rage entre les États-Unis et l'Allemagne.

Le lieutenant de réserve Hubbard se trouvait alors dans les services des relations publiques de la marine, car ses succès d'écrivain semblaient le destiner à vanter dans la presse les mérites de l'US Navy. S'estimant mieux qualifié que quiconque, Ron n'avait pas endossé l'uniforme depuis cinq minutes qu'il faisait déjà profiter ses supérieurs de ses conseils éclairés. Le 21 juillet, deux jours après son incorporation, il écrivit au représentant Magnusson pour le remercier de son soutien et l'informer qu'il avait déjà soumis trois idées devant permettre d'accélérer le recrutement, toutes trois « en cours d'application ».

Une semaine plus tard, dans une lettre portant l'en-tête de l'Explorers Club à New York, Hubbard fit savoir à son protecteur qu'il se proposait d'écrire deux articles par semaine afin de « vendre les cols bleus » à l'opinion publique. Cette activité, ajoutait-il, devant lui rapporter « environ trois fois plus que ma solde, je considère comme la moindre des choses de verser le surplus aux œuvres sociales de la marine ». Les marins méritants ne perçurent sans doute pas grand-chose car si Hubbard écrivit ses deux articles par semaine, on n'en retrouve la trace dans aucun magazine.

S'étant bientôt rendu compte que le lieutenant L.R. Hubbard perdait son temps, la marine l'envoya le 22 septembre à Washington annoter les photographies prises par lui-même pendant son séjour en Alaska. Le Service hydrographique note à cette occasion que quelques douzaines de ces photographies étaient « assez nettes » et présentaient « un certain intérêt pour la navigation ». Quant aux modifications ou aux précisions à apporter aux instructions nautiques dans le secteur de la Colombie britannique, le rapport estime que si certaines étaient de peu d'importance, « l'ensemble représentait une contribution positive ».

Cette appréciation plutôt élogieuse mit un terme à la carrière de Ron Hubbard dans les relations publiques. Le 24 novembre, après une permission de six semaines, il fut affecté au Troisième District Naval à New York pour suivre une formation d'officier de renseignement.

Pendant toute cette période, son père était en poste en Californie, à la base navale de Mare Island à San Pablo Bay où il était responsable de l'intendance. Toujours capitaine de corvette à cinquante-cinq ans, Harry Hubbard n'avait pour ainsi dire plus de rapports avec Ron depuis des années. Le plaisir qu'il avait pu éprouver en voyant son fils entrer comme lui dans la marine ne suffisait pas à lui faire oublier la déception et la réprobation que son mode de vie lui inspirait. Profondément conservateur, guidé dans tous ses actes par la routine et les conventions, Hub n'avait jamais pu admettre ce qu'il appelait les excentricités de Ron – son refus d'un emploi stable, son habitude de travailler la nuit et de dormir le jour, ses longues absences de chez lui et, surtout, son manque d'égards envers sa famille. Hub avait beaucoup d'affection pour Polly et adorait ses petits-enfants, Nibs alors âgé de sept ans et Cathy de cinq ans; il s'affligeait sincèrement de se sentir souvent plus proche d'eux que leur propre père.

De son côté, Ron ne se sentait rien de commun avec ce père qui passait sa vie enfermé dans des bureaux, sans autre ambition que de toucher sa retraite. Cette banale existence de gratte-papier lui paraissait trop terne par rapport au monde enchanté où il évoluait – par la pensée, du moins. Il n'avait jamais cessé de se considérer sous les traits de l'intrépide aventurier servant de modèle aux héros issus de son imagination et il ne manquait jamais l'occasion de faire valoir son image de globe-trotter sans peur et sans reproche. Dotés de caractères aussi foncièrement incompatibles, il n'y avait donc rien d'étonnant à ce que le fossé se soit inexorablement élargi entre les Hubbard père et fils.

Le lieutenant Hubbard était encore au Q.G. du Troisième District quand le dimanche 7 décembre 1941, peu après 15 heures, un flash d'information interrompit le concert du New York Philharmonic retransmis par CBS : les Japonais venaient d'attaquer Pearl Harbor. Le lendemain, le président Roosevelt signait la déclaration de guerre.

Affecté aux Philippines le 18 décembre, Ron n'alla pas plus loin que Brisbane, Australie, où il devait prendre le bateau pour Manille. Il s'y rendit tellement odieux à ses supérieurs qu'on le réexpédia aux États-Unis en février 1942 à bord du *USS Chaumont*. « Cet officier n'est pas qualifié pour exercer indépendamment des responsabilités, notait l'attaché naval américain de Melbourne dans un rapport du 14 février 1942. Il parle trop, veut faire l'important et se prétend doué de capacités exceptionnelles dans presque tous les domaines... [Il faudra] le contrôler de très près pour en obtenir des résultats satisfaisants dans tout travail de renseignement. » Le rapport mentionnait aussi que Hubbard se permettait de donner des ordres sans avoir au préalable sollicité ni obtenu de délégation d'autorité et se mêlait de fonctions pour lesquelles il n'était pas compétent, se rendant ainsi la « source de désordres considérables ».

Le Douzième District naval de San Francisco décida d'utiliser les talents du lieutenant Hubbard à la censure des dépêches. Cet emploi sédentaire ne convenant pas à ses aspirations, Ron sollicita en juin son affectation sur un patrouilleur, de préférence dans le secteur des Caraïbes « dont les peuples, les langues et les coutumes me sont familiers et où je possède la connaissance du pilotage ». Sa requête approuvée, il reçut l'ordre de se présenter à un chantier naval de Neponset, Massachusetts, afin de superviser la transformation d'un chalutier en canonnière de la classe YP, devant être immatriculée *USS YP-422* et dont il prendrait le commandement à la fin des travaux.

Enfin, il tenait sa chance de se révéler le héros qu'il croyait être depuis toujours! De toute façon, l'US Navy avait désespérément besoin d'hommes décidés à se battre car elle vivait depuis Pearl Harbor ses heures les plus noires. L'euphorie des premiers temps s'évanouissait sous l'accumulation des revers subis dans le Pacifique : Guam était tombée, bientôt suivie de Manille, Singapour, Bataan, Corregidor... C'est donc pénétré du sentiment d'accomplir sa destinée que le lieutenant Hubbard, son ordre de mission en poche, prit le chemin de Neponset.

Les travaux de transformation allèrent bon train, de sorte que Ron put annoncer le 9 septembre 1942 au commandant de l'arsenal de Boston que le *USS YP-422* était en parfait état, que l'équipage serait prochainement opérationnel et que le moral était au plus haut. « Aussitôt que quelques imperfections auront été corrigées, concluait-il, ce bâtiment sera prêt à prendre la mer... avec l'impatience de rejoindre le poste de combat qui lui aura été assigné. »

De même que son père dans sa jeunesse, Ron manifestait une certaine tendance à la distraction quand il s'agissait de ses dettes personnelles. Ainsi, pendant qu'il supervisait la transformation de l'*YP-422*, il était poursuivi par des tailleurs de Brisbane et de Washington pour des uniformes impayés. En apprenant que la banque de Ketchikan, à qui il devait toujours 265 dollars, s'était plainte auprès de la direction du personnel, il écrivit au caissier avec indignation qu'un homme risquant sa vie pour sa patrie avait mieux à faire que de se soucier de ses créanciers...

Le jour des premiers essais à flot de l'*YP-422*, le lieutenant Hubbard ne courait cependant aucun risque car il ne se trouvait pas à bord : relevé de son commandement le 1er octobre, il avait reçu, sans autre explication, l'ordre de se présenter au Douzième District naval pour y remplir

« les fonctions qu'on vous y assignera ». On sait seulement qu'il s'était pris de querelle peu auparavant avec un officier supérieur en grade dont il contestait les décisions et qu'il avait commis l'erreur de s'en plaindre auprès du commandement des Opérations navales à Washington. Informé de cette fâcheuse initiative, le commandant de l'arsenal de Boston avait réagi le 25 septembre en déclarant dans un rapport à Washington que le lieutenant Hubbard avait « un tempérament inadapté à l'exercice d'un commandement indépendant. »

Ses rêves de gloire ainsi brisés, Ron attendit dans la morosité sa prochaine affectation – et retrouva toute sa joie de vivre en recevant l'ordre de se rendre au centre de formation des chasseurs de sous-marins à Miami : Ron, le « Renard des Mers », allait pouvoir donner sa mesure et faire régner la terreur dans les rangs des flottes ennemies...

Le 2 novembre, affublé de lunettes noires, le lieutenant Hubbard arriva au centre où il se lia bientôt d'amitié avec un jeune lieutenant du nom de Thomas Moulton, vivement impressionné d'apprendre que son nouvel ami devait ainsi se protéger la vue pour avoir eu les yeux brûlés par la flamme d'un tir de canon sur le destroyer *Edsel* dont il était chef canonnier. Il fut bientôt de notoriété publique qu'il avait servi sur plusieurs destroyers, au point que son « expérience » ne tarda pas à faire autorité pendant les cours.

Brillant conteur, comme les membres de la Guilde des auteurs de fiction pouvaient en témoigner, Hubbard maîtrisait au plus haut point l'art de convaincre son auditoire par un habile mélange de jargon technique, d'anecdotes invérifiables et de pures inventions. Tandis qu'ils s'instruisaient de concert aux subtilités de la chasse aux sous-marins, Moulton recueillit les « confidences » de ses héroïques exploits, que Hubbard ne livrait qu'avec la plus grande répugnance. Celui-ci, entre autres, avait de quoi le sidérer.

Le jour même de l'attaque de Pearl Harbor, Ron débarquait de l'*Edsel* sur la côte nord de Java, non loin de Sourabaya, pour y accomplir une mission secrète. Coulé le surlendemain (en réalité, le destroyer ne le sera qu'en mars 1942), l'*Edsel* avait sombré corps et biens. Abandonné sur l'île bientôt occupée par les Japonais, Ron avait survécu dans la jungle où, échappant de justesse à une patrouille ennemie, il avait été fauché par une rafale de mitrailleuse lui infligeant de graves blessures dont, avouait-il stoïquement, il souffrait toujours. Encore chancelant, il avait rencontré un autre officier américain, comme lui naufragé involontaire; les deux hommes avaient réussi à construire un radeau et s'étaient lancés dans la traversée de la mer de Timor infestée de requins avant d'être recueillis plus morts que vifs par un destroyer britannique à moins de cent milles marins des côtes australiennes. C'était là, se disait Moulton ébahi d'admiration, une exceptionnelle prouesse de navigation...

En janvier 1943, Hubbard alla accomplir un stage de lutte anti-sous-marine à Key West, en Floride, avant d'être affecté à Portland, Oregon, où il devait prendre le commandement d'un chasseur de sous-marins de 280 tonneaux en cours de construction, l'*USS PC-815*. Il demanda à son ami d'être son second; Moulton espérait obtenir un commandement mais il admirait tellement Ron qu'il accepta. En attendant la fin des travaux, les deux amis profitèrent des charmes de Portland. Moulton fit venir sa femme de la côte Est, Polly rendit de fréquentes visites de Bremerton et ils dînaient souvent tous les quatre en ville.

Le lancement du *PC-815* eut lieu le mardi 20 avril 1943. Le surlendemain, l'*Oregon Journal* célébra l'événement par un article, illustré d'une photographie du commandant et de son second en grande tenue et la mine martiale à souhait. Ron Hubbard y était décrit comme un « vétéran de la chasse anti-sous-marine... dans le Pacifique et l'Atlantique ». Le modeste guerrier déclarait aussi avoir passé une partie de son enfance à Portland et descendre d'une longue lignée d'hommes de mer, citant le capitaine Lafayette Waterbury, son grand-père, et le capitaine I.C. DeWolfe, son arrière-grand-père, qui avaient

« écrit des pages de l'histoire de la marine américaine », sans cependant préciser lesquelles. (Le lecteur se souvient peut-être que Lafayette Waterbury, son grand-père, était vétérinaire et n'avait jamais mis le pied sur un bateau, que son arrière-grand-père s'appelait Abram Waterbury et que I.C., pour Ida Charlotte, DeWolfe était sa grand-mère...) Il va sans dire que son statut de membre de l'Explorers Club reçut les honneurs qu'il méritait et que l'article ne passa pas sous silence les « trois expéditions d'importance internationale » dont il avait été le chef. Le journaliste parvint même à lui faire avouer, dût sa modestie en souffrir, qu'il avait été le premier homme au monde à se servir d'une bathysphère pour réaliser des prises de vue sous-marines au cours de l'Expédition cinématographique des Caraïbes. Quant aux commentaires que lui inspirait son nouveau bâtiment, ils mêlaient la mâle résolution d'un Humphrey Bogart dans ses meilleurs rôles à d'exaltants sentiments patriotiques dignes des discours du président Roosevelt.

Le 18 mai 1943 au soir, le *PC-815* quitta le chantier naval d'Astoria, Oregon, pour sa croisière inaugurale. Le bâtiment, qui devait rejoindre la base de San Diego, n'avait pas pris la mer depuis cinq heures qu'à 2 h 30 du matin, au large du Cap Lookout, il rencontra un ou, peut-être, deux sous-marins ennemis – au beau milieu d'un des couloirs de navigation les plus fréquentés du littoral pacifique...

Le lieutenant Hubbard fit son rapport à l'état-major de la flotte du Pacifique dans un style qui n'aurait pas déparé les magazines d'aventures où il brillait naguère encore. Sans le citer *in extenso*, il suffit de savoir qu'au cours des soixante-huit heures que dura l'« engagement », le *PC-815* largua plusieurs douzaines de grenades sous-marines et fit usage de toutes ses bouches à feu, au point de devoir se faire réapprovisionner en munitions par la Coast Guard et de demander des renforts : il y eut jusqu'à cinq bâtiments et deux dirigeables d'observation présents sur les lieux! Mais les salves d'artillerie et les tirs de grenades avaient beau se succéder, nulle tache d'huile ni débris révélateurs ne se décidaient à apparaître, aucun cadavre japonais n'avait le bon goût de surnager. Le surlendemain à minuit, le *PC-815* reçut l'ordre de regagner sa base où Ron fut ulcéré d'être accueilli avec un scepticisme frisant la franche rigolade...

La Navy prit toutefois l'incident assez au sérieux pour lancer une enquête immédiate. Depuis Pearl Harbor, l'idée d'une attaque-surprise de la côte pacifique par la marine japonaise ne cessait de faire trembler l'Amérique. En février 1942, un sous-marin japonais isolé avait fait surface à quelques encablures de Santa Barbara et tiré vingt-cinq obus sur une raffinerie de pétrole. On ne pouvait donc pas écarter l'éventualité d'un nouveau raid et la Navy devait savoir avec certitude si le *PC-815* avait ou non rencontré des sous-marins ennemis au large de l'Oregon.

Le commandant et le second du bâtiment comparurent devant l'amiral Frank J. Fletcher, commandant la région navale nord-ouest à Seattle. L'amiral étudia le rapport de dix-huit pages soumis par Hubbard, interrogea les commandants des quatre autres bâtiments et des deux dirigeables d'observation appelés en renfort et fit examiner par des experts la bande de l'enregistreur du sonar du *PC-815*. Une fois en possession des éléments d'appréciation, l'amiral Fletcher arriva très vite à la conclusion que la centaine de grenades sous-marines larguées au cours de la « bataille » avaient sans doute provoqué une hécatombe chez les poissons mais n'avaient infligé aucune perte aux Japonais.

Dans son rapport confidentiel daté du 8 juin 1943 au commandement en chef de la flotte du Pacifique, Fletcher déclarait notamment : « L'analyse des rapports confirme ma conviction qu'il n'y avait aucun sous-marin dans le secteur. Le capitaine de corvette Sullivan [commandant des dirigeables d'observation] déclare n'avoir décelé aucune trace de la présence de sous-marins, à l'exception d'une bulle d'air dont la formation pourrait s'expliquer par l'explosion des nombreuses charges sous-marines concentrées au même endroit. Les commandants de tous les bâtiments présents sur les lieux, sauf celui du *PC-815*, affirment n'avoir observé aucun signe de la présence d'un sous-marin. » Fletcher signalait en outre « l'existence connue et répertoriée d'une formation rocheuse magnétique » à cet endroit, ce qui sous-entendait clairement que le *PC-815* avait, pendant près de trois jours, livré bataille à une masse magnétique...

Ni Hubbard ni Moulton n'acceptèrent ce verdict qui les ridiculisait. Pour eux, nier la présence de sous-marins ennemis si près des côtes américaines relevait d'une décision politique, dictée par le souci de ne pas alarmer les populations civiles déjà affolées par le raid sur Santa Barbara quelques mois auparavant. Quant aux hommes d'équipage du *PC-815*, qui s'attendaient à être traités en héros, ils durent se contenter de subir les sourires narquois de leurs camarades.

Si le rapport de l'amiral Fletcher ternissait sérieusement la réputation du lieutenant Hubbard, il ne suggérait pas de le relever de son commandement. Les plaisanteries qui couraient sur « l'homme qui coulait des masses magnétiques » auraient fini par s'oublier si un nouvel incident n'était venu peu après mettre littéralement le feu aux poudres.

Vers la fin mai, le *PC-815* escorta un porte-avions neuf de Portland à San Diego, où Hubbard fit ses adieux à son ami Moulton affecté à Seattle. Située à l'extrême sud de la Californie, San Diego n'est distante de la ville de Tijuana, à la frontière mexicaine, que d'une quinzaine de kilomètres. Au large de Tijuana se trouvent Los Coronados, îlots inhabités où les pêcheurs font sécher leurs filets.

Le 28 juin 1943 dans l'après-midi, ayant pénétré à son insu dans les eaux territoriales mexicaines, le *PC-815* tira quatre coups de canon en direction des Coronados, jeta l'ancre au large d'une des îles et tira dans l'eau plusieurs salves d'armes légères, fusils et pistolets. Si les autorités mexicaines voulurent bien admettre qu'il ne s'agissait pas d'une attaque-surprise traîtreusement lancée par leur puissant voisin, elles n'en considérèrent pas moins que l'incident justifiait une protestation officielle.

Avec le souvenir de son héroïque combat contre une masse magnétique encore frais dans les mémoires, le lieutenant Hubbard était plutôt mal placé pour se faire pardonner cette nouvelle bévue. Le 30 juin, une commission d'enquête monta à bord du *PC-815* dans le port de San Diego. Hubbard protesta énergiquement avoir commis la moindre faute : persuadé d'avoir le droit de manœuvrer dans le secteur, il avait ordonné les exercices de tir dans le seul souci de parfaire l'entraînement de ses hommes. A la question de savoir pourquoi il était resté ancré pendant la nuit au large des îles, il répondit qu'il ne voulait pas « passer toute sa nuit sur la passerelle » parce que, précisa-t-il, « ses officiers de quart s'étaient déjà perdus trois fois ». De son côté, le chef canonnier avoua sans se faire prier qu'il croyait lui aussi que les îles Coronados appartenaient aux États-Unis...

Après avoir longuement recueilli les témoignages de l'équipage, la commission d'enquête conclut que le lieutenant Hubbard avait désobéi aux consignes en ordonnant des exercices de tir et en ancrant son bâtiment dans les eaux territoriales mexicaines sans autorisation. Compte tenu de la brièveté de son temps de commandement, elle préconisait un simple blâme au lieu des mesures plus sévères qu'un tel manquement à la discipline aurait normalement justifié, mais elle recommandait aussi de le changer d'affectation. C'est ainsi que le 7 juillet 1943, au bout de quatre-vingts jours de commandement d'un bâtiment, Ron signa pour la dernière fois le livre de bord du *PC-815*.

Le contre-amiral F.A. Braisted, chef du commandement opérationnel de la flotte du Pacifique, nota le lieutenant L.R. Hubbard « au-dessous de la moyenne », en précisant : « Je considère cet officier dépourvu des qualités essentielles de jugement, d'aptitude au commandement et de coopération. Il agit sans réfléchir aux conséquences probables de ses actes... Actuellement inapte à exercer un commandement et ne mérite pas de promotion. Je recommande son affectation à un poste où il puisse être soumis à une stricte supervision. »

Affecté aux bureaux du Q.G. du Onzième District à San Diego, Ron se fit immédiatement porter malade sous divers motifs allant de la malaria à un ulcère du duodénum et à des douleurs dans le dos. Admis à l'hôpital naval, où il resta près de trois mois sous observation, il informa sa famille qu'il était hospitalisé pour de graves blessures subies en ramassant sur le pont de son navire un obus non éclaté qui avait explosé alors qu'il tentait de le jeter par-dessus bord...

En décembre 1943, après une période de six semaines au centre d'entraînement des bâtiments légers de San Pedro, en Californie, il fut affecté comme officier de navigation à bord de l'*USS Algol*, un cargo amphibie en cours de construction aux chantiers navals de Portland. Si l'on en croit son journal intime, la perspective de retourner en mer ne lui procura aucun plaisir, pas plus d'ailleurs que d'être dans la marine : « Ma seule chance de salut est d'attendre que tout cela finisse, note-t-il le 6 janvier 1944, et d'écrire, d'écrire encore et toujours... de mener ma vie en fonction de la seule activité qui m'ait jamais apporté la réussite. »

Pendant que la guerre faisait rage dans le Pacifique et que les *Marines* tombaient par milliers pour reconquérir les îles naguère perdues, Ron passa les six premiers mois de 1944 à Portland en attendant la fin de la construction de l'*Algol*, lancé en juillet 1944. Mais à mesure que le départ du navire pour les théâtres d'opérations se rapprochait, Hubbard perdit son enthousiasme pour les batailles navales. Le 9 septembre, il demanda à suivre un cours d'administration militaire en citant, parmi ses qualifications, ses études d'ingénieur civil, son appartenance à l'Explorers Club, ses nombreux voyages en Extrême-Orient et son aptitude à « diriger les populations indigènes ». Le commandant de l'*Algol* approuva la demande, en notant que si le lieutenant Hubbard était un officier « capable et énergique », il était également « d'une susceptibilité excessive et sujet à des sautes d'humeur ».

Ron Hubbard débarqua donc le 28 septembre de l'*Algol*, qui devait appareiller le 4 octobre pour Eniwetok aux îles Marshall. Le navire participa ensuite aux débarquements de Luzon, aux Philippines, et d'Okinawa où il remportera deux flatteuses citations. Pendant ce temps, son ex-officier de navigation suivait un cours d'administration de quatre mois à l'École d'application de la marine à Princeton – ce qui lui permettra, par la suite, de prétendre avoir achevé ses études dans la vénérable université de ce nom.

Pendant son séjour à Princeton, Hubbard fut invité à se joindre à un groupe d'auteurs de science-fiction qui, à la demande de la marine, se réunissaient tous les week-ends chez Robert Heinlein à Philadelphie avec pour mission d'inventer un moyen de déjouer les attaques des *Kamikaze*, les avions-suicides japonais. « J'avais même l'ordre de trouver les auteurs les plus farfelus », se souvient Heinlein.

L'appartement de Heinlein se trouvait à trois cents mètres de la gare. Informé que Hubbard avait eu les deux chevilles brisées au cours du dernier bombardement de son navire, Heinlein avait des scrupules de lui faire parcourir cette distance à pied. « Ron a fait une guerre incroyable, expliquait-il avec compassion. Quatre naufrages, je ne sais combien de blessures... » Ses souffrances n'assombrissaient pourtant pas sa belle humeur car, après les séances de travail, Ron remplissait à merveille son rôle de boute-en-train ; son répertoire d'histoires drôles et de monologues comiques faisait rire aux larmes son auditoire, quand ses bouleversants récits guerriers – nécessairement vagues pour d'évidentes raisons de sécurité – ne provoquaient pas de frissons rétrospectifs.

Il ne sortit rien des cogitations du groupe Heinlein, mais cela n'avait plus d'importance car le Japon commençait à manquer d'avions comme de pilotes et la guerre tirait à sa fin. La dernière attaque de *Kamikaze* eut lieu en janvier 1945 contre les navires américains, et notamment l'*Algol*, qui investissaient Luzon. Le même mois, après avoir terminé ses cours dans la moyenne, Ron était muté au Centre naval de coordination des Affaires civiles à Monterey, Californie.

En avril, il se faisait de nouveau porter malade et les médecins diagnostiquèrent cette fois un ulcère. Le 2 septembre, le Japon signait sa capitulation. Trois jours plus tard, Ron était admis à l'hôpital naval d'Oak Knoll à Oakland, non pas pour de glorieuses blessures de guerre mais afin de se faire traiter pour des « malaises épigastriques ». C'est dans cette situation peu reluisante que se termina la guerre du lieutenant de réserve L. Ron Hubbard, US Navy.

Il en donnera, bien entendu, une version toute différente : « A la fin de la Deuxième Guerre mondiale, aveugle et le nerf optique atteint, paralysé par de graves blessures au dos et à la hanche, j'étais un homme fini, sans avenir devant moi... J'étais abandonné par ma famille et mes amis comme un invalide probablement incurable, à leur charge jusqu'à la fin de mes jours... Je les entendais me répéter qu'on n'y pouvait rien, qu'il n'y avait plus d'espoir. Et pourtant, j'ai réussi à recouvrer la vue et à marcher... »

S'il fallait se fier à sa propre interprétation de sa conduite pendant la guerre, Hubbard aurait en effet largement mérité les vingt et une décorations qu'il se vantait d'avoir gagnées. Malheureusement, son dossier de l'US Navy ne fait état que de quatre médailles commémoratives : l'*American Defense Service Medal*, décernée à tous les hommes sous les drapeaux au moment de Pearl Harbor, l'*American Campaign Medal*, l'*Asiatic Pacific Campaign Medal* et la *World War Two Victory Medal*, accordée à tous les membres des forces armées en service le jour de la victoire...

Chapitre 7

Betty et la magie noire

« Hubbard a terrassé la magie noire en Amérique...
Grâce à sa réputation d'écrivain et de philosophe et à ses
amitiés parmi les physiciens, il fut chargé de régler un
grave problème [dans une maison de Pasadena habitée
par des physiciens nucléaires]. Il alla vivre avec eux,
enquêta sur les rites de magie noire [qu'ils pratiquaient] et
découvrit une situation alarmante... Sa mission réussit au-
delà de toute espérance : la maison fut rasée et Hubbard
sauva une femme dont [les magiciens] abusaient... Une
fois dispersé, le groupe ne se reconstitua jamais. » (Déclaration de l'Église de scientologie, décembre 1969.)

Hubbard resta trois mois à l'hôpital d'Oak Knoll sans
que les médecins puissent exactement déterminer ce dont
il souffrait. S'il n'était à l'évidence ni aveugle ni invalide,
il prétendait subir un perpétuel martyre. Son dossier
médical mentionne des examens quasi hebdomadaires
provoqués par la kyrielle de malaises et de douleurs dont
il ne cessait de se plaindre : migraines, rhumatismes,
conjonctivite, douleurs dans le côté, arthrose, hémor-
roïdes, maux d'estomac – un véritable dictionnaire médi-

95

cal! Déclaré « inapte au service actif » en septembre à cause d'un ulcère, ses troubles seront finalement considérés « sans gravité » en novembre.

En réalité, Ron préparait le terrain pour son dossier de pension d'invalidité, qu'il se hâta de soumettre dès le lendemain de sa démobilisation le 5 décembre 1945, en citant à l'appui de sa demande : « Luxation du genou gauche, conjonctivite, ulcère chronique du duodénum, arthrose de la hanche et de l'épaule droites, malaria récurrente, accès de douleurs non diagnostiquées au côté gauche et au dos. » Il déclarait en outre que sa femme et ses enfants vivaient à Bremerton chez ses parents jusqu'à ce qu'il ait les moyens de leur procurer un toit, car sa profession d'écrivain indépendant lui assurait un revenu mensuel de « zéro dollar » alors qu'il gagnait en moyenne six cent cinquante dollars par mois avant son engagement dans la marine.

Satisfait d'avoir ainsi constitué un dossier assez convaincant pour lui ouvrir droit à une généreuse pension, Ron quitta le centre de démobilisation de San Francisco au volant d'une vieille Packard attelée à une caravane dont il avait récemment fait l'acquisition. Mais au lieu de mettre le cap au nord vers l'État de Washington, où se trouvaient son foyer et sa famille, il piqua plein sud sur la route de Los Angeles, car il avait rendez-vous avec un magicien qui résidait à Pasadena dans une étrange demeure victorienne.

John Parsons, Jack pour ses amis, descendait d'une honorable famille de Los Angeles. Beau brun ressemblant à Errol Flynn et âgé de trente et un ans, c'était un brillant chimiste, l'un des meilleurs experts en explosifs des États-Unis. Il avait passé une grande partie de la guerre au California Institute of Technology, dans l'équipe chargée du développement des moteurs à réaction et de l'étude des carburants de fusées – bref, le dernier homme au monde qu'on aurait soupçonné de se livrer au culte de Satan.

Car Jack Parsons menait une double vie : savant respecté le jour, occultiste sulfureux la nuit, il croyait au diable, à la magie noire et aux pouvoirs des esprits malins. Pendant ses études à USC (University of Southern California), il avait découvert les écrits d'Aleister Crowley, sorcier et diaboliste anglais dont la doctrine pouvait se résumer en une phrase : « Fais ce qui te plaît, ce sera toute ta Loi. » Séduit, Parsons s'était enrôlé en 1939 avec sa femme Helen dans la société secrète fondée par Crowley, l'Ordo Templi Orientis ou OTO, où l'on pratiquait la magie noire par des rites sexuels. Devenu maître d'une « loge », il correspondait régulièrement avec Crowley.

Au décès de son père, Parsons hérita de la demeure familiale de South Orange Grove Avenue, l'artère la plus élégante et la mieux habitée de Pasadena pendant les années vingt et trente. Le quartier perdait un peu de son éclat vers la fin de la guerre mais, dans l'ensemble, les imposantes résidences restaient en bon état. On imagine alors le scandale des voisins en voyant le fils Parsons, incapable d'entretenir sa vaste maison, la transformer en hôtel mal famé et faire paraître dans la presse locale des petites annonces exigeant de ses locataires qu'ils soient athées! C'est ainsi que les nombreuses pièces du 1003 South Orange Grove Avenue furent bientôt peuplées d'un bruyant assortiment d'oisifs et de vagabonds – acteurs sans rôles, plumitifs sans éditeurs, étudiants désargentés, artistes ou anarchistes, danseurs et musiciens – qui attiraient à leur suite une foule de personnages aussi peu recommandables de l'un et l'autre sexe.

Les voisins auraient été encore plus alarmés s'ils avaient su que la maison abritait le siège d'une secte de magie noire. Parsons avait aménagé les deux plus grandes pièces en appartement privé servant aussi de temple. Nul n'y accédait sans y être formellement convié et les portes en restaient closes pendant les assemblées de l'OTO. Les occupants de la maison apercevaient parfois, au détour d'un couloir, Parsons ou un de ses acolytes drapés dans des robes noires, mais personne ne savait au juste ce qui se passait à l'intérieur du « temple ».

Passionné de science-fiction, dans laquelle il voyait de

nombreuses affinités avec la magie, Parsons réunissait ses amis le dimanche pour d'interminables discussions sur les mérites comparés des auteurs et de leurs idées. L'un des habitués de ces séances dominicales, Alva Rogers, deviendra un « résident semi-permanent » de South Orange Grove Avenue où il avait fait la connaissance d'une pensionnaire, étudiante en histoire de l'art, avec laquelle il passait ses nuits chaque fois qu'il le pouvait.

Au cours de l'été 1944, Helen Parsons quitta son mari pour un membre de la secte dont elle était enceinte. Parsons se consola en reportant ses affections sur la jeune sœur de son épouse, Sara Elizabeth Northrup, connue sous le surnom de Betty. A dix-huit ans, cette jeune et belle étudiante de USC fut bientôt subjuguée par son amant au point d'abandonner ses études et de s'installer chez lui, au grand désespoir de ses parents. Parsons l'initia aux rites de l'OTO, la fit participer aux « cérémonies » et, fidèle aux enseignements de Crowley, l'encouragea à avoir des rapports sexuels avec tous les hommes qui lui plairaient car, disait-il, la jalousie était un sentiment dégradant, indigne des esprits éclairés. « Betty était une ravissante blonde débordante de joie de vivre, se souvient Rogers. L'entente entre Jack et Betty et leurs liens d'affection, sinon d'amour, étaient si puissants malgré leurs nombreuses infidélités qu'ils paraissaient ne jamais devoir se rompre. » On verra bientôt combien cette solidité était illusoire.

Un jour d'août 1945, le dessinateur Lou Goldstone, illustrateur réputé de science-fiction et visiteur régulier de la maison, y amena Ron Hubbard pendant une permission de ce dernier. Jack Parsons éprouva une sympathie immédiate pour Hubbard, en qui il reconnut une âme sœur, et l'invita à s'installer chez lui. Ron se sentit tout de suite à l'aise dans ce milieu bohème et chaleureux. Tous les soirs, à la grande table de la cuisine autour de laquelle les pensionnaires aimaient se rassembler, il accaparait la conversation par des récits époustouflants de ses aventures. Comme tout le monde, ou presque, Rogers était captivé par Hubbard qu'il trouvait le plus sympathique des hommes.

La maison étant pleine, Hubbard dut un moment cohabiter avec Nieson Himmel, un jeune reporter amateur de science-fiction. Mais le scepticisme inné des journalistes rendit Himmel insensible à la séduction de son compagnon de chambre. « Je n'ai jamais supporté les charlatans. Or, Hubbard était manifestement un imposteur et un mythomane – mais pas un imbécile, loin de là : il avait l'esprit vif, un réel don de conteur et il était capable de charmer n'importe qui... Il nous rebattait les oreilles de ses histoires de guerre, il avait tout fait, tout vu. Un jour, il a dit avoir appartenu à l'état-major de l'amiral Halsey. J'ai appelé un de mes amis, dont je savais qu'il y avait été, et il m'a répondu : " Je n'ai jamais entendu parler de ce type "... Il ne m'aimait pas parce que je le piégeais en dénonçant ses mensonges... Il était toujours fauché et essayait d'emprunter de l'argent à tout le monde... Quand nous parlions de ses difficultés d'argent, il disait souvent que le moyen le plus facile d'en gagner consistait à fonder une religion. »

Loin de partager l'aversion de Himmel, Parsons était si bien persuadé de l'importance du potentiel magique de son nouvel ami qu'il l'initia aux rites de l'OTO. De son côté, Betty fut si vite séduite par la faconde du fringant officier de marine qu'elle s'empressa de coucher avec lui. Si Parsons, fidèle à ses principes permissifs, feignit l'indifférence, les autres ne tardèrent pas à remarquer une certaine tension entre les deux hommes. Quant à Himmel, amoureux sans espoir de Betty, il était fou de rage : « C'était la fille la plus belle, la plus intelligente, la plus adorable que j'aie jamais connue... Et voilà Hubbard qui débarque et couche avec toutes les filles de la maison avant de mettre le grappin sur Betty. Je n'en croyais pas mes yeux. Ce goujat vivait aux crochets de Parsons et s'envoyait sa petite amie sous son nez! Par moments, leur hostilité était presque palpable. »

Parsons demeurait malgré tout convaincu que son ami possédait des pouvoirs exceptionnels. Après que Ron fut parti se faire admettre à l'hôpital d'Oak Knoll, il écrivit à Crowley pour lui rendre compte des événements : « J'ai fait la connaissance du capitaine Ron Hubbard, auteur et explorateur que je connaissais déjà de réputation... C'est un *gentleman* honnête et intelligent dont je me suis fait un ami sincère... Betty et moi sommes toujours en bons termes mais elle a transféré sur Ron son attachement sexuel... Bien qu'il n'ait pas reçu de réel enseignement magique, il en possède une expérience et une compréhension extraordinaires. J'ai déduit de ses confidences qu'il est en contact direct permanent avec un Esprit Supérieur, sans doute son Ange Gardien... qui l'a guidé toute sa vie et l'a maintes fois sauvé... Il est en plein accord avec nos principes... [Je me réjouis de son arrivée car] j'ai besoin d'un partenaire en magie pour des expériences auxquelles je pense... »

Au début de décembre 1945, venu tout droit du centre de démobilisation de San Francisco, Ron reparut à Pasadena. Il gara sa Packard et sa caravane derrière la maison et, au vif chagrin de Parsons, reprit sa torride liaison avec Betty au point où il l'avait laissée.

Alva Rogers et sa bonne amie furent peut-être les seuls occupants de la maison à prendre conscience de ce que Parsons endurait. « Notre chambre était juste en face de l'appartement de Jack, se souvient Rogers. Un matin de décembre, nous avons été réveillés à l'aube par des bruits inquiétants, comme un râle d'agonisant ou les gémissements d'un malade. Quand nous sommes sortis dans le couloir, nous nous sommes aperçus que ce bruit provenait de chez Jack dont la porte était restée entrouverte. Nous aurions dû rentrer chez nous mais ce bruit, en réalité une sorte d'incantation, nous attirait irrésistiblement. Nous avons un peu poussé la porte pour mieux voir et... je n'oublierai jamais ce que nous avons vu. La chambre, plongée dans une demi-obscurité et assombrie par des fumées d'encens, était décorée avec tous les symboles et les accessoires de l'occultisme... Jack nous tournait le dos. Drapé dans une robe noire, les bras levés, il se tenait au centre d'un pentagramme tracé sur le sol devant un autel... »

Quant aux incompréhensibles incantations, Parsons les

proférait d'une manière qui ne laissait planer aucun doute sur leur signification. Effrayés, Rogers et son amie se hâtèrent de regagner leur chambre et passèrent le reste de la nuit à discuter en chuchotant du spectacle dont ils avaient été les témoins involontaires.

Rogers avait compris que Parsons invoquait un démon afin de se débarrasser de son rival. Le rituel ne devait cependant pas être très efficace, ou le démon ne se montrait guère coopératif, car Hubbard conserva sa belle humeur, le trio maintint l'apparence de ses bons rapports et Parsons redoubla d'efforts pour vaincre cette jalousie indigne de lui. « J'ai subi la dure épreuve de l'amour humain et de la jalousie », note-t-il dans son Registre Magique (conservé aux archives de l'OTO), avant d'ajouter : « J'ai trouvé en Ron un loyal compagnon et ami... Nous allons lui et moi poursuivre l'exécution de notre projet pour la gloire de l'Ordre. »

Le projet en question portait sur une expérience de magie noire sans précédent jusqu'alors : avec le précieux concours de son nouvel ami, Parsons voulait entreprendre la création d'un « enfant de lune », l'être magique « plus puissant que tous les rois de la Terre », l'Antéchrist doué d'un intellect supérieur « conçu en dehors des manières propres à l'homme et dépourvu d'une âme humaine », dont Crowley avait prophétisé la naissance quarante ans auparavant dans son *Livre de la Loi*. Pour trouver la mère de ce Messie satanique, Parsons prévoyait rien de moins que d'invoquer l'esprit de la « prostituée de Babylone » mère de toutes les fornications, la « femme écarlate » de l'Apocalypse...

Le 4 janvier 1946 à 9 heures du soir, Parsons et Hubbard, promu à la fonction de « scribe », entamèrent la série des rituels censés provoquer, espéraient-ils, la matérialisation de la « femme écarlate ». Ces rites se répétèrent onze nuits, sans autre résultat que de mystérieuses manifestations d'esprits frappeurs et l'apparition de feux follets... au cours d'une panne d'électricité. Le 15 janvier au matin, les magiciens délaissèrent temporairement leurs activités ésotériques au profit d'une affaire plus terre à terre.

Depuis quelque temps, Ron, Betty et Jack envisageaient de monter ensemble une société ayant pour objet l'achat de bateaux de plaisance d'occasion sur la côte Est pour les revendre avec un bénéfice en Californie. Le 15 janvier, ils apposèrent donc leur signature sur l'acte constitutif d'une association dénommée Allied Enterprises. La répartition du capital entre les associés n'était pas un modèle d'équité : Parsons s'engageait pour plus de 20 000 dollars, Hubbard 1 200 – avec bien du mal – et Betty rien du tout...

Les associés reprirent le soir même leur quête surnaturelle qui, cette fois, déboucha pour Ron sur une « vision astrale ». Parsons ressentit aussitôt une forte tension qui dura jusqu'au 18 janvier, lorsque le magicien et son scribe se rendirent dans le désert Mojave accomplir une « mission mystique ». Le soleil couchant jetait ses derniers feux quand Parsons sentit son angoisse s'évanouir pour faire place à une sensation de bien-être. Alors, se tournant vers Hubbard, il dit simplement : « C'est fait. »

Lorsqu'ils regagnèrent South Orange Grove, la « femme écarlate », une certaine Marjorie Cameron, les y attendait en effet. Elle ne différait guère, à vrai dire, des douzaines de jeunes femmes plus ou moins marginales que la bohème de la maison de Pasadena attirait. Parsons était cependant convaincu que cette rousse aux yeux verts incarnait l'esprit de l'« ego libidineux » dont il avait invoqué l'apparition – surtout parce qu'elle se disait disposée, mieux encore, avide de participer aux rites magiques et aux dépravations sexuelles qu'il lui faisait miroiter.

En février, Ron se rendit dans l'Est afin d'étudier le marché des yachts d'occasion. Pendant ce temps, dans les solitudes du désert Mojave, Parsons recueillait avec ferveur les instructions de la déesse Babalon *(sic)* sur la manière d'imprégner sa « femme écarlate » de la semence sacrée. Son exaltation ne connut plus de bornes lorsque son scribe et acolyte revint le 1er mars en disant avoir eu la vision d'une « femme belle et sauvage, montée nue sur le dos d'une bête » et qui avait un message urgent à leur délivrer. Dès le lendemain, ils se préparèrent à recevoir ledit message. En transe, le scribe nota scrupuleusement les paroles de la déesse Babalon; à minuit, on fit entrer la « femme écarlate » nue sous une robe cramoisie, on procéda aux incantations d'usage puis, trois nuits durant, le trio se livra à toutes sortes de fornications magiques jusqu'à ce que l'épuisement et le sommeil les forcent à s'interrompre.

Le 6 mars, satisfait d'avoir procédé selon les règles de l'occultisme à l'imprégnation de sa « femme écarlate » qui, neuf mois plus tard, ne pourrait manquer de mettre au monde un « enfant de lune » conforme aux prophéties, Parsons en avisa par écrit son père spirituel, Aleister Crowley. Mais celui-ci, septuagénaire, héroïnomane et déjà à demi mort, prit fort mal la chose et répliqua vertement : « Je croyais avoir une imagination morbide... mais je me demande vraiment ce qui vous passe par la tête ! » Par le même courrier, il informa Karl Germer, grand maître de l'OTO aux États-Unis : « Il semblerait que Parsons ou Hubbard ou je ne sais qui s'amuse à produire un "enfant de lune". Quand je pense à la stupidité de ces rustres, j'en suis malade ! »

Tandis que la rebuffade de Crowley mettait Parsons sur des charbons ardents, son scribe et loyal ami affrontait des problèmes plus prosaïques avec lesquels il était familier de longue date : ayant englouti ses maigres économies dans le capital d'Allied Enterprises, Hubbard n'avait plus un sou. Il n'avait pratiquement rien écrit depuis sa démobilisation et sa femme perdait patience devant ses prétextes à répétition pour se dire hors d'état de subvenir à ses besoins et à ceux de leurs enfants.

Polly savait qu'il n'y avait plus aucune chance de sauver leur ménage. Peu avant la fin de la guerre, Ron lui avait proposé de s'installer en Californie quand il serait libéré, mais elle avait refusé de déraciner les enfants et de les ballotter d'une côte à l'autre au gré des caprices de Ron. Entourés d'amis et de parents, Nibs et Katie étaient heureux à Bremerton. Polly, qui avait quitté le Belvédère trop éloigné des écoles et des magasins, se trouvait fort bien chez ses beaux-parents. May et Hub, désormais à la retraite, étaient ravis d'avoir leurs petits-enfants près d'eux. Si cette cohabitation lui permettait de faire des économies, Polly avait quand même besoin d'argent pour les nourrir et les habiller; elle estimait donc, non sans raison, que son mari avait le devoir de lui en fournir les moyens. Or, Ron était d'autant plus incapable de s'exécuter qu'il avait épuisé son crédit auprès des habitants de South Orange Grove, « tapés » les uns après les autres et, pour la plupart, encore moins argentés que lui.

En février, l'administration des anciens combattants lui avait alloué une pension mensuelle de 11,50 dollars, correspondant à un taux d'invalidité de dix pour cent. Insatisfait de cette « aumône », Ron écrivit le 18 mars en signalant une nouvelle infirmité qu'il avait, par une singulière étourderie, omis de mentionner dans sa demande initiale : « J'ai perdu entre soixante et quatre-vingts pour cent de ma vision, se plaint-il. Étant écrivain de profession, ma présente incapacité à lire et à me servir de mes yeux affecte gravement mes moyens de gagner ma vie... Auriez-vous l'obligeance de me faire savoir quelles démarches je devrais entreprendre pour obtenir un supplément de pension? »

Au bout de quatre ans dans la marine, Ron était sans illusion sur la rapidité des rouages bureaucratiques. Ses besoins d'argent, plus pressants que jamais, le poussant à trouver une solution rapide, il persuada Parsons qu'il était temps de mettre Allied Enterprises en activité. C'est ainsi qu'à la fin avril Ron et Sara (elle ne s'appelait Betty que pour les familiers d'Orange Grove Avenue) partirent pour la Floride, lestés de 10 000 dollars prélevés sur le compte en banque de l'association. Parsons avait donné son accord, étant entendu que cette somme servirait à l'achat du premier yacht et que ses associés le ramèneraient en Californie soit par mer, soit par transport terrestre en fonction du coût. Bien entendu, Parsons ignorait que son loyal associé et ami avait demandé le 1er avril à la Direction des personnels navals l'autorisation, alors indispensable aux réservistes, de quitter le territoire des États-Unis pour visiter... la Chine et l'Amérique du Sud.

Sans nouvelles de Ron et de Sara au bout de quelques semaines, Parsons commença à s'inquiéter. Il s'en ouvrit à Louis Culling, un membre de l'OTO, en jurant de récupérer son argent par tous les moyens et de liquider l'association. Le lendemain même, Hubbard lui téléphona – en PCV! – de Floride. Présent par hasard à ce moment-là, Culling constata avec stupeur l'emprise que Hubbard exerçait sur Parsons. Après ce que ce dernier lui avait dit la veille, il s'attendait à ce qu'il manifeste au moins une certaine froideur envers son associé indélicat. Or, Parsons ne souffla mot de ses inquiétudes, ne fit aucun reproche à Hubbard ni même ne le menaça de dissoudre leur association. Leur conversation se déroula sur le ton de la plus franche cordialité et Parsons la conclut en disant : « J'espère que nous resterons *toujours* associés, Ron! »

Profondément troublé, Culling prit sur lui d'enquêter. Le 12 mai, il écrivit au grand maître Karl Germer : « Vous savez peut-être que Frère John a signé avec Ron et Betty un accord d'association... et Frère John, autant que je sache, a investi tout son argent dans l'affaire... Entretemps, Ron et Betty se sont acheté un yacht avec les 10 000 dollars et vivent comme des nababs alors que Frère John se trouve littéralement aux abois... Il semblerait qu'ils n'aient jamais eu l'intention de ramener ce bateau en Californie afin de le revendre, comme ils l'avaient promis à Frère John, mais qu'ils ne soient partis sur la Côte Est que pour s'amuser... »

Bien entendu, Germer fit son rapport à Crowley qui lui télégraphia le 22 mai : «Soupçonne Ron d'escroquerie. Jack trop crédule et sans volonté, victime toute désignée des aigrefins. » Huit jours plus tard, Crowley précisait par lettre : « Il me semble, selon les informations communiquées par nos Frères de Californie, que Parsons aurait reçu une " illumination " lui ayant fait perdre tout son libre arbitre... et qu'il s'est laissé dépouiller à la fois de son argent et de sa compagne... C'est de l'escroquerie caractérisée. »

Tandis que Crowley et les membres de l'OTO tombaient d'accord pour considérer que leur Frère Parsons s'était fait gruger comme un débutant, ce dernier arrivait de son côté à la même et pénible conclusion. Au début de juin, bien décidé à retrouver les amants indélicats et à leur faire rendre gorge, il boucla sa valise et prit le train pour la Floride. A Miami, il découvrit avec stupeur qu'Allied Enterprises avait fait l'acquisition de trois bateaux – deux schooners, le *Harpoon* et le *Blue Water*, et un yacht, le *Diane* – et que Ron avait gagé les schooners pour plus de 12 000 dollars. Parsons parvint à retrouver la trace du *Harpoon* dans un port de plaisance et celle du *Blue Water* dans un chantier naval, mais nulle part celle de Ron et de Sara.

Quelques jours plus tard, la capitainerie du port de plaisance l'avisa par téléphone que le *Harpoon* avait levé l'ancre à cinq heures de l'après-midi, avec Ron et Sara à bord qui prenaient apparemment la fuite. Dans sa chambre d'hôtel de Miami, Parsons revêtit sa robe noire, traça un cercle sur le sol à l'aide de sa baguette magique et proféra les incantations d'usage afin d'invoquer Bartzabel, l'esprit de Mars, qui devait l'aider à rattraper les fuyards. Il eut le plaisir de rapporter peu après à Crowley le succès de son initiative : « Au moment même où j'implorais l'assistance de l'Esprit... le bateau a été pris dans une soudaine bourrasque de vent de terre qui a déchiré ses voiles et l'a forcé à rentrer au port, où je l'ai fait saisir... »

Le 1ᵉʳ juillet, soucieux peut-être de ne pas abuser du bon vouloir du Malin, Parsons chercha réparation par des méthodes plus conventionnelles en portant plainte contre Ron et Sara pour rupture de leur contrat d'association, abus de biens sociaux et tentative de fuite. Le tribunal nomma un syndic devant procéder à la liquidation d'Allied Enterprises et assigna les inculpés à résidence avec interdiction d'aliéner tout ou partie de l'actif de la société. Quelque peu rassuré par ces mesures conservatoires, Parsons ne se faisait quand même guère d'illusions : « J'aurais de la chance, écrivit-il à Crowley le 5 juillet, si je réussis à sauver de cette débâcle entre trois et cinq mille dollars. »

Le 11 juillet, les associés signèrent un compromis, préparé par l'avocat de Parsons, aux termes duquel l'association était dissoute, Ron et Sara rétrocédaient à Parsons la toute propriété du *Blue Water* et du *Diane* et acceptaient de lui rembourser la moitié de ses frais de procédure. De son côté, Parsons leur cédait le *Harpoon* contre une reconnaissance de dette de 2 900 dollars, montant théorique de sa part. Là-dessus, le magicien regagna Pasadena satisfait d'avoir au moins sauvé quelques miettes mais sans regret d'avoir perdu d'un coup son ancienne maîtresse et son ex-meilleur ami. Jusqu'à sa mort accidentelle, survenue en 1952, il ne les reverra ni n'en entendra d'ailleurs jamais plus parler.

Après leur brève période d'opulence aux frais de Jack Parsons et d'Allied Enterprises, Ron et Sara se retrouvèrent à Miami dans une indigence à laquelle Ron, sinon Sara, était accoutumé. Le problème immédiat consistait à faire face aux échéances de l'emprunt de 4 600 dollars qui courait encore sur le *Harpoon*. N'ayant jamais été homme à se laisser abattre par les soucis d'argent, Ron restait convaincu qu'il réussirait à soutirer de l'Administration des anciens combattants un substantiel supplément de pension.

Le 4 juillet, jour de la fête nationale, il avait rédigé une nouvelle supplique où il traçait de ses souffrances un tableau proprement déchirant. Aux divers maux dont il était déjà affligé s'ajoutait une infirmité encore inédite : une « infection osseuse chronique » contractée à Princeton, à cause de son « passage sans transition de la chaleur des Tropiques à l'humidité glaciale » de la Nouvelle-Angleterre et qui depuis, affirmait-il, lui infligeait à chaque pas d'intolérables douleurs. Si l'on ajoutait à ce handicap la quasi-cécité qui lui interdisait d'exercer sa profession d'écrivain, lui rapportant avant la guerre plus de mille dollars par mois (dans sa première demande, la somme ne se montait qu'à six cent cinquante...), cela justifiait une sérieuse révision de sa pension désormais basée, selon ses calculs, sur un taux d'invalidité de cent pour cent.

Il avait même amené Sara à appuyer sa requête en témoignant par écrit que, depuis son retour, son vieil ami Ron Hubbard n'était plus que l'ombre de l'homme énergique et entreprenant qu'elle avait connu avant la guerre, qu'il n'avait aucun espoir de se rétablir et que, devenu impotent et condamné au chômage, il se trouverait à coup sûr dans une situation tragique une fois épuisées ses maigres économies. Bonne fille, Sara s'était exécutée en donnant, pour plus de véracité, l'adresse de ses parents à Pasadena.

Mais Ron savait que cet appel à la générosité publique n'était qu'un pis aller; la solution la plus évidente et la plus rapide consistait à revendre le *Harpoon*, opération qui dégagerait un reliquat suffisant pour couvrir les dettes les plus criantes. Ainsi remis à flot, pour le moment du moins, Hubbard demanda à Sara de l'épouser, ce qu'elle accepta sans hésiter. Les deux amants dirent adieu à la Floride au début d'août et partirent pour Washington.

Le 10 août 1946, Sara Elizabeth Northrup, qui avait atteint depuis peu sa majorité légale de vingt et un ans, et L. Ron Hubbard furent unis par les liens du mariage dans la petite ville de Chestertown, Maryland, proche de Washington. Simple coïncidence? Chestertown n'était distante que d'une cinquantaine de kilomètres d'Elkton, où le même Ron Hubbard avait convolé en 1933 avec Polly Grubb. Sara, il est vrai, ignorait jusqu'à l'existence de Polly. Elle ne savait pas davantage que son nouveau conjoint avait été précédemment marié – et encore moins qu'il n'avait jamais divorcé...

Quant à Polly, toujours à Bremerton, il lui restait à découvrir que son légitime époux était bigame.

Chapitre 8

Le mystère de la recherche introuvable

« En 1948, les premiers écrits de M. Hubbard sur la nature de la vie et de l'esprit humain commencèrent à passer de main en main. Le bruit se répandit très vite qu'il avait réalisé dans ce domaine une découverte révolutionnaire... » (*L. Ron Hubbard, The Man and His Work*, 1986.)

Après leur mariage, Ron et sa jeune épouse revinrent en Californie et s'installèrent à Laguna Beach, petite station balnéaire entre Los Angeles et San Diego fréquentée par des artistes et des écrivains. John Steinbeck y avait écrit *Tortilla Flat*, son premier grand roman, ce qui avait peut-être influencé Hubbard dans son choix d'un endroit digne de lui pour reprendre ses activités de plume.

L'inspiration s'obstinait cependant à le fuir. Si l'on en croit son volumineux dossier à l'Administration des anciens combattants, il consacra le plus clair de son temps et de ses activités littéraires en 1946 à tenter d'obtenir une augmentation de sa pension. Le 19 septembre, arrivé en clopinant au centre médical des anciens combattants à Los Angeles, il y exhala la litanie de ses jérémiades habituelles : « Mes yeux ne supportent pas la lumière... Je souffre d'atroces migraines... Mes maux d'estomac m'imposent un régime de laitages et de purées qui m'affaiblit et me donne des nausées... J'ai l'épaule et la hanche gauches perclues de rhumatismes, au point de ne pas pouvoir rester assis plus de quelques minutes à ma table de travail », etc. Une fois encore, les médecins ne découvrirent rien de sérieux, en dehors d'une « arthrose bénigne des chevilles » et d'une « déformation mineure du duodénum ». Les rapports médicaux ne mention- naient par ailleurs ni cicatrices ni blessures.

Heureusement pour Ron, les médecins militaires igno- raient l'existence de son journal intime, où leur patient se dévoilait sous un jour fort différent. C'est ainsi qu'on y trouve, parmi d'autres, les « Affirmations » suivantes :

« Tes ulcères sont guéris et ne te font plus souffrir. Tu peux manger n'importe quoi. »

« Ta hanche est saine. Elle ne t'a jamais fait mal. »

« Ton épaule est en parfait état. »

« Tes problèmes de sinus sont négligeables. »

S'il s'en était tenu là, il aurait pu à la rigueur faire croire à une courageuse tentative de se guérir par l'auto- suggestion ou de surmonter ses handicaps à force de volonté. Malheureusement pour son image devant la pos- térité, il se laissait entraîner à développer sa pensée. Il avouait, par exemple, avoir simulé ses maux d'estomac et ses douleurs à la hanche ou aux chevilles pour « couper » aux sanctions et aux corvées quand il était dans la marine. Son journal était également truffé de notations inquié- tantes, inspirées des enseignements de Crowley : « Les hommes sont tes esclaves », ou encore : « Sois sans merci envers quiconque se met en travers de ta volonté. Tu as le droit d'être impitoyable. »

L'administration aurait été encore plus vivement inté- ressée par ce que ces écrits révélaient de la mentalité de Hubbard et du cynisme de son attitude :

« Dire que tu es malade n'a aucun effet sur ta santé. Pendant tes examens médicaux, fais semblant de souffrir et répète aux médecins que tu es malade; tu seras en par- faite santé une heure après et tu te moqueras d'eux. »

« Quels que soient les mensonges que tu dis aux autres, ils sont sans conséquence sur toi-même. Tu ne compromettras jamais ta santé en la prétendant mauvaise, parce que tu ne peux pas te mentir à toi-même. »

En octobre, au bout de six semaines à peine à Laguna Beach, Hubbard se retrouvait une fois de plus sans le sou quand un de ses amis lui proposa un job temporaire de gardien de bateau au yacht-club de l'île de Catalina. Il sauta sur l'occasion et, pendant son séjour dans l'île, écrivit pour le journal local un article sur la pêche, qui sera sa seule œuvre publiée en 1946. Le 14 novembre, il reprit la plume pour se plaindre auprès des anciens combattants de ne pas avoir reçu ses deux derniers chèques. Une semaine plus tard, il écrivait de nouveau en expliquant pourquoi il ne s'était pas présenté à un examen médical auquel il était convoqué : « J'étais trop malade et je n'avais pas assez d'argent... J'espère que vous me ferez rapidement parvenir l'arriéré de ma pension parce que je ne mange pas à ma faim et que mon emploi va disparaître sous peu... »

L'emploi disparut en effet car, au début de décembre, nous retrouvons Ron et Sara à New York, à l'hôtel Belvédère. Le 8 décembre, il répondait à une nouvelle convocation des anciens combattants en justifiant sa coûteuse adresse par la « générosité d'un ami » qu'il conseillait pour l'organisation d'une expédition et qui se chargeait de ses frais de voyage.

Hubbard mit naturellement à profit son séjour à New York pour reprendre contact avec ses amis de la science-fiction. L'un d'eux le présenta à Sam Merwin, éditeur d'un nouveau groupe de magazines. « C'était un curieux personnage... obsédé par l'envie de faire fortune, se souvient Merwin. Il me disait que le meilleur moyen serait de fonder une religion. »

Il rendit aussi visite à son vieil ami et mentor John Campbell, qui l'accueillit à bras ouverts et le pressa de reprendre sa collaboration à *Astounding*, dont les lecteurs réclamaient ses œuvres à cor et à cri. Hubbard se laissa convaincre de lui fournir un article pour *Air Trails and Science Frontiers*, un magazine d'anticipation récemment lancé par Campbell, sur les conséquences d'un débarquement des hommes sur la Lune.

Surmontant apparemment sans problème sa vue défaillante, ses douleurs et ses infirmités, il écrivit en quelques jours un article qui parut dans le numéro de mai 1947 sous le pseudonyme de capitaine B.A. Northrop. La raison de cette apparente modestie se trouve enfouie dans un passage consacré aux techniques d'exploration de l'espace : « Un peu partout, des hommes réfléchissaient depuis longtemps déjà au potentiel des fusées. Citons, par exemple, L. Ron Hubbard, écrivain et ingénieur, qui avait discrètement mis au point et expérimenté dès 1930 un système de propulsion très supérieur à celui du V-2 et plutôt moins complexe. » Si Campbell, connu pour son exigence de véracité, avait sincèrement cru que son ami Ron inventait des fusées spatiales en 1930 à l'âge de dix-neuf ans, il était devenu d'une incroyable naïveté! Ou alors, et c'est plus vraisemblable, il avait fermé les yeux et laissé passer cette énormité dans l'espoir de décider Hubbard à revenir au sein de son équipe.

Ron et Sara ne séjournèrent que quelques semaines à New York avant de se rendre dans un lieu moins dispendieux, au fin fond de la Pennsylvanie. Ron y écrivit un court roman où il était question d'un physicien nucléaire fondateur d'un « nouveau système philosophique ». Publié en trois parties dans *Astounding*, ce roman ne rencontrera pas auprès des lecteurs le succès des œuvres précédentes de Hubbard.

Le 14 avril 1947, à bout de patience, Polly demanda le divorce pour cause d'abandon de famille. Elle ignorait toujours le « remariage » de son mari et n'avait pas même idée qu'il vivait avec une autre femme. Cette dernière lacune allait bientôt être comblée : à l'indignation de sa famille, Ron vint en effet s'installer avec Sara au Belvédère trois semaines après que Polly eut lancé la procédure. « Pour sa mère, se souvient sa tante Marnie, c'était

112

pire qu'une gifle. Hub et May étaient outrés et supportaient l'affront d'autant plus mal que Polly et les enfants vivaient chez eux. En voyant Ron arriver avec Sara, j'ai dit à ma sœur Midge : " Nous l'aimions quand il était petit, mais maintenant c'est pour nous un étranger. " »

Ses parents auraient été encore plus scandalisés d'apprendre que leur fils était bigame. L'épreuve leur fut épargnée : le 1er juin, Ron renonça à son droit de recours et le jugement de divorce fut rendu le 23 juin. Polly obtenait la garde des enfants ainsi qu'une pension alimentaire de vingt-cinq dollars par mois et par enfant. Connaissant Ron, elle ne nourrissait aucune illusion sur ce dernier point.

Ron et Sara regagnèrent la Californie en juillet et se logèrent dans une caravane de location, sur un terrain sordide de North Hollywood, où Ron se remit à écrire. En août, il fit la connaissance d'un jeune agent littéraire, Forrest Ackerman. Fanatique de science-fiction depuis l'âge de neuf ans, il décida Hubbard à lui confier ses intérêts et, pour son coup d'essai, présenta son client à deux hommes d'affaires qui envisageaient de se diversifier dans l'édition.

S'il ne résulta rien de cette entrevue, Ackerman garda le souvenir du récit ahurissant que Hubbard, en le raccompagnant chez lui en voiture, lui fit de sa « mort » sur une table d'opération pendant la guerre, de l'incursion de son esprit dans l'Au-delà et de la manière dont, à peine « ressuscité », il avait écrit d'une traite en quarante-huit heures un gros ouvrage intitulé *Excalibur*, inspiré par cette fabuleuse expérience et qu'aucun éditeur n'avait accepté parce que « trop révolutionnaire ». Sceptique, Ackerman fut néanmoins assez impressionné par la conviction et la sincérité de son client pour penser qu'un livre aussi sensationnel conviendrait tout à fait au lancement d'une nouvelle maison d'édition. Il reprit donc contact avec les hommes d'affaires et parvint à piquer leur curiosité. Mais quand il communiqua la bonne nouvelle à son client, Hubbard, pour la première fois de sa vie, réagit avec modestie avant de refuser de livrer le manuscrit – sous prétexte qu'il avait vu trop de gens perdre la raison en le lisant et qu'il ne voulait plus se rendre responsable de nouveaux malheurs!... C'est ainsi qu'Ackerman, pas plus que d'autres avant lui, ne put jeter les yeux sur ce fameux ouvrage, qui restera à jamais enfoui au fond d'un coffre-fort de banque.

En dépit des efforts de son agent, Hubbard ne vendit en 1947 que cinq nouvelles ou romans – à peine de quoi vivre pour lui-même, sûrement pas assez pour entretenir son épouse actuelle, son ex-femme et ses deux grands enfants. Il reprit donc de plus belle son harcèlement de l'administration, en peignant des tableaux de plus en plus pitoyables du valeureux ancien combattant grabataire et réduit à la mendicité. Les visites médicales succédèrent aux examens, les expertises aux contre-expertises, de nouvelles infirmités s'ajoutèrent aux anciennes, ce qui eut pour résultat de si bien embrouiller le dossier que les médecins avaient de plus en plus de mal à démêler le vrai du faux. Ils finirent cependant par conclure qu'à l'exception d'une tendance à l'arthritisme, leur patient ne souffrait de rien – l'ulcère du duodénum s'était même évanoui – et n'avait jamais subi de blessure.

Mais les voies de l'administration sont impénétrables... Alors même que tombait ce verdict, qui aurait dû mettre un terme définitif à ses espoirs, Ron était avisé le 27 février 1948 que la commission de réforme, ayant statué sur son cas, lui accordait un taux d'invalidité de quarante pour cent, ce qui portait les mensualités de sa pension à 55,20 dollars. Moyennant quoi, le lieutenant de réserve L.R. Hubbard devait une fois pour toutes s'estimer satisfait.

Bien que ses dix pour cent de commission sur les droits d'auteur de Hubbard ne l'aient guère enrichi, Forrest Ackerman resta en bons termes avec lui. En avril 1948, il l'invita à prendre la parole lors d'une des réunions hebdomadaires du chapitre de Los Angeles de l'Association des amateurs de science-fiction, dont il était membre fondateur. Précédé par sa réputation, Hubbard y fit grosse impression en discourant sur sa vie et son œuvre – sans oublier, bien entendu, quelques allusions au mythique *Excalibur*, toujours à l'abri dans un coffre-fort.

Une autre fois, Hubbard parla de l'immortalité et de la médecine du futur. Il s'y intéressait, expliqua-t-il, depuis qu'à la suite de ses « blessures de guerre » il était « mort » pendant huit minutes et « ressuscité » grâce à des « procédures exceptionnelles ». Sa convalescence lui ayant donné le loisir d'assouvir sa curiosité, il avait acquis la conviction que les bio-chimistes étaient capables d'allonger la durée de la vie jusqu'à une « immortalité limitée ».

Il fit ce soir-là une première démonstration de ses talents d'hypnotiseur et déploya un répertoire de « trucs » dignes d'un music-hall, car il pratiquait l'hypnose, sans doute apprise auprès de Parsons, avec beaucoup d'aisance. Certains membres du cercle lui reprochèrent de s'en servir sans discernement ou sur des sujets trop impressionnables; quant à ses essais ultérieurs d'application de l'hypnose à des objectifs plus constructifs, ils se soldèrent par des échecs. Ainsi, sollicité par un de ses fans de le guérir d'une extrême timidité, il ne put que lui conseiller de lire le célèbre ouvrage de Dale Carnegie *Comment se faire des amis et influencer les gens...*

Au cours de l'été 1948, Hubbard eut des démêlés avec la justice. Suite à un « malentendu » au sujet d'un chèque, il subit l'humiliation d'être arrêté pour vol par le shériff du comté de San Luis Obispo. Libéré sous caution, il comparut le 31 août devant le tribunal de San Gabriel, plaida coupable et fut condamné à une amende de 25 dollars – qu'il paya, pour une fois, rubis sur l'ongle.

Bien entendu, Hubbard ne se vanta pas de cet incident devant ses amis; les archives du tribunal ayant par ailleurs été accidentellement détruites en 1955, on ne saura jamais au juste de quel délit il s'était rendu coupable. Il avait également eu la chance qu'aucun journaliste de la presse locale ne soit amateur de science-fiction et ne fasse le rapprochement entre le L. Ron Hubbard arrêté pour vol à San Luis Obispo et le célèbre auteur de science-fiction.

Peu après ce fâcheux épisode, Ron et Sara quittèrent la Californie pour s'installer à Savannah, en Georgie, où

Hubbard aborda, dira-t-il par la suite, une étape décisive de ses recherches révolutionnaires sur les profondeurs inexplorées de l'esprit humain.

Durant les deux années qui suivront, Hubbard fera tout pour minimiser son passé d'auteur populaire et se parer d'une flatteuse réputation de savant, de philosophe et de gourou. De plus timorés, ou de plus scrupuleux, auraient pu hésiter avant d'entreprendre une métamorphose aussi radicale; pour Ron Hubbard, ce sera un jeu d'enfant de faire croire qu'il avait consacré sa vie entière à élucider les mystères du psychisme. Ainsi, la fable de son enfance dans les « immensités vierges » du Montana et de son adoption par ses « frères de sang » Indiens offrira le tableau d'un enfant prédestiné, en osmose avec la Nature et les « cultures primitives ». L'éveil de son intellect par un « disciple de Freud », ses « voyages initiatiques » dans un Extrême-Orient baigné de mysticisme et ses « explorations » ultérieures accréditeront le mythe d'une éducation et d'une carrière entièrement tournées vers la quête incessante d'une compréhension toujours plus profonde des secrets de la vie. La science-fiction ne sera présentée que comme un gagne-pain, adopté par commodité dans le seul dessein de financer sa « recherche ».

Hubbard prétendra également avoir été chargé de la bibliothèque médicale pendant son « année » de traitement à l'hôpital d'Oak Knoll et avoir eu accès aux dossiers médicaux d'anciens prisonniers de guerre, sur lesquels il avait entrepris des expériences psychanalytiques approfondies par la suite. A Savannah, dira-t-il encore, il avait travaillé à titre bénévole dans une clinique psychiatrique et soigné les indigents dont personne ne voulait s'occuper.

Si les étrangers n'avaient pas de raison de mettre en doute la réalité de cette « recherche », ses proches auraient pu s'étonner de n'avoir eu vent de rien. Ainsi, son ami Ford avait passé de longues heures avec Ron à sillonner le Puget Sound ou à bavarder des nuits entières devant une bouteille de whisky sans jamais s'être rendu compte qu'il s'adonnait à une quelconque « recherche » transcendentale. Hubbard lui-même n'y faisait aucune allusion au cours des discussions animées qui se déroulaient chez Parsons à Pasadena, forum pourtant idéal pour exposer ses théories devant un auditoire conquis d'avance. Forrest Ackerman ne se doutait pas davantage que son client projetait d'abandonner la science-fiction au profit de la philosophie.

Une lettre reçue en janvier 1949 aurait, à la rigueur, pu lui fournir un indice. Écrite de bout en bout sur le ton de la plaisanterie, Ron y décrivait son nouvel appartement de Savannah et disait avoir acheté un dictaphone, grâce auquel Sara transcrivait ses histoires ainsi qu'un traité, en cours d'achèvement, sur « les causes des affections nerveuses et leurs remèdes », qu'il hésitait encore à intituler *Le Glaive obscur, Excalibur* ou *Science de l'Esprit*. Hubbard énumérait ensuite sur le mode facétieux les mille et une manières d'assurer la promotion de son livre, auquel il prédisait des ventes phénoménales. Il concluait en se demandant s'il allait provoquer la ruine de l'Église catholique ou se contenter d'en créer une nouvelle... Si Ackerman ne prit pas la missive au sérieux, il avait de bonnes excuses.

En janvier 1949, par une interview parue dans le magazine *Writers' Markets and Methods*, les amateurs de science-fiction apprirent à leur tour que Hubbard avait l'intention de publier un traité de psychologie – mais il ajoutait avoir mis en chantier l'adaptation d'une pièce de théâtre, un feuilleton et pas moins de dix romans ou nouvelles, ce qui pouvait les rendre perplexes. En 1949, année au cours de laquelle sa « recherche » était censée près d'aboutir, Hubbard recommençait en effet à produire sur un rythme tel qu'il ne se passait pas un mois sans que sa signature n'apparaisse dans des magazines de western et de science-fiction.

Quoi qu'il en soit, le bruit s'était répandu dès le début de l'été 1949 que Ron Hubbard mettait la dernière main à un ouvrage philosophique traitant d'une « science de l'esprit » totalement inédite. Ses fans ne s'en étonnèrent que pour se demander comment il avait trouvé le temps de concevoir cette science, car il était évident pour les *aficionados* qu'un des leurs finirait par faire une retentissante découverte. Presque tous les progrès scientifiques des dernières décennies, y compris la bombe atomique, avaient été exactement prédits et décrits par les auteurs de science-fiction. Il semblait donc logique aux fidèles de ce genre littéraire qu'il donne naissance à une science nouvelle d'une importance capitale.

Les rumeurs étaient en outre alimentées par le fait que nul n'avait vu Hubbard depuis des mois, pas plus à New York qu'à Los Angeles. On le disait cloîtré quelque part dans le New Jersey, on supposait John Campbell mêlé à ses projets mais nul ne savait rien au juste, ni sur le lieu de sa retraite ni sur sa nouvelle « science ». On s'accordait seulement pour penser que Hubbard était « sur un gros coup ».

La curiosité redoubla quand les premiers détails filtrèrent dans l'éditorial du numéro de décembre 1949 d'*Astounding*. Avec la solennité convenant à un événement historique, Campbell annonça à ses lecteurs la publication prochaine d'un article présentant une science nouvelle baptisée la Dianétique : « Elle possède des pouvoirs presque inconcevables; elle démontre que l'esprit est non seulement capable d'une totale maîtrise du corps mais qu'il l'exerce réellement. Selon des lois définies avec précision, des maladies telles que les ulcères, l'asthme et l'arthritisme peuvent être guéries [par le seul pouvoir de l'esprit] comme toutes les autres maladies d'origine psychosomatique. »

En janvier 1950, ces rumeurs parvinrent aux oreilles du journaliste Walter Winchell, qui écrivit le 31 janvier dans le *Daily Mirror* : « Une grande nouveauté doit apparaître en avril sous le nom de Dianétique, une nouvelle science qui s'applique avec autant de rigueur que la physique au domaine de l'esprit humain. D'après ce qu'on en dit, elle sera aussi révolutionnaire pour l'humanité que l'étaient l'invention et l'utilisation du feu par l'homme des cavernes. »

Enfin, dans le numéro d'avril d'*Astounding*, Campbell annonça la publication imminente de l'article tant attendu :

Notre prochain numéro fera, je crois, sensation dans tout le pays. Nous y publierons un article de 16 000 mots intitulé : « La Dianétique, Introduction à une science nouvelle », par L. Ron Hubbard... Il s'agit, je vous l'affirme en toute sincérité, d'un des articles les plus importants jamais parus dans la presse. Hubbard y publie le résultat de ses recherches sur le fonctionnement de l'esprit humain et y dévoile les découvertes capitales qui s'y rapportent, parmi lesquelles :

— Une technique de psychothérapie qui guérit toutes les formes d'aliénation mentale non causées par une lésion organiques des tissus cérébraux.

— Une technique pouvant doter n'importe quel homme d'une mémoire absolue et indélébile, ainsi que de la capacité infaillible d'évaluer et de résoudre ses problèmes.

— L'explication fondamentale de, et la technique destinée à, guérir — pas seulement soulager — les ulcères, l'asthme, l'arthritisme et nombre d'autres maladies d'origine non microbienne.

— Une conception entièrement nouvelle des pouvoirs et des capacités incroyables de l'esprit humain.

— La preuve que la folie est contagieuse et n'est pas héréditaire.

Il ne s'agit pas d'une fumeuse théorie mystique... mais de la description précise et rigoureuse du fonctionnement de l'esprit humain et des méthodes, étudiées et expérimentées sur plus de deux cent cinquante cas concrets, propres à en rétablir les mécanismes déréglés... Les méthodes qui en découlent logiquement sont efficaces. *Ainsi, la technique de stimulation de la mémoire est d'une puissance telle qu'il ne faut pas plus d'une demi-heure pour se souvenir en détail de sa propre naissance. Je puis en témoigner...*

Cet article... retrace aussi l'histoire de l'aventure suprême — l'exploration de la plus fantastique des terres inconnues : l'esprit humain. Rien de plus fabuleux... que l'expérience entreprise par Hubbard qui, à l'aide de ses nouvelles techniques, ouvre une voie inconnue dans la jungle des anomalies de l'esprit humain et qui, au-delà de la folie, découvre l'existence d'un mécanisme de raisonnement d'une efficacité et d'une perfection incroyables!

Au vu d'un tel panégyrique, rarissime sous la plume d'un éditeur, le monde – ou, du moins, celui de la science-fiction – ne pouvait que retenir son souffle dans l'attente du miracle.

Chapitre 9

Les étranges débuts de la Dianétique

« J'espère par vanité que vous me créditerez de mes onze années de recherche désintéressée, mais mon altruisme me pousse surtout à espérer que cette science sera utilisée aussi complètement et intelligemment que possible, car il s'agit bien d'une science aux résultats constants et précis qui pourra, je crois, se montrer bénéfique. » (Lettre de L. Ron Hubbard au Dr Joseph Winter, août 1949.)

Au printemps de 1949, Ron et Sara s'installèrent à Bay Head, paisible port de plaisance dans la baie de Barnegat, New Jersey. Le modeste cottage loué par les Hubbard fit à Sara, enceinte et lasse de leur vie errante, l'effet d'un paradis : mariés depuis trois ans, ils avaient vécu dans sept États différents sans jamais rester plus de quelques mois au même endroit. Désireux que Ron se rapproche de lui, John Campbell l'avait incité à quitter Savannah et lui avait trouvé le cottage de Bay Head, à une heure de voiture de chez lui, car il souhaitait avec passion participer à la genèse de la Dianétique qu'il considérait comme un événement d'importance historique.

Éclectique dans sa culture comme dans ses intérêts, Campbell avait fait de sérieuses études de physique et de chimie ; fasciné par la technique et les gadgets, il abordait la psychologie en ingénieur tout en croyant fermement aux phénomènes parapsychiques – radiesthésie, télékinèse, télépathie, voyance. Ron trouva en lui un auditeur particulièrement réceptif à sa théorie selon laquelle le cerveau fonctionnait comme un ordinateur dont on pouvait accroître l'efficacité en « nettoyant » sa mémoire de « données » inutiles ou nuisibles. Ses idées avaient beau provenir davantage des délires de son imagination que du produit d'une quelconque recherche, elles étaient pour Campbell plus qu'une illumination, une véritable révélation divine.

Causeur brillant et convaincant, Hubbard avait toujours su entrelarder ses propos de jargon scientifique et organiser ses bribes de connaissances superficielles en des thèses d'apparence cohérente. Son approche « scientifique » des mystères du psychisme s'accordait parfaitement aux vues de Campbell, pour qui l'observation de la nature humaine relevait de la méthodologie rigoureuse et objective des sciences exactes. Or, Hubbard comparait la mémoire à une piste magnétique sur laquelle s'enregistrait chaque instant de la vie. Une certaine pratique de l'hypnose permettait, disait-il, de remonter jusqu'aux mauvais souvenirs et de les « effacer » pour le plus grand bien de la santé tant physique que mentale. Il en avait fait la démonstration sur Campbell lui-même, persuadé à la fin des séances d'avoir revécu sa propre naissance et d'être guéri d'une sinusite chronique.

Convaincu que la découverte de Hubbard était capable de bouleverser les fondements mêmes de la vie au profit de l'humanité, Campbell devint le disciple le plus fervent de la Dianétique et son plus ardent propagandiste. (De son côté, Hubbard pensait sans doute autant, sinon davantage, à gagner de l'argent qu'à venir en aide à l'humanité. Vers la même époque, invité à prendre la parole à Newark devant un cercle d'amateurs de science-fiction, il déclarait encore : « Il est ridicule de s'évertuer à écrire pour gagner un *cent* du mot. Si on veut vraiment devenir millionnaire, le meilleur moyen consiste à fonder sa propre religion. »)

Soucieux d'aider Ron à propager sa nouvelle « science », Campbell écrivit en juillet 1949 au Dr Joseph Winter, un jeune médecin généraliste du Michigan qui avait publié dans *Astounding* quelques articles sur des sujets médicaux. « Ron Hubbard, un de mes auteurs, a effectué des recherches en psychologie... avec des résultats remarquables. Il se fonde en partie sur certains des premiers travaux de Freud... et, pour l'essentiel, sur une recherche originale. N'étant pas psychiatre ou psychanalyste de formation mais ingénieur, il aborde la psychiatrie d'un point de vue heuristique – pour avoir des résultats pratiques. »

Campbell citait le cas d'un grand blessé de guerre, dépressif et suicidaire, guéri par Hubbard après l'échec des méthodes de la psychiatrie classique. Les psychiatres lui avaient administré du pentothal pour lui faire revivre ses épreuves entre le moment où il avait été touché par un obus de mortier jusqu'à celui de son retour à la conscience, mais le patient restait déprimé et répétait qu'il voulait mourir. Ayant remonté sa « piste de temps » par les méthodes de la Dianétique, Hubbard avait découvert que, *pendant sa période d'inconscience*, il avait entendu les infirmiers du poste de secours dire : « Ce type est fichu. De toute façon, il vaudrait mieux pour lui qu'il soit mort. » C'était de cette phrase que découlaient tous ses problèmes.

Stupéfait qu'un malade dans le coma ait pu enregistrer ce qui se passait autour de lui, Winter voulut en savoir davantage. Campbell lui répondit par une longue lettre se terminant ainsi : « Grâce à la coopération d'établissements hospitaliers et de psychiatres, Hubbard est intervenu sur toutes sortes de troubles mentaux – schizophrénie, apathie pathologique, psychoses maniaco-dépressives, perversions diverses, névroses, bégaiement [*sic*] – en tout, plus d'un millier de cas mais peu nombreux dans chaque catégorie, de sorte qu'il ne dispose pas de statistiques au sens habituel. Sauf une : chacun des patients traités par lui a été guéri. »

Franchement incrédule devant ce taux de guérison de cent pour cent obtenu sans aucune formation médicale, Winter ne partageait cependant pas l'attitude de la majorité de ses confrères, pour qui les médecines dites parallèles étaient le fait de dangereux charlatans. S'intéressant de longue date aux énigmes du comportement humain, il estimait que la médecine devait avoir une approche globale de la maladie et ne pas écarter certaines hypothèses non orthodoxes. Il prit donc contact avec Hubbard, lui suggéra de présenter ses découvertes au corps médical et proposa son assistance.

Hubbard le remercia chaleureusement et lui fit parvenir un « mode d'emploi » de sa méthode afin de l'expérimenter par lui-même. Winter en transmit des copies à quelques amis psychiatres, dont les réactions le déçurent : certaines idées de Hubbard leur paraissaient ingénieuses mais leur efficacité les laissaient sceptiques. Estimant toutefois que l'affaire méritait d'être suivie, Winter annonça qu'il se rendrait à Bay Head afin d'observer la Dianétique « en action ». Hubbard était trop conscient de la valeur du ralliement d'un médecin à sa cause pour ne pas sauter sur l'occasion et l'inviter à séjourner chez lui. Le 1er octobre 1949, Winter arriva donc à Bay Head où Sara le logea de son mieux malgré l'exiguïté du cottage. Il put ainsi constater comment Hubbard appliquait ses théories sur des volontaires envoyés par Campbell. Le processus, lui expliqua Hubbard, consistait à leur faire « remonter le temps » afin de découvrir leurs « entraves ».

Winter assista à plusieurs séances et accepta de s'y soumettre lui-même : « Dans l'ensemble, dira-t-il, les méthodes thérapeutiques de Hubbard m'ont procuré quelques bienfaits. Craignant toutefois de commettre des erreurs subjectives dans l'évaluation de mon propre cas, je me suis astreint à en observer les effets sur d'autres patients... Faute de temps pour noter autre chose que l'évolution de leur comportement avant et après, j'ai constaté des changements flagrants : un sujet agité, déprimé, irritable au début d'une séance était détendu et apaisé à la fin. » Winter retirait donc de ses observations une impression d'ensemble assez favorable, malgré les sérieuses réserves que lui inspirait la tendance de Hubbard à l'arbitraire et aux généralisations hâtives.

Ébranlé mais encore sceptique, Winter rentra chez lui pour la fête de Thanksgiving. C'est alors qu'un incident le convainquit de la validité de la Dianétique. Son fils, âgé de six ans, avait peur du noir au point d'éprouver des accès de panique en croyant que des fantômes se cachaient dans sa chambre pour l'étrangler. Sachant que sa femme avait eu un accouchement difficile, Winter tenta l'expérience d'appliquer les techniques de la Dianétique afin de vérifier s'il y avait un rapport entre les deux faits. Il fit allonger l'enfant les yeux fermés et lui dit d'essayer de se rappeler quand il avait vu un fantôme pour la première fois. Winter l'entendit alors avec effarement décrire en détail la blouse, le masque et la calotte de l'obstétricien qui l'avait mis au monde et son impression que « l'homme blanc » l'étouffait. Or, sa femme et lui savaient que le seul moment de sa vie où leur fils avait vu le médecin dans cette tenue était celui de sa naissance ; la terreur de l'enfant plongeait donc ses racines dans sa lutte pour survivre pendant l'accouchement. A la suite de cette évocation, sa phobie de l'obscurité et des fantômes s'atténuèrent et finirent par disparaître.

Désormais convaincu, Winter revint à Bay Head débordant d'optimisme sur l'avenir de la Dianétique et rédigea à l'usage du corps médical un mémoire sur les principes et la méthodologie de la Dianétique. N'ayant jamais caché son mépris de la médecine et des médecins, Hubbard ne s'étonna donc pas de l'accueil réservé au travail de son disciple : tant le bulletin officiel de l'American Medical Association que l'*American Journal of Psychiatry* refusèrent de publier le mémoire pour « insuffisance d'expérimentation clinique probante » sur l'efficacité de ses thérapies.

Sans se démonter, les trois pionniers poursuivirent leur

effort d'amélioration et de développement théorique de la Dianétique tout en attirant dans leur orbite de nouveaux convertis, notamment Don Rogers, jeune ingénieur électricien, et Art Ceppos, directeur de Hermitage House, petite maison d'édition d'ouvrages d'enseignement médical et psychiatrique, qui avait accepté à la demande de Campbell d'éditer le livre de la Dianétique. Le « Cercle de Bay Head », comme le groupe fut connu par la suite, consacra de longues heures à affiner la terminologie. Ainsi, Hubbard employait le mot « entrave » (*impediment*) pour désigner les souvenirs pénibles qui provoquaient chez le sujet blocages ou traumatismes. Souhaitant en choisir un autre qui ne prête pas à confusion, ils se décidèrent pour le terme d'« engramme », défini dans les dictionnaires comme une « trace durable laissée dans le système nerveux par tout événement du passé individuel ».

L'article de présentation pour *Astounding* fut terminé peu avant Noël 1949, mais Campbell en retarda la publication jusqu'à la sortie du livre afin d'en favoriser la promotion. En dépit des réticences que lui inspiraient encore certaines allégations extravagantes de Hubbard, Winter accepta d'écrire quelques lignes en guise d'avant-propos pour l'article, son titre de docteur en médecine devant apporter à la Dianétique une utile caution de crédibilité.

Au milieu de ce tourbillon d'activités – rédaction d'articles, correction d'épreuves, réception de patients, réponses aux demandes de renseignement qui affluaient toujours plus nombreuses – Ron Hubbard devint père pour la troisième fois : le 8 mars 1950, avec le concours de l'obligeant Dr Winter, Sara donna le jour à une fille, Alexis Valerie, qui, pour la plus grande joie de sa mère, arborait des cheveux d'un roux éclatant.

Les éditoriaux de Campbell soulevaient un tel intérêt que Hubbard décida, au début d'avril, de créer la Fondation Hubbard pour la Recherche Dianétique, destinée à répandre sa nouvelle thérapie et stimuler la recherche. Le premier comité de direction comprenait Ron et Sara Hubbard, Campbell, Winter, Don Rogers, Art Ceppos et un avocat du nom de Parker C. Morgan. Le Dr Winter, qui avait vendu sa clientèle pour se consacrer à plein temps à la Dianétique, exerçait en outre les fonctions de directeur médical.

Ron installa le siège de la Fondation dans un vieil immeuble de bureaux d'Elizabeth, petite ville industrielle proche de Newark, et loua un logement à proximité. Ulcérée d'abandonner Bay Head pour venir s'enterrer dans cette localité sinistre, Sara suivit en maugréant avec le bébé. Elle n'était pas la seule à souffrir de l'obsession de son mari : Dona, la femme de Campbell, le quitta peu après en accusant la Dianétique d'être « la goutte d'eau qui fait déborder le vase ». Quant aux collaborateurs réguliers d'*Astounding*, inquiets de voir leur éditeur obnubilé par la « nouvelle science » de Hubbard au point de se désintéresser du reste, ils étaient loin de partager son enthousiasme. Après avoir lu l'article de présentation de la Dianétique, Isaac Asimov le traita de « charabia » et Jack Williamson le qualifia de « psychologie freudienne révisée par un cinglé ».

Rien, cependant, ne semblait pouvoir refroidir l'enthousiasme de Campbell. « J'ai la certitude, écrivit-il à Williamson, que la Dianétique est l'une des plus, sinon *la plus* importante découverte de l'Histoire écrite ou orale de l'Humanité. Elle apporte aux hommes l'équilibre et la santé mentale dont ils rêvent depuis des siècles. »

Le numéro de mai 1950 d'*Astounding Science-Fiction* sortit en kiosque dans la troisième semaine d'avril. Sur la couverture, un être velu et d'allure simiesque dardait sur les passants le regard menaçant de ses yeux jaunes. Les lecteurs allaient apprendre qu'il s'agissait du diabolique duc de Kraakahaym, envoyé spécial de l'Empire de Skontar auprès de la Confédération de Sol, mais ils savaient surtout que le magazine renfermait quelque chose d'infiniment plus captivant : l'introduction tant attendue à la Dianétique – la toute première science de « l'Histoire écrite ou orale de l'Humanité » à être lancée dans un magazine populaire à dix sous... Lancement tellement insolite que Campbell se croyait obligé de préciser que l'auteur était parfaitement sérieux : « Je tiens à assurer sans la moindre équivoque à nos lecteurs que cet article n'est ni un canular ni une quelconque plaisanterie mais qu'il constitue l'exposé clair et précis d'une thèse scientifique entièrement nouvelle. »

Hubbard aurait peut-être préféré un support plus respectable pour lancer sa « science nouvelle »; il n'aurait toutefois pu souhaiter de public plus réceptif. A l'époque, les amateurs de science-fiction se recrutaient nombreux chez les ingénieurs et les scientifiques; les arguments développés par Hubbard sur une quarantaine de pages leur donnèrent l'impression d'être le fruit d'années d'études et de recherches diligentes aboutissant à des conclusions logiques et convaincantes, très différentes en tout cas de ce qu'il avait écrit jusqu'alors. Ses habituelles envolées narcissiques et sa rhétorique ampoulée avaient fait place à un style sobre et didactique, même s'il lui arrivait encore de sombrer dans une verbosité quasi incompréhensible, par exemple : « Lorsque le déterminisme externe était introduit dans un être humain de telle sorte qu'il déséquilibrait son déterminisme interne, la justesse de ses solutions déclinait rapidement... »

Adoptant la démarche de l'ingénieur en quête de solutions pragmatiques aux énigmes de l'esprit humain, Hubbard soumettait ses postulats à l'épreuve d'une seule et même question simple : est-ce que cela marche ? Il comparait d'abord le cerveau à un ordinateur doté d'une capacité de mémoire illimitée et d'un fonctionnement sans défaut. Chaque cerveau humain, soutenait-il, est potentiellement capable du fonctionnement optimal de cet ordinateur modèle, ce qui apporterait à l'individu comme à l'humanité entière d'inestimables bienfaits – dont les moindres ne seraient pas de rendre la raison aux aliénés, de guérir toutes sortes de maladies et de mettre fin aux guerres.

Des « aberrations » causées par la douleur physique ou mentale, poursuivait-il, imposent au cerveau des contraintes. La douleur constituant une menace à la sur-

vie, principe fondamental de l'existence, le « mental analytique » sain cherche à l'éviter à l'aide du « mental réactif », mécanisme adéquat fourni par l'évolution. En cas de
stress, le « mental analytique » s'efface au profit du « mental réactif » qui stocke les données dans des cellules
d'enregistrement, ou « engrammes ». Ainsi, un enfant
mordu par un chien à l'âge de deux ans en perd le souvenir conscient, mais l'engramme de l'incident peut être
activé au cours de la vie par un certain nombre de stimuli
qui déclenchent chez le sujet des angoisses incompréhensibles à l'observateur non averti, par exemple le bruit
d'une voiture qui passait au moment de la morsure, une
odeur de chien ou une égratignure similaire à celle subie
en tombant sur l'asphalte sous l'assaut du chien.

La thérapie dianétique, expliquait Hubbard, a pour
objectif d'accéder à ces engrammes stockés dans la
mémoire réactive et de les transférer dans la mémoire
analytique où ils sont éliminés. Afin de « déplomber » la
mémoire réactive, il faut localiser les engrammes les plus
anciens – d'origine souvent prénatale, parfois même dans
les vingt-quatre heures de la conception, affirmait-il : si le
fœtus ne comprend pas les mots qu'il entend prononcer à
travers l'utérus, il reste capable de les reconnaître et de les
identifier plus tard.

Le mental analytique ayant effacé la mémoire du mental réactif et fonctionnant désormais avec l'efficacité opti-
male de l'ordinateur modèle, le sujet bénéficie d'une
remontée spectaculaire de son Q.I., dispose d'une capacité de mémoire illimitée et se libère de ses maux psychologiques et psychosomatiques. La Dianétique, assurait-il,
est très simple à mettre en œuvre une fois qu'on en a assimilé les axiomes et les mécanismes, de sorte que cette
science peut être pratiquée par toute personne « intelligente et motivée » sur ses amis et sa famille. « A ce jour,
concluait-il, nous avons traité deux cents patients et
obtenu deux cents guérisons. »

Une « science » simple, accessible au premier venu et
qui réussissait à coup sûr en affichant des résultats miraculeux, voilà qui ouvrait des perspectives alléchantes.

Mais Hubbard n'était pas assez naïf pour en dévoiler les recettes dans un magazine à 25 cents : le lecteur était averti que les informations contenues dans l'article ne suffisaient pas à faire de lui un « opérateur » dianéticien qualifié. Les explications techniques indispensables seraient développées dans un ouvrage, à paraître sous peu aux éditions Hermitage House et qu'on pourrait se procurer dans toutes les bonnes librairies pour la modique somme de 4 dollars.

Le 9 mai 1950, *La Dianétique : la science moderne de la santé mentale* par L. Ron Hubbard, apparut sans fanfare dans les librairies des États-Unis. D'un optimisme mesuré quant au succès commercial du livre, Hermitage House n'avait fait tirer la première édition qu'à six mille exemplaires.

Dédié à Will Durant, éminent auteur d'une *Histoire de la philosophie,* le livre ne montrait plus aucune trace de la sobriété qui caractérisait l'article d'*Astounding.* Hubbard y présentait au contraire sa « science » avec une grandiloquence débridée : « La création de la Dianétique, proclamait-il dès la première phrase, constitue pour l'Homme une étape de son Histoire aussi capitale que la découverte du feu, et d'une portée bien plus considérable que l'invention de la roue et de l'arc... Nous avons découvert la source cachée de toutes les maladies psychosomatiques et des aberrations humaines et développé les techniques permettant de les guérir à coup sûr. » Notons que les maladies qu'il se vante de guérir – arthritisme, ulcères, troubles de la vue, etc. – sont précisément celles dont il n'avait cessé de se plaindre auprès de l'Administration des anciens combattants, liste à laquelle il ajoute l'affection la plus notoirement réfractaire aux efforts de la science médicale, le vulgaire rhume de cerveau.

Avec un optimisme et une confiance inébranlables dans la capacité de la Dianétique à résoudre pratiquement tous les problèmes de l'humanité, Hubbard délivrait un message aussi simple que séduisant : voici un progrès décisif accompli dans le domaine de la psychothérapie ;

ses techniques faciles à assimiler sont à la portée de tous et, surtout, elles sont *toujours infaillibles*! Le premier défi que le lecteur devait relever consistait toutefois à lire jusqu'au bout un texte abstrus, confus, truffé de répétitions, de néologismes déroutants et alourdi par d'interminables notes de bas de page, dont Hubbard semblait croire qu'elles ajoutaient du sérieux et de la vraisemblance. L'auteur de science-fiction L. Sprague de Camp avoua l'avoir trouvé incompréhensible – et il n'était pas le seul.

Le souci de donner à son œuvre un vernis intellectuel aurait dû inciter Hubbard à faire taire ses préjugés. Il y laisse au contraire éclater une misogynie viscérale, illustrée par son obsession morbide pour les « tentatives d'avortement » responsables, selon lui, de la plupart des engrammes prénataux. « Une forte proportion d'enfants considérés comme faibles d'esprit, écrivait-il, sont en réalité victimes de tentatives d'avortement... Les milliards que l'Amérique dépense chaque année pour institutionnaliser ses malades mentaux et emprisonner ses criminels sont avant tout imputables aux séquelles des tentatives d'avortement perpétrées par des mères sexuellement inhibées, pour qui les enfants sont une malédiction plutôt qu'une bénédiction divine... Il s'agit là de faits scientifiquement établis et démontrés. »

Dans ces « études cliniques », les femmes qui ne se lardaient pas les organes génitaux à coups d'aiguille à tricoter trompaient leurs époux; elles étaient en outre battues, violées et exposées à toutes sortes d'outrages de sorte que sans exception, ou presque, les infortunés embryons qu'elles portaient subissaient le contrecoup de ces mauvais traitements : « Un père doutant de sa paternité, par exemple, battra ou insultera sa femme en menaçant de tuer l'enfant s'il ne lui ressemble pas. C'est un très mauvais engramme... pouvant pousser un " aberré " [néologisme dianétique désignant une personne affectée d'" aberrations " consécutives à de mauvais engrammes] à embrasser un métier qu'il ne respecte pas et à le détourner du "commandement engrammique " d'être semblable au père. » Le même type d'engramme, affirmait Hubbard sans autre explication, pouvait aussi provoquer une calvitie précoce ou allonger le nez de l'enfant...

Parmi les nombreux problèmes découlant des engrammes prénataux, certains exemples devaient sembler difficiles à avaler, même pour les lecteurs les plus crédules. Ainsi, dans le cas d'un père qui roue de coups sa femme enceinte en criant : « Prends ça ! Prends ça, te dis-je ! », le fœtus pourra l'interpréter littéralement plus tard et devenir... cambrioleur ! Les plus mauvais engrammes prénataux provenaient aussi parfois du fait de donner à l'enfant le prénom de son père. Si sa mère commettait l'adultère pendant sa grossesse (sport apparemment favori de la plupart des femmes enceintes citées par Hubbard à l'appui de sa thèse), elle ne manquait pas de se moquer de son mari tout en forniquant avec son amant. Bien entendu, le fœtus n'en perdait pas un mot si bien que le malheureux, affligé du même prénom, supposera plus tard que c'était de lui-même que parlait sa mère indigne quand elle proférait toutes ces horreurs.

Après les femmes, et à un degré à peine moindre, le corps médical excitait l'hostilité féroce de Hubbard, qui accusait notamment les neuro-chirurgiens de réduire leurs « victimes » à l'état de « zombies » en leur calcinant le cerveau par des électrochocs ou en charcutant leur matière grise à coups de scalpel. « La sauvagerie du traitement des aliénés par les chamans ou [l'obscurantisme] est surpassée par les techniques dites civilisées, qui ravagent les cellules nerveuses, détruisent la personnalité, anihilent l'ambition et ravalent [le patient] au rang d'un animal docile. »

Mais la partie essentielle de l'ouvrage était sans contredit celle où le lecteur apprenait comment pratiquer la Dianétique. Usant avec habileté d'un jargon inspiré par la technologie moderne, Hubbard baptisait sa procédure *Auditing*. Celui qui l'appliquait était un *Auditeur* et son sujet un *Preclear*. L'objectif recherché était de se rendre *Clear* de tous ses *Engrammes* car le sujet *Clear*, désormais délivré de ses névroses et de ses psychoses, disposait d'un contrôle absolu sur son imagination, d'un Q.I. accru et d'une mémoire quasiment illimitée.

L'*auditing* devait se dérouler dans une pièce obscure afin d'amener le *preclear* à la condition de *Rêverie Diané-tique*, caractérisée par les battements de ses paupières closes. Il s'agissait moins d'une transe hypnotique – prenait-il soin de préciser – que d'un état de relaxation favorisant l'exploration de la *Piste de Temps*. Une fois le *preclear* en état de rêverie, l'auditeur le ramenait à divers stades de sa vie en remontant vers sa naissance, voire sa conception. De nombreux *preclear*, déclarait Hubbard, connaîtraient alors l'expérience du *Rêve Spermique*, au cours duquel ils se verraient sous forme de spermatozoïde en train de nager à contre-courant vers l'ovule, ou inversement. Une fois effacés les engrammes les plus anciens, les suivants devenaient plus faciles à éliminer. Une séance d'*auditing* devait durer en moyenne deux heures et, toujours selon Hubbard, il fallait prévoir une vingtaine d'heures d'*auditing* pour que le *preclear* puisse en récolter les premiers bénéfices.

Pour un peuple de plus en plus enclin à se décharger de ses problèmes sur le coûteux divan du psychanalyste, les promesses de la Dianétique étaient proprement miraculeuses. Processus logique, pragmatique, attrayant, il semblait redonner à la vie l'éclat du neuf. Avec un tel livre en main, quels problèmes resteraient insolubles ? On disposait enfin d'une thérapie à la portée de tous, qu'un homme pouvait offrir à un ami, un mari à sa femme, un père à son enfant. Il s'en dégageait une certitude absolue qui balayait les doutes et les hésitations : qui oserait avancer de pareilles prétentions si elles n'étaient pas rigoureusement exactes ?

Il n'était jusqu'aux attaques outrancières de l'auteur contre le corps médical qui n'éveillaient des échos favorables. Les mystérieuses techniques de l'électrochoc et de la lobotomie frontale, alors à la mode, suscitaient la crainte en ravivant le spectre des expériences barbares pratiquées par les nazis dans les camps de concentration, révélations récentes dont l'horreur était encore fraîche dans les mémoires. Comment s'étonner, dans ces conditions, que le public accorde sa confiance à la Dianétique, ne serait-ce que par désir de reléguer une fois pour toutes ces pratiques moyenâgeuses aux oubliettes de l'Histoire.

Les premiers jours qui suivirent la sortie de *La Dianétique* semblèrent donner raison aux prévisions prudentes de son éditeur : les ventes stagnaient, les critiques étaient muets. Et puis, à la fin mai, les courbes de ventes firent soudain un bond quasi vertical.

Les premiers acheteurs du livre, pour la plupart des amateurs de science-fiction, lecteurs d'*Astounding*, étaient avant tout désireux de s'assurer si la science de Hubbard fonctionnait aussi bien qu'il le prétendait. Parmi eux, Jack Horner, chercheur en psychologie à Los Angeles, donne un exemple typique de leurs réactions : « J'étais fan de science-fiction depuis 1934 et les éditoriaux de Campbell dans *Astounding* m'avaient fasciné. J'ai commandé le livre... je l'ai reçu un lundi, j'avais fini de le lire le mardi et, le mercredi, je commençais à pratiquer l'auditing... sur cinq personnes. Et cela marchait exactement comme Hubbard l'annonçait ! »

A.E. van Vogt, auteur réputé de science-fiction, avait entendu parler du livre par Hubbard, qui lui téléphonait tous les jours dans l'espoir de l'y intéresser. Van Vogt répondait chaque fois qu'il n'était pas psychothérapeute mais écrivain et qu'il n'avait nullement l'intention de le lire, jusqu'au jour où Hubbard lui en fit envoyer un exemplaire. L'ayant parcouru par curiosité, van Vogt eut la surprise de constater que la théorie de la Dianétique cadrait parfaitement avec sa propre fiction – son roman le plus populaire, *Slan*, mettait en scène des surhommes se dotant de fantastiques pouvoirs mentaux à l'aide de procédés proches de ceux préconisés par la Dianétique. Intrigué, il lut plus attentivement et décida de tenter l'expérience sur la sœur de sa femme qui séjournait chez eux à ce moment-là. Suivant scrupuleusement les instructions, il la soumit à une séance d'*auditing*; sa femme et lui furent alors stupéfaits de la voir revivre en les mimant les circonstances douloureuses de sa naissance aux forceps. Le lendemain même, van Vogt invita Forrest Ackerman et sa femme.

« Van Vogt était le premier en ville à avoir reçu le livre de Ron, se souvient Ackerman. Son téléphone n'arrêtait pas de sonner, tout le monde voulait savoir si la Dianétique était du bidon ou si elle valait vraiment la peine... J'ai été son second cobaye. Il m'a fait étendre sur un canapé et m'a expliqué ce qu'était la Piste de Temps... Alors, je me suis souvenu d'un poème sur la Première Guerre mondiale que j'avais appris à l'école, où il était question de champs de coquelicots remplacés par des croix et je me suis retrouvé devant la tombe de mon frère, tué dans les Flandres... La douleur que m'avait causé la nouvelle de sa mort m'est revenue d'un seul coup et je m'en suis senti délivré... Sur le moment, cela me paraissait si stupéfiant que j'étais sûr qu'il y avait [dans la Dianétique] quelque chose de valable. »

La même scène se répétait dans tout le pays : les amateurs de science-fiction achetaient le livre et l'expérimentaient sur leurs amis, qui se précipitaient pour l'acheter à leur tour afin d'« auditer » d'autres amis. Dans ces premiers élans d'enthousiasme, nul ne doutait de la parole de Hubbard : la Dianétique ne pouvait pas échouer. Chacun se dénichait un engramme enfoui dans un recoin de sa piste de temps et seuls les plus grincheux refusaient d'admettre avoir ressenti un immense soulagement à l'issue d'une séance. Et puisque le processus marchait si bien, il fallait de la mauvaise foi pour ne pas en attribuer en bloc le succès à la Dianétique.

A New York, *Astounding* reçut plus de deux mille lettres dans la première quinzaine suivant la parution du livre et ne cessa plus d'être submergé de courrier – féru de statistiques, Campbell calcula qu'il n'exprimait que 0,2 % d'opinions défavorables. Chez Hermitage House, Art Ceppos ne parvenait pas à faire réimprimer et distribuer le livre assez vite. Partout, les libraires se plaignaient d'être en rupture de stock et de manquer des ventes. A Los Angeles, la demande était telle qu'il s'établissait un véritable marché noir de la Dianétique.

A Elizabeth, New Jersey, après l'annonce au mois de juin que L. Ron Hubbard en personne enseignerait le premier cours complet de formation des Auditeurs de Dianétique, les demandes affluèrent au siège de la Fondation. Les postulants parcouraient en foule des milliers de kilomètres dans l'espoir de s'y inscrire. Jack Horner, le psychologue de Los Angeles, en faisait partie : « J'avais obtenu le numéro de téléphone de Hubbard et... il m'a répondu que c'était déjà complet mais que je serais quand même le bienvenu... Avec un de mes amis qui s'y intéressait aussi, nous avons traversé tout le pays d'une seule traite dans sa Cadillac pour arriver à temps... Le droit d'inscription était de 500 dollars, une somme énorme pour l'époque mais qui en valait largement la peine... Il y avait là trente-cinq ou quarante stagiaires, hommes et femmes, très différents mais tous d'un haut niveau d'instruction. Leur seul point commun était sans doute leur passion pour la science-fiction... Ron avait un charisme extraordinaire : on était suspendu à ses lèvres pour ne pas manquer un mot de ce qu'il disait. Nous n'avons jamais su d'où il tenait toutes ses connaissances mais, pour moi, cela ne comptait pas. J'avais étudié les plus récentes découvertes de la psychologie qui ne valaient rien à côté de ce qu'il nous proposait et des résultats potentiels... »

« On peut dire, poursuivait Horner, que le début des années cinquante était le moment idéal pour lancer la Dianétique. L'explosion de la bombe atomique, la terreur d'une guerre nucléaire provoquaient une atmosphère de désespoir... Le maccarthysme sévissait, nos troupes se battaient en Corée dans une guerre qui paraissait surréaliste à beaucoup de gens... Là-dessus, Hubbard est arrivé en disant que si nous parvenions à améliorer juste un peu la santé mentale des hommes, le problème de la menace d'une guerre nucléaire serait en partie résolu. Ce n'était donc pas étonnant que les gens aient voulu l'écouter. »

Pendant ce temps, la Dianétique devenait du jour au lendemain une « folie » générale, du même ordre que l'hystérie des marathons de canasta qui avait balayé l'Amérique de l'après-guerre. Les cercles de Dianétique

136

poussaient comme des champignons; des plus humbles bourgades aux campus les plus prestigieux, chacun voulait avoir le sien. Les « Dianetic Parties » faisaient fureur sur la côte Ouest; à Hollywood, où névroses et dollars faisaient depuis toujours bon ménage, les gens de cinéma se ruaient avec entrain sur une thérapie qui les délivrait des longues et ennuyeuses séances exigées par les psychanalystes. Tout le monde voulait « auditer » tout le monde et, de la frontière du Canada à celle du Mexique, de l'Atlantique au Pacifique, les Américains revivaient avec délice l'instant de leur naissance grâce à L. Ron Hubbard, leur tout nouveau gourou.

Les médias avaient jusqu'alors dédaigné Hubbard et sa science, mais le raz-de-marée de l'intérêt public ne leur permettait plus de l'ignorer davantage. Le 2 juillet 1950, *La Dianétique : la science moderne de la santé mentale – Le Livre*, comme s'y référaient désormais les initiés – se hissa au sommet de la liste des best-sellers du *Los Angeles Times* et n'allait plus en bouger pour de longs mois. Le même jour, dans le *New York Times*, paraissait le premier compte rendu sous la plume de Rollo May, psychologue et écrivain renommé.

C'était moins une critique qu'un éreintement en règle. May ne reconnaissait aucun mérite à la Dianétique. Il ne s'agissait, écrivait-il, que d'une mouture ultra-simpliste de psychothérapie ordinaire épicée d'une dose d'hypnose. Il se demandait si l'auteur ne se moquait pas du monde, car on chercherait en vain des critères scientifiques à l'appui de ses théories saugrenues. « Des livres comme celui-ci sont nocifs, concluait May, tant par les promesses illusoires qu'ils font miroiter aux personnes désemparées que par leur simplification abusive des problèmes psychologiques. »

Dans le *Scientific American*, un professeur de physique de l'université de Columbia déclarait que le livre contenait moins de propos valables à la page que n'importe quel ouvrage publié depuis l'invention de l'imprimerie : « Les énormes ventes de ce livre sont un affligeant témoignage des ambitions frustrées, des espoirs et des idéaux déçus de tous les angoissés qui y ont recherché un secours. » De son côté, le *New Republic* décrivait le livre comme un « mélange impudent d'absurdités et de bon sens élémentaire, élaboré à partir d'évidences connues de longue date mais rendues méconnaissables par une terminologie biscornue. »

Scandalisé, le corps médical réagit avec vigueur. L'American Psychological Association souligna que Hubbard n'étayait ses « généralisations abusives » d'aucune preuve et exigea « dans l'intérêt public » que la Dianétique soit soumise à une enquête scientifique. « Sans la compassion qu'inspirent les souffrances morales de personnes troublées, écrivait le Dr Frederick Hacker, psychiatre à Los Angeles, la prétendue science de la Dianétique devrait être considérée pour ce qu'elle est, une habile filouterie conçue à seule fin de puiser impunément dans les poches des jobards. L'Auditeur n'est qu'un autre nom du charlatan qui exploite un besoin réel par des méthodes frauduleuses. » De nombreux experts médicaux soulignaient que la Dianétique n'apportait rien de nouveau et que Hubbard se contentait d'affubler de néologismes des phénomènes classiques, depuis longtemps connus et appliqués en psychanalyse. L'engramme n'était qu'une forme de l'« abréaction », terme de psychiatrie qui définit la réapparition consciente de sentiments ou de souvenirs refoulés.

Confrontés à de telles critiques, les dianéticiens se dressèrent en masse pour défendre les idées de leur fondateur et bombardèrent de lettres indignées les publications qui osaient les attaquer. Frederick L. Schuman, distingué professeur de science politique converti par Hubbard à qui il avait rendu visite, prit la tête du mouvement de protestation : « L'Histoire est devenue une course de vitesse entre la Dianétique et la catastrophe, écrivit-il au *New York Times*, et la Dianétique la gagnera s'il se trouve assez de gens lucides pour le comprendre. » En fait, ces controverses se révélèrent plus efficaces qu'une coûteuse campagne de publicité : plus le corps médical s'en prenait à la Dianétique, plus le public se disait qu'il devait y avoir du vrai dans ses théories. Deux mois à peine après la sortie du livre, *Newsweek* mentionnait qu'il s'en était déjà vendu plus de cinquante-cinq mille exemplaires et que cinq cents cercles de Dianétique s'étaient créés aux États-Unis.

Si la cause de tout ce tapage éprouvait une quelconque surprise de son soudain changement de situation, il n'en laissa rien voir. En réalité, Hubbard ne s'attendait absolument pas à ce que son livre connût un tel succès, mais il affecta de l'avoir prévu depuis toujours et s'adapta sans peine à son nouveau personnage de sommité. Bien entendu, on s'arrachait ses interviews auxquelles il se prêtait avec complaisance, en régalant les journalistes d'innombrables anecdotes pittoresques sur sa vie aventureuse et ses épuisantes années de recherche dans « les laboratoires du vaste monde ». Toujours courtois, distrayant, prêt à répondre à toutes les questions et à poser pour les photographes, il s'arrangeait pour distiller à chacun une information différente. C'est ainsi, par exemple, que le magazine *Parade* put révéler « en exclusivité » à ses lecteurs que « l'homme à qui l'on doit cette nouvelle mode de la santé mentale » était aussi « le père du premier bébé dianétique ». Alexis Valerie Hubbard, expliquait Ron, avait été soigneusement abritée au cours de sa vie prénatale de tous les bruits, traumatismes et conversations, parentales ou autres, susceptibles de provoquer en elle des engrammes défavorables. En conséquence, annonçait-il fièrement, sa fille avait commencé à parler à l'âge de trois mois, marchait à quatre pattes un mois plus tard et ignorait les craintes et les phobies dont tant d'enfants sont affligés de naissance...

« Depuis le succès foudroyant de son livre sur la Dianétique, rapportait le *Los Angeles Daily News*, Hubbard est devenu en quelques mois une célébrité au niveau national et son "mouvement" connaît le taux de croissance le plus rapide des États-Unis. »

Chapitre 10

Chaos, complots et communistes

« Le gouvernement des États-Unis s'efforça à l'époque
(1950) de s'approprier ses recherches et de le contraindre
à collaborer à un programme destiné à « rendre l'individu
plus influençable » et, devant son refus, essaya de le soumettre à un chantage en lui ordonnant de reprendre du
service actif pour exécuter cette mission. Grâce à ses amis
et relations, il [Hubbard] parvint à échapper au piège en
démissionnant aussitôt de la Marine. Le gouvernement ne
le lui pardonna jamais et soumit bientôt son œuvre à de
sournoises attaques internationales, toutes prouvées
calomnieuses et mensongères. » (*What is Scientology?*,
1978.)

Terre d'élection des modes excentriques et des philosophies saugrenues, la Californie constituait le bouillon
de culture idéal de la Dianétique. C'est donc à Los
Angeles que Hubbard débarqua au début d'août 1950,
sous les acclamations des dianéticiens venus l'accueillir à
l'aéroport. Deux ans plus tôt, plumitif sans le sou et à
demi oublié, il en était parti sans tambour ni trompette; il
revenait en triomphateur avec, à son actif, un livre ferme-

ment ancré au sommet des palmarès de best-sellers et une légion sans cesse croissante de disciples qui voyaient en lui un authentique génie.

Il avait devant lui un programme chargé : librairies et journalistes se disputaient sa présence, il devait donner une série de cours à la Fondation de Recherche Dianétique récemment ouverte à Los Angeles et, surtout, présider le jeudi 10 août un grand rassemblement au Shrine Auditorium, événement capital au cours duquel le « premier *clear* au monde » serait exhibé en public.

Le Shrine Auditorium, pâtisserie néomauresque édifiée en 1925 pouvant contenir quelque 6 500 spectateurs, était alors la plus vaste salle de la ville. Quand la Fondation l'avait louée, les plus optimistes espéraient la remplir tout au plus à moitié. A la stupeur générale, la salle fut bondée au point que les derniers arrivants durent rester debout. Le public jeune et turbulent attendait avec curiosité de découvrir le « premier *clear* au monde » et les prodiges qu'il ou elle allait accomplir. Des dizaines de reporters étaient venus couvrir l'événement.

Lorsque Hubbard apparut sur la scène suivi de A.E. van Vogt, recruté depuis peu, et des autres dirigeants de la Fondation, le public lui fit une ovation. Souriant et sûr de lui, Hubbard ouvrit la séance en démontrant diverses techniques dianétiques sur de jolies filles mais, au bout d'un certain temps, l'ambiance devint houleuse : « Mesdames et messieurs, cria un spectateur, je ne peux pas m'empêcher de penser que tout ceci a été répété d'avance ! » Sous les bruyants encouragements de la foule, un jeune homme bondit alors sur le piano de la fosse d'orchestre et Hubbard, sans se démonter, l'invita à le rejoindre sur la scène. Le volontaire se présenta en disant que son père avait été élève de Freud, ce qui donna à Hubbard l'occasion de rappeler ses propres liens avec le père de la psychanalyse par l'intermédiaire de son vieil ami « Snake » Thompson. Quand il entreprit d'auditer son sujet, celui-ci se montra malheureusement réfractaire à tous ses efforts et le chahut reprit de plus belle. L'atmosphère irrévérencieuse restait toutefois bon enfant ; tandis que Hubbard énumérait les nombreux bienfaits apportés par l'*auditing*, un loustic souleva une tempête de rires en lui lançant : « Est-ce que ça marche aussi pour plomber les dents creuses ? »

Le vacarme ne s'apaisa qu'à l'annonce du clou de la soirée. Sonya Bianca, le « premier *clear* au monde », était une jeune physicienne et pianiste de Boston qui jouissait grâce à la Dianétique, affirma Hubbard, d'une myriade de facultés nouvelles parmi lesquelles une mémoire infaillible lui permettant de se souvenir sans erreur de « chaque instant de sa vie », ainsi qu'elle aurait le plaisir de le démontrer. Puis, ménageant ses effets, il se tourna vers les coulisses et déclama : « Et maintenant, à vous Sonya ! »

Des applaudissements nourris saluèrent l'entrée d'une mince jeune fille tremblante de trac qui s'avança au milieu de la scène sous le faisceau d'un projecteur. Après que Hubbard lui eut paternellement donné l'accolade, elle déclara d'une voix mal assurée que la Dianétique l'avait guérie de sa sinusite chronique et d'une allergie à l'odeur de peinture avant de conclure en bredouillant : « Je ne me suis jamais si bien portée. » Hubbard lui posa ensuite quelques questions anodines et invita le public, qui espérait manifestement des révélations plus spectaculaires, à la questionner à son tour. Il n'allait pas tarder à le regretter.

« Qu'avez-vous mangé à déjeuner le 3 octobre 1942 ? » voulut savoir un spectateur. Désarçonnée, Mlle Bianca cligna des yeux sous la lumière éblouissante et ne put que secouer la tête en signe d'ignorance. « Qu'y a-t-il d'écrit page 122 de *La Dianétique* ? » demanda un autre. Mlle Bianca ouvrit la bouche et la referma sans proférer un son. Prise sous un feu roulant de questions mêlées de rires moqueurs, la malheureuse était terrorisée au point de ne pas même se rappeler une formule élémentaire de physique, sa spécialité. Une partie du public manifesta sa réprobation en quittant bruyamment la salle tandis que certains spectateurs, apitoyés, posaient en vain des questions plus faciles. Voyant que Hubbard venait de lui tourner le dos, l'un d'eux cria : « De quelle couleur est la cravate de M. Hubbard ? » Les larmes aux yeux, les traits contractés par un effort désespéré pour ranimer sa mémoire défaillante, le « premier *clear* au monde » baissa piteusement la tête.

Jamais à court d'arguments, Hubbard expliqua que, dianétiquement parlant, la cause de cette fâcheuse amnésie lui était imputable : en appelant Sonya Bianca, il lui avait dit « A vous *maintenant* », ce qui lui avait « figé la mémoire dans l'instant présent ». Si ce n'était guère convaincant, l'auditoire fut bien obligé de s'en contenter. La réaction de Forrest Ackerman, venu assister à l'heure de gloire de son client, résume assez bien le sentiment général : « J'étais très déçu de ne pas voir une femme maîtresse d'elle-même et capable de dominer la situation. Je m'attendais à autre chose de la part d'un *clear*. »

Il s'écoulera du temps avant que Hubbard ne se risque à exhiber en public un autre *clear*, ce qui n'empêchera pas les admirateurs enthousiastes de la Dianétique d'affirmer à l'envi que leurs propres sujets parvenaient sans peine à cette bienheureuse condition.

Pour L. Ron Hubbard, le fiasco du Shrine Auditorium ne fut rien de plus qu'un léger cahot sur le chemin de sa fortune. Quand Ackerman vint le voir à son hôtel après la manifestation, il lui tapa joyeusement sur l'épaule en déclarant : « Clark Gable n'a qu'à bien se tenir, je gagne plus d'argent que lui ! »

Et c'était vrai : littéralement, l'argent pleuvait. Après avoir accepté de diriger la Fondation de Los Angeles, van Vogt ne fit pratiquement rien d'autre les premières semaines que d'ouvrir des enveloppes contenant les chèques de 500 dollars envoyés par les candidats auditeurs. Quelques jours après la réunion du Shrine Auditorium, la Fondation transféra d'ailleurs son siège dans l'ancienne résidence officielle du gouverneur de la Californie, vaste et luxueuse bâtisse de style hispano-mexicain baptisée La Casa : il y avait déjà en caisse de quoi verser un acompte substantiel sur le prix de quatre millions et demi de dollars. Entre-temps, de nouvelles succursales s'étaient ouvertes à New York, Washington, Chicago et Honolulu.

Mais si l'argent rentrait, il sortait aussi vite. Les notions mêmes de comptabilité et d'organisation étaient étrangères à Ron Hubbard. De plus en plus autoritaire, il se défiait de son entourage et refusait de déléguer le moindre pouvoir. « Il sombrait déjà dans la paranoïa, se souvient Barbara Kaye, attachée aux relations publiques de la Fondation. Il s'imaginait que la CIA avait mis des tueurs à ses trousses. Quand je lui demandais pourquoi il marchait toujours si vite, il répondait en lançant un coup d'œil par-dessus son épaule : " Vous ne savez pas ce que c'est que d'être persécuté! " Bien entendu, il n'y avait rien de vrai dans tout cela. »

Ravissante blonde de vingt ans, étudiante en psychologie, Barbara Kaye (ce nom est un pseudonyme) connaissait les problèmes de Ron Hubbard pour la bonne raison qu'elle était devenue sa maîtresse. « Je cherchais un job de relations publiques et une agence m'a envoyée à la Fondation... Ron m'a interviewée lui-même et m'a embauchée sur-le-champ. Au premier abord, je ne l'avais pas trouvé bel homme – c'était un roux trapu, aux traits épais, que je n'aurais même pas remarqué dans la rue – mais je me suis vite rendu compte qu'il était intelligent, attachant et dynamique... Il y avait beaucoup de travail au bureau à ce moment-là, il me raccompagnait chez moi quand je restais tard. Un soir, il m'a embrassée et puis, bon, une chose en amena une autre... Je savais qu'il était marié mais j'étais encore très jeune et je ne me souciais pas autant que j'aurais dû de ce que pouvaient ressentir les femmes des autres. »

Leur liaison devait s'accommoder d'un emploi du temps surchargé. Hubbard enseignait à la Fondation sept jours sur sept. A.E. van Vogt, qui avait temporairement délaissé la science-fiction, se levait tous les matins à 5 h 30 pour ouvrir les bureaux à La Casa. Arrivé une heure plus tard, Hubbard présidait la réunion quotidienne des instructeurs, formés à la Fondation d'Elizabeth ; à l'arrivée des premiers stagiaires à huit heures, il commençait à donner ses cours et diriger les travaux pratiques. Le soir, s'il n'enseignait pas, Hubbard restait avec Barbara qui en tomba bientôt follement amoureuse. Il avait loué une suite à l'hôtel Château Marmont, castel de fantaisie à l'usage des stars, qui dominait le Sunset Strip. Pendant leur première nuit dans leur « nid d'amour », il la prit tendrement par les épaules et l'entraîna dans chaque pièce en disant : « Voilà ta penderie, ta coiffeuse, ta brosse à dents... »

Deux jours plus tard, Sara et le bébé débarquaient de la côte Est et s'installaient au « nid d'amour ». Le lendemain matin, Barbara trouva sur son bureau sa brosse à dents et les quelques effets personnels laissés au Château Marmont. Tandis qu'elle contemplait, les yeux pleins de larmes, ce triste petit déballage, Hubbard lui chuchota des excuses à l'oreille : il n'y pouvait rien, sa femme était une garce, etc. Puis, sans transition, il lui demanda de venir dîner ce même soir avec lui... et Sara. Sans voix devant un tel cynisme, Barbara ne put que refuser d'un signe de tête.

Elle ne pouvait malgré tout se résoudre à rompre. « Avec lui, je ne m'ennuyais jamais. C'était un extraordinaire conteur, un amant tendre et attentionné... J'étais quand même consciente de ses troubles mentaux. Il me disait parfois des choses tellement incohérentes que je ne savais plus que croire. Il disait que sa mère était lesbienne... et qu'il était lui-même victime d'une " tentative d'avortement ". Il me parlait beaucoup de son grand-père... mais jamais de son père ni de ses enfants. Je n'ai appris l'existence de son fils que des années plus tard en lisant les journaux. »

Vers la fin septembre, en sa qualité d'attachée aux relations publiques de la Fondation, Barbara accompagna Hubbard pour une tournée de conférences dans la région de San Francisco. Sara vint à la gare avec eux et embrassa ostensiblement son mari en toisant Barbara d'un air de défi. Mortifié, Hubbard passa tout le temps du trajet à boire au wagon-salon. Ce n'est qu'en apprenant à l'arrivée qu'un dianéticien avait organisé une réception en son honneur que son humeur s'améliora – mais pas celle de Barbara, qui le surprit au cours de la soirée en train d'embrasser leur hôtesse à la cuisine. Quand elle refusa de coucher avec lui cette nuit-là, il entra dans une violente colère en criant : « Ils sont tous contre moi ! » Barbara nota dans son journal : « Je le vois tel qu'il est, vaniteux, arrogant, égoïste et incapable de tolérer la moindre contrariété. »

La brouille fut toutefois de courte durée : « Les choses se sont arrangées à Oakland, écrivit Barbara dans son journal. Il est redevenu amoureux de moi et je ne me suis jamais sentie aussi proche de lui... Il buvait énormément et me racontait des histoires épouvantables sur sa famille... En fait, je le crois profondément malheureux. Il m'a dit que son chat était le seul être qui lui ait témoigné de l'affection ces dernières années, jusqu'à notre rencontre. »

En octobre, Hubbard dut se rendre à Elizabeth d'où parvenaient de mauvaises nouvelles : la situation financière de la Fondation était alarmante – les recettes ne suffisaient même plus à assurer la paie – et le Dr Joseph Winter voulait démissionner.

Après avoir tant fait pour asseoir la crédibilité de la Dianétique, Winter n'y croyait plus. Il s'inquiétait de sa nocivité depuis que deux *preclears* avaient contracté une psychose aiguë pendant leur *auditing;* il condamnait la persistance de la Fondation à enrôler n'importe qui et à laisser tout le monde auditer tout le monde sans contrôle réel; il réprouvait le fait que la Fondation, dont la Recherche était censée constituer l'un des principaux objectifs, ne fasse aucun effort pour entreprendre des recherches scientifiques dignes de ce nom. Las d'exposer en vain ses préoccupations à Hubbard qui faisait chaque fois la sourde oreille, il n'avait plus d'autre choix que de se retirer.

Art Ceppos, l'éditeur de *La Dianétique*, démissionna aussi par solidarité avec Winter. Enragé de cette « trahison » de la part de ces compagnons de la première heure, Hubbard clama à tous les échos qu'ils voulaient mettre la main sur la Fondation et qu'il les avait « forcés à démissionner ».

Mais Hubbard n'était pas homme à se contenter de noircir la réputation de ses ennemis, il lui fallait une vengeance. Elle s'offrit d'elle-même en la personne du sénateur Joseph McCarthy, le démagogue hystérique dont la sinistre chasse aux sorcières empoisonnait alors l'Amérique entière. Sur ordre de Hubbard, l'avocat de la Fondation écrivit donc au FBI pour dénoncer Art Ceppos, président de Hermitage House et « sympathisant communiste avéré », qui avait voulu s'emparer du fichier de la Fondation comportant seize mille noms, document « précieux pour qui chercherait à répandre la propagande du parti communiste ».

Hubbard s'en alla au bout d'une semaine sans rien avoir fait pour résoudre la crise financière. Ne s'étant jamais intéressé aux mystères des comptes d'exploitation, il s'imaginait, avec un optimisme frisant l'inconscience, que tout finissait par s'arranger d'une manière ou d'une autre. Il allait toutefois devoir affronter d'autres problèmes, personnels ceux-là : Sara le trompait.

Peu après son retour à Los Angeles, il avait de nouveau voulu passer une soirée à la fois avec sa femme et sa maîtresse. Barbara avait d'abord protesté contre cette idée de mauvais goût puis s'était finalement résignée à rejoindre Ron et Sara au restaurant en amenant un camarade, Miles Hollister, instructeur à la Fondation. La douteuse plaisanterie de Ron ne tarda cependant pas à se retourner contre lui : l'ami de sa maîtresse devint l'amant de sa femme...

A vingt-deux ans, issu de la haute bourgeoisie de la côte Est où il avait fait de brillantes études, Hollister était tout ce que Hubbard n'était pas : jeune, grand, brun, sportif et beau garçon. Rien d'étonnant, par conséquent, à ce que Hubbard le haïsse au premier coup d'œil et s'acharne contre lui. Il exerça toutefois ses premières représailles d'une manière curieusement détournée en congédiant de la Fondation les deux meilleurs amis de Hollister – sous le prétexte commode qu'ils étaient communistes.

Le psychologue Jack Horner, qui travaillait désormais à la Fondation, tenta d'intercéder en leur faveur : « J'ai dit à Hubbard qu'il ne pouvait pas les renvoyer sans motif... Il a explosé : " Vous n'y comprenez rien ! Ici, je suis tout seul à me battre ! Je laisserai peut-être des hommes sur le terrain mais je gagnerai ! " Pour Hubbard, la fin justifiait toujours les moyens... mais je fermais les yeux parce que j'étais convaincu que son génie éclipsait ses défauts. »

Les rapports de Hubbard et de Sara se détériorèrent rapidement. Un soir, au cours d'une violente dispute, elle lui cria : « Va plutôt passer ton week-end avec une fille ! » Furieux, Hubbard sortit en claquant la porte, alla chercher Barbara Kaye et l'emmena dans un motel de Malibu où il passa le plus clair de son temps à boire du whisky en vitupérant contre sa femme. « Quand nous sommes rentrés à Los Angeles le dimanche soir, se souvient Barbara, il s'est arrêté pour acheter des fleurs pour Sara. Après tout le mal qu'il m'en avait dit pendant deux jours, j'étais effarée. »

Barbara tenait soigneusement son journal, où elle analysait ses rapports avec Hubbard et rapportait leurs mélodrames quotidiens. Le 27 novembre, Hubbard fit irruption chez elle « dans un état d'agitation extrême » : Sara avait tenté de se suicider en avalant des somnifères après une conversation téléphonique avec Barbara, qu'il accusa d'avoir voulu nuire à sa femme en lui dévoilant leur liaison. Barbara avait en effet téléphoné chez Hubbard, mais pour l'entretenir d'une question professionnelle et avait aussitôt raccroché en apprenant qu'il était sorti. Hubbard refusa de la croire et prétendit avoir « décrypté un engramme » indiquant que la tentative de suicide de Sara avait été déclenchée par le coup de téléphone de Barbara.

Les morceaux choisis de leur dispute, transcrits par Barbara, sonnent comme un dialogue de roman-photo :

Moi : Ainsi, tu prends l'habitude de planter des engrammes dans l'esprit des gens ? Bravo ! Belle conduite, de la part du fondateur de la Dianétique !

Lui : Tu ne trouves pas cela excitant, d'être un pion sur

un immense échiquier? Tu as le monde entier pour enjeu!

Moi : Je me fous du monde entier! Je cherche seulement une seule personne avec qui avoir des rapports sincères.

Lui : Tu en serais incapable. Tu es une ambitieuse qui ne cherche que le pouvoir, une Cléopâtre, une Lucrèce Borgia. Il te faudrait un César, un Alexandre.

Moi : Je n'ai pas besoin de César, c'est plutôt César qui aurait besoin de moi. Je te connais, Ron, mieux que personne ne t'a jamais connu.

Lui (tête basse) : Et parce que tu me connais, tu ne veux plus de moi, n'est-ce pas?

Moi : Si, je tiens à toi, mais d'une façon différente. *(Il m'attire contre lui et m'embrasse.)*

Moi : Tu vois, tu tiens encore à moi... Parce que tu as besoin de moi. Plus que je n'ai besoin de toi.

...

Lui : Tu as eu tort de dire cela. Grand tort!

Barbara comprit à quel point elle avait eu tort en recevant deux jours plus tard ce télégramme : « Prière de ne plus avoir affaire à moi ni à la Fondation. Ron. » « J'étais assommée, se souvient-elle. L'homme avec qui j'étais censée vivre une folle passion me mettait à la porte! »

Pendant ce temps, A.E. van Vogt s'évertuait à sauver du naufrage la Fondation de Los Angeles. Selon ses calculs, les six Fondations existantes avaient dépensé près d'un million de dollars et contracté plus de 200 000 dollars de dettes. En novembre, pendant la courte absence de Hubbard à Elizabeth, il avait réduit de moitié l'effectif de soixante employés permanents dans l'espoir de réduire l'hémorragie. Furieux, Hubbard avait réembauché à tours de bras sans tenir compte des mises en garde de van Vogt; moins d'une semaine après son retour, l'effectif était remonté à soixante-sept personnes, sous prétexte que ce personnel pléthorique était indispensable à la « recherche ».

Le magazine *Look* publia en décembre un article incendiaire intitulé : « La Dianétique : science ou escroquerie ? » Le texte ne laissait guère de doutes quant à la réponse : « Un demi-million de naïfs ont déjà gobé cette psychiatrie de pacotille... Hubbard apporte une fois de plus la preuve que Barnum sous-estimait le taux de natalité des pigeons... » L'article, qui dépeignait les fidèles comme « un ramassis de marginaux, de vieilles filles frustrées et d'homosexuels refoulés », mentionnait « l'inquiétude et la répulsion » que la Dianétique inspirait au corps médical en citant un médecin de la clinique Menninger, qui admettait que les sujets mentalement troublés puissent trouver dans « l'attrape-nigaud de la Dianétique » un soulagement illusoire, du même ordre que celui fourni par les charlatans de l'hypnotisme ou les sorciers vaudous. « Les dommages les plus graves infligés par la Dianétique, ajoutait-il, sont moins dus à sa nature nocive qu'au fait qu'elle détourne des traitements sérieux ceux qui en auraient le plus besoin. »

L'attrait exercé par Hubbard, concluait l'article, venait de ce qu'il mettait son ersatz de psychiatrie à la portée de tous : « C'est bon marché, c'est facile, c'est un jeu de société pour s'amuser dans les clubs et les réunions mondaines. Dans un pays qui ne comporte que 6 000 psychiatres professionnels dont les honoraires débutent à quinze dollars de l'heure, Hubbard a introduit les méthodes de la production de masse. Que de telles méthodes puissent réellement soigner des malades est une tout autre affaire. »

Comme toujours face à une offensive des médias exécrés, les dianéticiens serrèrent les rangs. L'avant-veille de Noël, à la fête de La Casa où élèves et instructeurs de la Fondation fraternisaient joyeusement, le moral était au plus haut. Barbara Kaye s'y hasarda ; Hubbard l'invita à danser comme si de rien n'était et ils renouèrent leur liaison.

En janvier 1951, l'Ordre des médecins du New Jersey lança des poursuites judiciaires contre la Fondation d'Eli-

151

zabeth pour « enseignement illégal de la médecine ». L'avocat de la Fondation se faisait fort de plaider le dossier avec succès mais les dirigeants, jugeant plus prudent de chercher leur salut dans la fuite, se renseignèrent en hâte sur la législation d'autres États susceptibles de se montrer plus accueillants. Quant à Hubbard, qui avait déjà fait son deuil du New Jersey, il confia à deux élèves sûrs – John Sanborn et Greg Hemingway, le plus jeune fils de l'écrivain – le soin de charger ses effets personnels dans sa limousine Lincoln et de rallier Los Angeles.

Entre-temps, Hubbard avait emmené Sara et leur fille Alexis à Palm Springs afin, disait-il, d'écrire au calme une suite à *La Dianétique*, *Science of Survival* (Science de la Survie), dans laquelle il comptait présenter des techniques d'*auditing* simplifiées. Richard De Mille, fils du cinéaste Cecil B. De Mille et récemment engagé par Hubbard comme secrétaire particulier, y rejoignit la famille peu après.

« Je ne m'en rendais pas compte sur le moment, se souvient Richard De Mille, mais c'était surtout mon nom qui l'avait intéressé – Hubbard aimait collectionner les célébrités... Quand il m'a demandé de l'accompagner à Palm Springs, l'ambiance de la Fondation était très perturbée : Hubbard accusait les communistes de vouloir l'évincer et son ménage atteignait le point de rupture. Il se méfiait de Sara qui le trompait avec Hollister et le critiquait ouvertement. »

Sara ne s'attarda pas à Palm Springs. Hubbard ne fit aucun effort pour l'y retenir : à peine fut-elle repartie pour Los Angeles avec la petite Alexis qu'il télégraphia à Barbara Kaye qu'il l'aimait et qu'il avait besoin d'elle. Barbara sauta dans un autocar et le rejoignit le 3 février.

Au cours des semaines qu'ils passèrent ensemble, Barbara Kaye, qui deviendra psychologue professionnelle, établit un diagnostic clinique de Hubbard. « A l'évidence, il était maniaco-dépressif à tendance paranoïaque. Les cyclothymiques sont souvent sociables, productifs et capables de déployer une énergie considérable. Dans ses

152

bons moments, Ron était extrêmement créatif, pénétré du sentiment de son omnipotence, débordant de projets grandioses mais à mon arrivée, je l'ai trouvé en pleine dépression, incapable de finir son livre qui devait être publié ce mois-là. Il s'apitoyait sur son sort, il buvait comme un trou... Il accusait Sara de l'avoir hypnotisé pendant son sommeil... et les gens d'Elizabeth d'avoir tenté de l'empoisonner pour l'empêcher d'écrire... Il m'avait appelé dans l'espoir que je l'aiderais et j'ai essayé sur lui une technique apprise à l'Université... Je lui ai donné un bloc de papier en disant : " Tu n'es pas forcé d'écrire. Assieds-toi, regarde le papier et lève-toi si tu en as assez. " Les premiers jours, il restait devant le papier blanc une dizaine de minutes sans rien faire... jusqu'au jour où il a pris un crayon et s'est mis à écrire. Le lendemain, il était redevenu enthousiaste et travaillait normalement... Il chantait, il riait, il me parlait de ses idées jusqu'à trois heures du matin. »

Hubbard aimait exercer sa verve sur les psychiatres. Un soir, il raconta à Barbara qu'il avait fait une démonstration d'*auditing* à un groupe de psychiatres, dont l'un d'eux avait dit : « Si vous prétendez soigner les gens de cette manière, méfiez-vous, nous vous ferons enfermer. » Puis, en éclatant de rire, il ajouta : « Et ils m'ont traité de paranoïaque ! Tu te rends compte ? » « Quand je l'ai entendu dire cela, nota Barbara ce soir-là dans son journal, j'ai eu toutes les peines du monde à ne pas fondre en larmes. »

Au bout de trois semaines, sentant qu'on « mijotait quelque chose derrière son dos » à Los Angeles, Hubbard voulut rentrer sur-le-champ bien que son livre ne fût pas achevé. « Après notre retour, se souvient Barbara, je ne l'ai plus revu pendant une semaine. Et puis un soir, il est arrivé chez moi échevelé, la mine défaite... Il m'a dit avoir surpris Sara et Hollister couchés ensemble et qu'ils étaient de mèche avec un psychiatre de San Francisco pour le faire interner... Il avait aussi trouvé des lettres prouvant que Hollister complotait avec Winter et Art Ceppos pour prendre le contrôle de la Fondation. " Je t'en prie, ne me demande rien, a-t-il conclu. Je vais très mal. J'ai besoin d'aller passer quelques jours seul dans le désert. " »

En réalité, Hubbard n'alla pas se remettre de ses émotions seul dans le désert, il avait d'autres projets en tête : il voulait faire enfermer Sara avant qu'elle ne lui inflige le même traitement. Et il voulait d'abord mettre toutes les chances de son côté... en kidnappant sa fille.

Le samedi 24 février 1951 au soir, John Sanborn était seul à La Casa où il gardait Alexis Hubbard. Greg Hemingway et lui étaient logés dans une aile de la Fondation ainsi qu'un jeune ménage d'instructeurs, les Hunter. Marge Hunter étant amie de Sara et ayant une fillette du même âge, Sara lui confiait volontiers Alexis quand elle voulait sortir le soir. Ce samedi-là, les « pensionnaires » de La Casa avaient décidé d'aller au cinéma; Sanborn, fatigué, préférait rester se reposer et s'était offert pour garder les enfants comme il l'avait déjà fait à plusieurs reprises. Ses amis étaient donc sortis se distraire sans inquiétude. Ainsi débute une aventure rocambolesque, digne d'un film noir de série B.

Vers 11 heures du soir, Sanborn entendit frapper à la porte. Flanqué d'un séide, une main dans la poche comme s'il étreignait un revolver, Hubbard fit son entrée en trench-coat et chapeau de feutre rabattu sur les yeux. Il se fit remettre sa fille endormie et disparut en disant qu'il l'emmenait à Palm Springs. Étonné, Sanborn ne put cependant faire moins que de s'exécuter et alla se recoucher. A 1 heure du matin, un autre personnage en trench-coat et chapeau de feutre le réveilla en tambourinant à la porte : cette fois, c'était Miles Hollister, surexcité, qui voulait savoir où Hubbard avait emmené sa fille. « A Palm Springs », répondit Sanborn qui se frottait les yeux, effaré. Là-dessus, Hollister dévala l'escalier et démarra en trombe.

Entre-temps, toujours flanqué de son acolyte à la mine patibulaire, Hubbard avait confié la fillette sous un faux nom à une agence d'infirmières avant de procéder à l'enlèvement de Sara qu'il voulait faire enfermer. Des heures durant, tandis que Sara folle de rage et d'inquiétude lui hurlait des injures sur la banquette arrière, Hubbard sillonna en vain les routes de Californie à la recherche d'un hôpital psychiatrique qui voudrait bien interner sa femme ! Il la relâcha finalement dans l'Arizona, à l'aéroport de Yuma, après lui avoir fait signer un papier attestant qu'elle l'avait suivi de son plein gré. Il lui avait donné en échange l'adresse du lieu où se trouvait Alexis – adresse fausse, bien entendu. Car pendant que Sara, toujours en chemise de nuit, prenait le volant de la voiture pour regagner seule Los Angeles, Hubbard donnait par téléphone à un homme de confiance l'ordre d'engager d'urgence une nurse chargée de convoyer Alexis à Elizabeth où il la rejoindrait. En découvrant la supercherie, Sara se précipita à la police porter plainte pour kidnapping mais l'inspecteur de permanence refusa d'enregistrer la plainte, la police ne pouvant selon lui intervenir dans une querelle de famille.

Hubbard ne se rendit toutefois pas directement à Elizabeth car il était toujours persuadé que Sara cherchait à le faire interner. Flanqué du fidèle Richard De Mille, il prit l'avion pour Chicago où il se mit en quête d'un psychiatre qui accepterait de l'examiner et de témoigner qu'il était sain d'esprit. Après quelques visites infructueuses à des hommes de l'art plus que réticents, l'un d'eux se prêta à la comédie et lui délivra le certificat convoité.

Avant de quitter Chicago, Hubbard voulut parachever son scénario ; il téléphona au FBI pour accuser « un de ses collaborateurs » de communisme et précisa sans se faire prier qu'il s'agissait de Miles Hollister. Sur ce, Richard De Mille et lui prirent l'avion pour New York et se firent conduire en taxi à Elizabeth où la Fondation, assiégée par les créanciers, fonctionnait encore cahin-caha. Ils se logèrent à l'hôtel et attendirent l'arrivée d'Alexis.

Hubbard apprit alors que Polly le poursuivait dans l'État de Washington pour le paiement des arriérés de la pension alimentaire destinée à l'entretien de ses deux enfants, Nibs âgé de seize ans et Kathy de quinze ans.

Hubbard réagit comme à son habitude en déclarant que son ex-femme était une alcoolique, indigne d'assurer la garde d'enfants mineurs. Puis, en bon citoyen animé de sentiments patriotiques, il confirma ses dénonciations de Chicago en écrivant directement à la direction du FBI à Washington pour donner la liste de quinze dangereux communistes ayant infiltré son organisation – liste où figuraient en tête Miles Hollister et... Sara.

J. Edgar Hoover le remercia personnellement de cet acte de civisme et fit recueillir sa déposition par un agent. Au cours de l'entretien, Hubbard fut curieusement incapable de se rappeler les noms des suppôts de Staline – à l'exception de celui de Miles Hollister, qu'il accusa en outre d'avoir drogué sa femme au point de la rendre folle et d'avoir subtilisé son Colt 45 d'ordonnance. L'agent nota dans son rapport que Hubbard lui avait révélé que l'URSS s'intéressait à son travail : « Il se dit persuadé que la Dianétique peut être utilisée avec succès dans la lutte contre le communisme, sans cependant préciser comment... Il a également déclaré qu'un [officiel soviétique] l'aurait contacté dès 1938 à l'Explorers' Club pour lui proposer de s'établir en URSS afin d'y développer la Dianétique [au profit de son gouvernement]. A l'appui de ses déclarations, Hubbard m'a informé qu'il avait été certifié sain d'esprit à l'issue d'un récent examen psychiatrique subi à Chicago. » Pour sa part, l'agent du FBI concluait que Hubbard était « manifestement déséquilibré »...

Pendant son court passage à Elizabeth, Hubbard réussit à se brouiller avec son vieil ami et supporter John Campbell, qui démissionna à son tour de la Fondation et alla ainsi grossir les rangs de ses ennemis jurés. Campbell estimait ne plus pouvoir travailler avec Hubbard qu'il rendait responsable de la déroute financière et du chaos qui gagnait l'organisation entière. (Informé le 9 mars que le personnel de la Fondation de Los Angeles attendait sa paie depuis plus de quinze jours, Hubbard n'y prêta aucune attention.)

Peu après l'arrivée d'Alexis, Hubbard annonça à Richard De Mille qu'ils partaient dans le Sud où il pourrait enfin se remettre à écrire. Bien qu'il soit désormais transformé en bonne d'enfant, Richard De Mille s'en réjouit car il neigeait sans arrêt depuis leur arrivée à Elizabeth. Leur étrange trio – un grand et fort rouquin quadragénaire fumant des Kool à la chaîne, un mince et timide jeune homme qui le suivait comme un toutou et une fillette d'à peine un an – débarquèrent à Tampa, en Floride, à la mi-mars et se logèrent à l'hôtel. Au bout de deux jours, Hubbard déclara que l'atmosphère lui déplaisait et qu'il voulait aller « dans un endroit où on puisse respirer à l'aise. Nous partons pour La Havane ».

Au début des années cinquante, avant la révolution de Fidel Castro, La Havane était une capitale pittoresque et vibrante où le touriste argenté pouvait assouvir tous ses désirs. Les Américains n'avaient même pas besoin de montrer leur passeport ; l'arrivée des deux hommes si mal assortis escortant une fillette apparemment sans mère passa inaperçue. Hubbard loua un appartement et engagea deux Jamaïcaines pour s'occuper de sa fille, au grand soulagement de Richard De Mille. Une fois installé, il reprit son rythme de travail nocturne avec, pour seul soutien, une bouteille de rhum – généralement vide au lever du soleil. Il dormait ensuite toute la matinée et passait souvent l'après-midi à bavarder avec Richard.

« Il me parlait surtout de lui-même mais sans faire de vraies confidences... Il m'a beaucoup parlé de Jack Parsons et d'Aleister Crowley... des séances de magie noire auxquelles il affirmait n'avoir assisté qu'en spectateur... J'étais choqué de son absence totale de sentiments pour autrui. Pour lui, les gens étaient faits pour être exploités. Il n'avait pas enlevé Alexis pour la garder, il se servait d'elle comme d'un moyen de pression sur Sara... Quand je l'ai vu pour la première fois au Shrine Auditorium, je le considérais comme un grand homme qui avait fait une découverte si importante qu'elle éclipsait ses défauts personnels... Il n'avait jamais fait de véritables recherches mais il avait beaucoup lu et savait beaucoup de choses sur Freud, l'hypnose, l'occultisme, la magie, etc. C'est de là qu'est venue la Dianétique... Je ne crois pas que la Dianétique ait eu du succès uniquement parce qu'elle arrivait au bon moment... Si quelqu'un lance une idée en affirmant qu'elle changera le monde, il y aura toujours des gens pour le croire et le suivre. En un sens, Lénine a été le Hubbard de 1917. »

L'assiduité de Hubbard au travail se trouva sérieusement compromise quand les journaux américains du 12 avril arrivèrent à La Havane. Sara se décidait enfin à poursuivre Ron devant les tribunaux de Los Angeles en exigeant la restitution de sa fille et les manchettes faisaient assaut de sensationnel : « FONDATEUR DE SECTE ACCUSÉ D'ENLÈVEMENT D'ENFANT », « HUBBARD VOULAIT KIDNAPPER SA FEMME », « L'AUTEUR DE LA DIANÉTIQUE SÉQUESTRE SA FILLE ». Une photo de la « mère affligée », affichant malencontreusement un large sourire, illustrait la plupart des articles.

Le 15 avril, après avoir digéré tant bien que mal ces fâcheuses nouvelles, Hubbard prit sa plus belle plume d'auteur de science-fiction pour écrire à Sara :

Chère Sara,

Je suis dans un hôpital militaire à Cuba et je serai rapatrié la semaine prochaine aux États-Unis; mon statut de chercheur protégé par le Secret Défense me met à l'abri de toutes les ingérences. Je resterai sans doute longtemps hospitalisé, mais Alexis bénéficie des meilleurs soins. Je la vois tous les jours. Elle est ma seule raison de vivre.

Mon esprit n'a pas fléchi sous les coups que tu m'as portés et que tu as laissé les autres m'assener, c'est mon corps qui n'a pas résisté. J'ai le côté droit paralysé et mon état s'aggrave. J'espère que mon cœur tiendra. Peut-être vais-je survivre, peut-être vais-je bientôt mourir. Mais la Dianétique durera dix mille ans : elle est désormais sous la garde de l'Armée et de la Marine.

J'ai changé mon testament. Alexis héritera d'une immense fortune sauf si tu la reprends avec toi, auquel cas elle n'aura rien. J'espère te revoir une dernière fois. Adieu. Je t'aime.

Ron.

Le lendemain, Hubbard se présenta à l'ambassade des États-Unis à La Havane et exigea d'être reçu par l'attaché militaire. Au nom de la « solidarité entre officiers », il lui demanda sa protection contre les communistes qui tentaient de s'emparer de ses recherches. Perplexe, l'attaché éluda de son mieux en disant qu'il « verrait ce qu'on pouvait faire » et câbla à Washington pour obtenir du FBI des renseignements sur son curieux visiteur. Le FBI répondit par retour que Hubbard avait été interrogé le 7 mars et que l'agent ayant procédé à l'entretien avait conclu que Hubbard « souffrait de troubles mentaux manifestes ».

Le jeune Richard De Mille, qui partageait son appartement, n'avait pas remarqué que Hubbard souffrait d'une paralysie du côté droit, encore moins qu'il ait été emmené d'urgence dans un hôpital militaire, mais il se rendait compte que son moral avait sensiblement baissé : « Il redevenait nerveux, il se plaignait de malaises... Nous avons déménagé pour nous installer à l'hôtel... où il est tombé malade. Il ne s'agissait probablement que d'un ulcère mais il affirmait ses souffrances étaient dues à des drogues hypnotiques que Sara et Winter lui avaient administrées. »

Les nouvelles de Los Angeles n'étaient pas faites pour hâter son rétablissement : le 23 avril, Sara demanda le divorce pour « extrême cruauté mentale et sévices physiques ». Ses révélations firent sensation : non contente d'accuser Hubbard de bigamie et de kidnapping, elle déclarait qu'il la soumettait à des « tortures systématiques par la privation de sommeil, des coups, des tentatives de strangulation et des expériences scientifiques ». La « folie agressive » de Hubbard lui inspirait « une crainte continuelle pour sa propre vie et celle de sa fille en bas âge, qu'elle n'avait pas revue depuis plus de deux mois ».

Le dossier n'omettait aucun détail : Ron avait dit à Sara au Château Marmont qu'il voulait mettre fin à leur mariage mais qu'un divorce risquant de nuire à sa réputation il lui suggérait de « se tuer si elle l'aimait vraiment ».

Après l'avoir maintenue éveillée quatre jours d'affilée, il lui avait fait avaler des somnifères à si forte dose qu'elle avait « échappé de justesse à la mort ». Il avait plusieurs fois tenté de l'étrangler, au point de lui « briser la trompe d'Eustache de l'oreille gauche » peu avant Noël 1950. Un mois plus tard, à Palm Springs, il l'avait sciemment blessée en démarrant au moment où elle descendait de voiture. Au vu de ce comportement, poursuivait la requête, « la plaignante et ses conseillers médicaux constatant que Hubbard est atteint d'aliénation mentale incurable... il serait injustifiable de l'y [Sara] exposer davantage. Les experts médicaux recommandent l'internement du susdit Hubbard dans un établissement psychiatrique aux fins d'examen et de traitement d'une schizophrénie paranoïaque caractérisée... »

Caryl Warner, l'avocat de Sara, fit en sorte que l'affaire reçoive un maximum de publicité, avec d'autant plus de succès que les journalistes spécialisées, tant au *Los Angeles Times* qu'au *Los Angeles Examiner*, étaient des femmes, ardentes féministes de surcroît. « J'ai tout fait avant le procès, se souvient Warner, pour qu'elles sachent que Hubbard était un salaud... un sadique fou à lier qui torturait sa femme avec des brûlures de cigarette... Sara et Miles se sont mariés, ils ont acheté une maison à Malibu et nous sommes devenus bons amis... Je n'ai jamais douté de la parole de Sara. Quand elle est venue me raconter l'incroyable histoire de son mari qui enlevait sa fille et voulait se débarrasser d'elle en l'envoyant dans un asile de fous, j'ai décidé de la sortir de là... J'ai téléphoné à l'avocat de Hubbard à Elizabeth en lui disant : " Écoutez-moi bien, espèce d'imbécile, si vous ne vous débrouillez pas pour nous faire rendre cette enfant dare-dare, je vous grillerai ! " »

Hubbard sentit les premières odeurs de roussi avec le dépôt de plainte de Sara pour kidnapping et les manchettes fracassantes du lendemain 12 avril. (Le seul accroc à cette campagne soigneusement orchestrée par l'avocat provint du limogeage du général Mac Arthur par le président Truman, survenu le même jour, ce qui

éclipsa l'affaire Hubbard à la une des journaux.) La procédure bénéficia ensuite d'une couverture extensive et
l'erreur initiale des photos de Sara qui souriait à l'objectif
fut corrigée par la publication de clichés la montrant en
larmes, soutenue avec sollicitude par son défenseur
devant le Palais de Justice.

A Cuba, Hubbard prenait fort mal les choses. « Ce qui
l'a le plus affecté, je crois, se souvient Richard De Mille,
c'était de sentir le contrôle de l'organisation lui échapper. » Les fortunes du fondateur de la Dianétique avaient
en effet subi en douze mois plus que des revers, une véritable déroute. Sa vie privée était en ruine, ses Fondations
d'Elizabeth et de Los Angeles se désintégraient, il ne restait que des miettes de son trésor de guerre dilapidé, son
livre avait des mois de retard – et il se retrouvait coincé à
Cuba avec sa fille en bas âge sur les bras sans savoir qu'en
faire...

Ce dont il avait un urgent besoin, c'était d'un sauveteur
– mais d'un sauveteur disposant, de préférence, de
moyens considérables. Or, il existait un candidat idéal à
ce rôle, un dénommé Don Purcell, de Wichita, Kansas.
Car Don Purcell n'était pas seulement un dianéticien
convaincu, il était aussi – et surtout – multimillionnaire.

A la fin avril, Hubbard lança donc par télégramme un
SOS à Don Purcell. Le fidèle Richard de Mille confirma
par téléphone en implorant le Bon Samaritain de « faire
quelque chose pour Ron », soi-disant « à l'article de la
mort ». Purcell réagit avec une louable promptitude en
expédiant à Cuba un avion privé et une infirmière diplô-
mée, l'une et l'autre chargés de ramener Hubbard et sa
fille au Kansas. Richard De Mille avait pour mission de
rester sur place afin de transcrire les heures de dictées
enregistrées par Ron au magnétophone.

En bon dianéticien, Purcell était ravi que le grand
L. Ron Hubbard lui accorde l'immense honneur d'être
reçu par lui dans sa bonne ville de Wichita. Son ravissement allait être de courte durée.

Chapitre 11

Tous les chemins mènent à la faillite

« La fortune et la gloire attachées à la Dianétique gri-
sèrent ceux à qui j'avais eu le malheur de m'associer... y
compris une femme qui s'est prétendue mon épouse,
soignée par la Dianétique d'une grave psychose mais
incapable de redevenir entièrement saine d'esprit parce
qu'elle avait le cerveau atteint de lésions structurelles...
Deux de mes premiers associés, John W. Campbell et
J.A. Winter, devinrent enragés quand je leur ai interdit
d'écrire sur la Dianétique, car j'estimais leurs connaissances trop superficielles et leurs propres aberrations
trop importantes pour les laisser prendre des libertés
avec la science... Les fourrures, les voitures de luxe et
la mauvaise influence d'un jeune homme dénué de tout
sens de l'honneur avaient tourné à tel point la tête de la
femme avec laquelle j'avais été lié qu'en se voyant
démasquée elle s'est acoquinée avec les deux autres,
assoiffés comme elle d'argent et de pouvoir, pour tenter
de faire main basse sur toute l'organisation de la Dianétique. » (L. Ron Hubbard, *Dianetics : Axioms*, octobre
1951.)

Ancien cuistot dans un snack de Wichita avant de faire fortune dans le pétrole et la promotion immobilière pendant le boom des années d'après-guerre, Don Purcell était un grand maigre, timide et effacé, qui avait cherché dans la Dianétique l'espoir d'une cure à sa constipation chronique.

Après avoir suivi avec sa femme un stage d'auditeur à Elizabeth durant l'automne 1950, il était revenu à Wichita débordant d'enthousiasme pour la nouvelle « science ». Il ne précisait pas si sa constipation allait mieux mais il disait volontiers, en revanche, que la Dianétique le rendait capable de travailler vingt-deux heures par jour, endurance fort utile pour un promoteur immobilier dans une région agricole, naguère sommeillante, où l'arrivée du pétrole et de l'industrie aéronautique entraînait une expansion économique et démographique sans précédent. En dépit de sa réussite et de sa fortune, Purcell n'aspirait cependant pas à une position éminente; pénétré des valeurs puritaines chères au Middle West, il se contentait de sa réputation de travailleur infatigable, d'homme d'affaires intègre et de bon chrétien.

Comme tous les premiers convertis, Purcell professait une foi aveugle dans l'efficacité de la Dianétique et le génie de son fondateur. Ayant appris les difficultés de la Fondation d'Elizabeth, il avait aussitôt offert de « donner un coup de main » par une avance d'argent et ses conseils de gestionnaire avisé. Il avait aussi financé la création d'une Fondation à Wichita. Rien d'étonnant, par conséquent, à ce qu'un tel homme réponde sans hésiter au bouleversant appel lancé par Hubbard, d'autant que celui-ci lui avait fait miroiter le projet d'installer le quartier général de la Dianétique à Wichita; si le grand Ron Hubbard en décidait ainsi, cela ne pourrait faire que du bien à la ville et Don Purcell n'y trouvait certes rien à redire.

Lorsque Hubbard descendit de l'avion affrété par Purcell, son hôte l'accueillit au pied de la passerelle en compagnie d'un reporter du *Wichita Eagle*, au bénéfice duquel Hubbard fit une déclaration destinée à flatter les bonnes gens de Wichita : la Dianétique, « pionnière des sciences du mental », choisissait tout naturellement le lieu « où l'esprit des pionniers reste le plus vivace » ; et puisque la Dianétique « ne peut aller au-devant de tous ceux qui ont besoin d'elle, il est normal qu'elle s'établisse au cœur du pays, où tous ceux qui le voudront pourront venir à elle ». Il ajouta que la Dianétique guérissait soixante-dix pour cent de toutes les maladies mentales, ce qui permit au journal de publier l'interview sous le titre : « Le fondateur de la Dianétique apporte l'espoir aux aliénés. »

Hubbard s'installa avec Alexis et sa nurse au meilleur hôtel de la ville, où Purcell lui avait retenu une suite à ses propres frais, et les deux hommes entreprirent de discuter de l'installation de la Dianétique à Wichita, projet qui allait bientôt retenir l'attention du FBI. Le 4 mai 1951, en effet, l'agent local du FBI reçut une lettre anonyme l'adjurant d'« enquêter à la [Fondation Hubbard] où ils se livrent à un ignoble racket sexuel... Je le sais parce que je suis une de leurs victimes. » Cette peu ragoûtante dénonciation alla grossir le dossier Hubbard au FBI, accompagnée des commentaires de l'agent : « Selon certaines rumeurs, la Fondation de Los Angeles est en faillite et l'exploitation déficitaire de celle du New Jersey amènerait l'organisation à transférer son siège dans le centre des États-Unis. »

Hubbard ignorait qu'il était accusé d'exercer « un ignoble racket sexuel », ce qui valait mieux pour lui car sa vie privée lui donnait assez de soucis pour l'empêcher de se consacrer comme il aurait dû aux affaires de la Fondation. Il ne pouvait s'en prendre qu'à lui-même : tandis que sa première femme continuait de le poursuivre pour le paiement des arriérés de pension alimentaire et que la procédure de divorce d'avec Sara, la deuxième, battait son plein, Hubbard proposait à sa maîtresse de devenir la troisième.

A peine arrivé à Wichita, il téléphona à Barbara en lui demandant de le rejoindre et confirma par télégramme : JE NE T'OFFRE RIEN DE MOINS HONORABLE QUE LE MARIAGE. SI TU ACCEPTES JE DOIS DOUBLEMENT CLARIFIER MON STATUT

ACTUEL. JE T'AIME DE TOUT MON COEUR. RON. Barbara se
rendit compte que sa paranoïa ne s'était pas arrangée
quand elle reçut un second télégramme moins de deux
heures après : GARDE SECRET ABSOLU SUR NOS PROJETS CAR JE
NE SAIS PAS CE QU'ILS TE FERAIENT S'ILS ÉTAIENT AU COU-
RANT. SOIS TRÈS PRUDENTE. JE T'AIME. RON. Barbara n'avait
aucune idée de l'identité de ces mystérieux « ils »; quant à
la perspective d'épouser un homme accusé de bigamie, de
kidnapping et de tortures sur la personne de sa précédente épouse, elle lui inspirait de légitimes hésitations.
« Peux-tu seulement me rassurer sur le genre d'avenir qui
nous attend ? lui écrivit-elle. Dieu sait que je ne voudrais
pas... te voir finir en prison ou devoir lutter continuellement contre la justice. »

Pendant que Barbara réfléchissait à la demande en
mariage de Ron, Sara l'accusait de s'être enfui à Cuba
afin d'échapper aux assignations. Elle en donna pour
preuve la lettre que Hubbard lui avait écrite de La
Havane et produisit une lettre, datée du 2 mai, reçue de sa
première femme. Informée du divorce par les journaux,
Polly s'était sentie moralement tenue d'apporter son soutien à Sara : « Si je puis vous aider en quoi que ce soit,
n'hésitez pas. Il faut que vous repreniez la garde d'Alexis.
Ron n'est pas normal. J'avais espéré que vous réussiriez à
le corriger. Vos accusations peuvent paraître invraisemblables aux gens normaux, mais je suis moi-même passée
par là : les coups, les menaces de mort, le sadisme, j'ai
connu tout cela douze ans. »

La presse se fit une joie de rapporter ces nouvelles tribulations domestico-judiciaires du « Manitou du Mouvement Mental », laborieuse allitération concoctée par le
Los Angeles Times. C'est ainsi que Arthur W. Wermuth,
greffier en chef de la Cour Suprême du Kansas, apprit
avec une surprise bien compréhensible que Hubbard était
« en fuite à Cuba » alors qu'il venait d'arriver à Wichita.
Célébrité locale pour sa conduite héroïque pendant la
guerre, Wermuth n'écouta que son devoir d'auxiliaire de
la Justice et informa sans tarder Los Angeles que le
« fugitif » était en fait dans les murs de sa bonne ville.

Ravis de l'aubaine, les journaux du lendemain annoncèrent que le Manitou du Mouvement Mental avait été « débusqué » par le « légendaire héros de Bataan ». L'avocat de Sara sauta sur cette occasion de présenter des conclusions additionnelles requérant la mise sous séquestre des biens de Hubbard à Los Angeles, sans oublier de préciser que, si ce dernier « se cachait » à Wichita, il s'empresserait sans nul doute de reprendre la fuite en se sachant découvert.

Coïncidence ou transmission de pensée ? Le même jour, dans le dessein de se venger de Sara, Hubbard envoyait une lettre de sept pages au ministère de la Justice. Même pour lui, passé maître dans l'art de l'affabulation nocive et de la malveillance gratuite, cette venimeuse missive accumulant les mensonges et les dénonciations calomnieuses constituait un chef-d'œuvre du genre, rendu d'autant plus dangereux par la terreur du maccarthysme, alors à son paroxysme.

Se présentant comme un « scientifique dans le domaine de la physique nucléaire et des phénomènes moléculaires », il accusait les communistes d'avoir détruit ses florissantes affaires, de lui avoir ruiné la santé et de s'être emparé de documents « intéressant la sûreté de l'État ». L'âme damnée de ces machinations n'était autre qu'« une femme connue sous le nom de Sara Elizabeth Northrup... que j'ai d'abord crue être mon épouse... mais que, à la suite d'un malentendu portant sur un précédent divorce, j'ai dû considérer comme ma concubine ». Après avoir torpillé l'Institut américain de thérapie avancée, créé par lui en 1949, Sara s'était évertuée l'année suivante à semer la perturbation dans la Fondation Hubbard de Recherche Dianétique, avec la complicité active d'Art Ceppos, « ancien membre du parti communiste » et de Joseph Winter, qui « semble avoir des relations communistes », par ailleurs révoqué du corps de santé de l'armée américaine pour cause de psycho-névroses.

Mari persécuté, Hubbard déclarait que sa « prétendue épouse » l'avait forcé à lui léguer par testament ses droits d'auteur et ses parts dans les Fondations. Il affirmait ensuite avoir été victime de sauvages agressions pendant son sommeil ; après l'avoir roué de coups sur la tête à plusieurs reprises, ses assaillants lui avaient « planté une aiguille dans le cœur pour y injecter de l'air et provoquer une thrombose coronaire » avant de l'électrocuter avec du courant de 110 volts (*sic*). Sa santé ne s'était jamais remise de ces attentats, qu'il s'était toutefois abstenu de signaler à la police faute de témoins et par crainte du scandale.

Mais ce n'était pas tout : il avait trouvé des lettres d'amour de sa « prétendue femme » adressées à Miles Hollister, « membre des Jeunesses communistes », ainsi qu'un télégramme prouvant qu'ils préparaient sa mort. Il décrivait en détail leurs manigances pour le faire interner et ses propres efforts pour ramener Sara sur le droit chemin en l'emmenant à Palm Springs, où elle l'avait suivi de son plein gré comme en attestait la déclaration signée de sa main. En demandant le divorce, précisait-il, Sara avait pour seul mobile de le spolier du contrôle de la Fondation.

Ces incessantes persécutions avaient retardé la poursuite de recherches dont il voulait faire bénéficier le gouvernement des États-Unis : « En août 1950, j'ai découvert la manière dont les Russes extorquaient les confessions de leurs ennemis, tels que le cardinal Midszenty et d'autres. Je savais comment déjouer ces méthodes... J'étudiais aussi une technique de guerre psychologique que je comptais offrir au ministère de la Défense... Tout ce travail a été interrompu. Chaque fois que je voulais me remettre à écrire, on lançait contre moi une nouvelle attaque. »

Soucieux d'empêcher la Dianétique de tomber aux mains des communistes, Hubbard préconisait « une rafle générale » de cette « vermine de communistes ou d'ex-communistes » – rafle, suggérait-il, qui devrait d'ailleurs commencer par Sara : « Cette femme... est issue d'un milieu criminel. Son père était un repris de justice et sa demi-sœur internée dans un asile de fous. Elle faisait partie à Pasadena d'un groupe de dépravés qui pratiquaient l'amour libre. Elle s'était liée avec Jack Parsons, l'expert en fusées, dont elle a gâché la vie. Par l'intermédiaire de

168

Parsons, elle entretenait des rapports étroits avec plusieurs savants de Los Alamos Gordos [la base secrète du Nouveau-Mexique où la bombe atomique avait été mise au point pendant la guerre]. Je ne me doutais de rien jusqu'à ce que j'aie moi-même entrepris d'enquêter à ce sujet. Elle est sans doute pourvue d'un casier judiciaire. Vous pouvez en retrouver la trace dans vos propres archives criminelles ou celles de la police de Pasadena... [Suivait un signalement détaillé de Sara].

« Je ne cherche pas à me venger, poursuivait-il. Je crois plutôt qu'elle [Sara] est l'objet de fortes pressions parce qu'ils la tiennent d'une manière ou d'une autre. Soumise à un interrogatoire serré, elle devrait parler et fournir des preuves permettant de confondre ses complices. » Et Hubbard concluait ainsi : « Franchement, au vu de tout ce qui m'est arrivé, je ne suis pas certain d'en sortir sain et sauf. Si je devais y rester, il faut que sachiez que je n'ai pas d'autres ennemis au monde. »

Si Hubbard avait usé d'un ton plus mesuré et si le FBI n'avait pas déjà sur son compte un copieux dossier, sa lettre aurait entraîné l'arrestation immédiate de Sara. A l'époque, la « Terreur Rouge » était à son apogée; aiguillonnée par le maccarthysme, la guerre de Corée et les séries de procès d'espionnage à sensation, la psychose de la trahison submergeait l'Amérique. On ne comptait plus les réputations ruinées et les carrières brisées à la suite de dénonciations infiniment moins virulentes que celle de Hubbard contre sa femme et ses anciens amis. Heureusement pour eux, Hubbard était déjà une vieille connaissance du FBI. L'opinion de l'agent qui l'avait jugé « déséquilibré » après l'avoir interrogé à Newark figurait en bonne place dans son dossier, de même que les rapports des experts médicaux cités par Sara, qui le considéraient atteint d'« aliénation incurable ». En accord avec ce diagnostic, le FBI se borna donc à classer sans suite cette nouvelle pièce à conviction.

A la fin du mois de mai et de ses réflexions, Barbara arriva à Wichita prête à épouser Ron. « Si l'amour brise le cœur des hommes, lui avait-elle écrit, il peut aussi le guérir. Régénéré par mon amour, le tien retrouvera sa force. » Confortée dans sa décision par un billet tendre et gai que Ron lui avait laissé à la réception de son hôtel, elle n'en fut que plus choquée par son apparence quand il la rejoignit peu après. « Moralement et physiquement, c'était une ruine, aussi crasseux qu'un clochard, les ongles noirs, les cheveux trop longs... comme Howard Hughes les derniers temps. Il parlait d'une voix monocorde et semblait au bord des larmes. Il m'a dit avoir emprunté cinquante dollars à Purcell pour payer ma chambre mais qu'il ne fallait le dire à personne, parce que Purcell s'était opposé à ce que je vienne. »

Hubbard l'emmena chez un bijoutier choisir une bague de fiançailles mais Barbara changeait déjà d'avis. « Il était tellement bizarre, tellement différent que je ne le reconnaissais plus... Il me faisait peur. » Le lendemain matin, elle reprit en hâte le chemin de Los Angeles après lui avoir écrit un mot disant qu'elle ne voulait pas être la cause d'une brouille entre son commanditaire et lui.

Tandis que l'ex-future Mme Hubbard s'éclipsait précipitamment, Sara arrivait dans l'intention de négocier la restitution d'Alexis. « Elle ne l'a récupérée qu'en acceptant de prendre les torts sur elle et de ne plus dire de mal de Hubbard », se souvient Richard De Mille, arrivé à Wichita entre-temps. Le 9 juin 1951, Sara signa en effet une déclaration manuscrite par laquelle elle s'engageait à retirer sa plainte en enlèvement d'enfant et à annuler son instance de divorce devant les tribunaux de Californie, en échange d'un divorce prononcé en faveur de L. Ron Hubbard, que celui-ci lui « garantissait » pour la mi-juin au plus tard.

Deux jours plus tard, elle signait une déclaration dactylographiée par laquelle elle reconnaissait ses torts tant envers son mari, « homme brillant et intègre », que « la science de la Dianétique qui représente le seul espoir des générations futures »; elle retirait ses accusations contre Hubbard et implorait son pardon pour le mal qu'elle avouait lui avoir fait. Ce document aux phrases ampoulées, truffées de barbarismes et de néologismes incompréhensibles, porte à n'en pas douter la griffe de Hubbard soi-même.

Quoi qu'il en soit, il obtint le 12 juin devant le tribunal du comté de Sedgwick un jugement de divorce aux torts exclusifs de Sara, convaincue de « manquements graves à ses devoirs conjugaux et d'extrême cruauté » envers son époux. Sara n'intervint pas devant la Cour pour rétablir la vérité : elle avait obtenu la garde d'Alexis, rien d'autre ne comptait pour elle. Son enfant serré contre son cœur, elle sauta dans le premier car Greyhound en partance et laissa derrière elle Wichita et L. Ron Hubbard sans esprit de retour.

Il n'avait pas fallu longtemps à Don Purcell pour découvrir quel rôle Hubbard entendait lui faire jouer en tant que président de la Fondation dianétique de Wichita : celui de bailleur de fonds docile et généreux.

Car Hubbard, qui cumulait les titres de président d'honneur et de vice-président, dépensait l'argent de Purcell à un rythme effréné. Après le départ précipité de Barbara, il avait élu domicile dans une vaste et confortable maison meublée au cœur du quartier le plus élégant de la ville et engagé une « gouvernante », à la quarantaine fort appétissante, qui ne tarda pas à passer la plupart de ses nuits dans le lit de son employeur. « Ron aimait les femmes, se souvient Richard De Mille. Il ne pouvait pas voir une jolie femme dans son entourage sans en profiter. »

A la Fondation, le personnel valsait au gré des lubies de Hubbard. Il engageait et renvoyait les gens en fonction de ses dernières tocades pour des projets plus grandioses les uns que les autres, que son imagination d'auteur de science-fiction bombardait de titres ronflants. C'est ainsi que Wichita eut brièvement l'honneur d'abriter le siège de la « Bibliothèque internationale des Arts et des Sciences », pour la plus grande perplexité des fermiers du coin et des ouvriers des usines aéronautiques.

Les stages à 500 dollars par tête continuaient mais les

candidats auditeurs ne se pressaient plus en foule et on était loin de la ferveur des étés précédents : à la fin juin 1951, un congrès du mouvement ne réunit que cent douze délégués. Pourtant, Hubbard se comportait toujours comme si la Dianétique poursuivait son irrésistible ascension. Indifférente à la raréfaction de la demande, la Fondation produisait un flot incessant de brochures et de bulletins traitant de divers aspects de la « Science » – *La Dianétique pour les enfants, Manuel du preclear, Processing de l'effort,* etc. – qui s'empilaient dans les locaux, malgré tous les efforts du personnel pour les distribuer de gré ou de force aux visiteurs.

Le deuxième livre de Hubbard, *Science de la Survie,* édité par la Fondation de Wichita, parut en août. Dédié à « Alexis Valerie Hubbard, dont les lendemains peuvent espérer un Monde digne d'être libre », il abordait la métaphysique et la réincarnation et présentait un procédé, baptisé l'« Échelle des Tons », censé mesurer le niveau émotionnel de l'individu et fournir une clé pour l'interprétation de la personnalité. Hubbard pensait conférer au livre un vernis de sérieux en citant une longue liste des philosophes, d'Aristote à Socrate en passant par Descartes, Voltaire, Freud et les autres, dont il prétendait avoir subi l'influence. En dépit de ces prestigieuses cautions, *Science de la Survie* ne suivit pas *La Dianétique* sur les listes de best-sellers.

Pour les élèves de la Fondation, le cours que Hubbard donnait le vendredi soir était le grand moment de la semaine. Helen O'Brien, une jeune femme de Philadelphie, décrit ainsi la cérémonie : « Il arrivait par le fond de la salle, qu'il traversait jusqu'à l'estrade sous les applaudissements. La mise en scène était soignée : il parlait devant des draperies dont la couleur et celle des projecteurs étaient étudiées pour mettre en valeur ses cheveux roux et ses expressions de visage... Hubbard était un fabuleux conférencier. A l'époque, il nous présentait sans précautions oratoires ses idées les plus sérieuses comme les plus invraisemblables... et prenait un plaisir évident aux réactions de son auditoire. Il avait un tel rythme, un tel style qu'il entraînait l'adhésion unanime, au moins en apparence car, dans tout ce qu'il disait, il y avait beaucoup de choses bien éloignées de la " Science de la Santé mentale " qui nous avait rassemblés. »

Helen O'Brien joignit bientôt les rangs de la « garde d'honneur » de Hubbard, noyau d'admirateurs inconditionnels d'une fidélité à toute épreuve, pour qui la seule présence de leur idole constituait un inestimable privilège. « Ron me parlait beaucoup de lui-même, poursuit Helen. Il disait que son père était un personnage peu recommandable, une sorte d'escroc qu'il soupçonnait de vouloir l'évincer de la Dianétique, mais qu'il la saborderait lui-même si cela devait se produire. Il m'a aussi parlé de Sara... Quand elle s'était enfuie avec un autre homme, il les avait poursuivis et ils l'avaient enfermé dans une chambre d'hôtel pour le droguer de force, mais il avait réussi à leur échapper et à partir pour Cuba... Sans être un débauché, il avait des mœurs sexuelles très libres. Un soir, j'ai couché avec lui... comme si c'était tout à fait naturel. »

Parmi les pèlerins qui convergeaient sur Wichita au cours de l'été 1951 se trouvait une Texane de Houston âgée de dix-neuf ans, venue avec un ami captivé par la Dianétique depuis l'article d'*Astounding*. Étudiante à l'université du Texas, elle s'appelait Mary Sue Whipp et voulait faire carrière dans la recherche pétrolière. L'arrivée de Mary Sue avec ses yeux bleus, ses cheveux auburn et sa silhouette élancée, souleva à la Fondation les sentiments contradictoires qu'on imagine, plutôt favorables chez les hommes mais nettement moins indulgents de la part des femmes. « C'était une nullité, en disait aigrement Helen O'Brien. Elle ne lisait que la presse du cœur. »

Hubbard ne tarda pas à repérer la séduisante *preclear* et à témoigner un intérêt particulier à ses progrès. Mary Sue fut si flattée d'être l'objet des attentions du grand homme qu'elle s'installa chez lui au bout de quelques semaines – à la fureur de la gouvernante, ainsi ravalée à ses fonctions domestiques. Mary Sue se qualifia avec la rapidité fulgu-

rante qu'on imagine, reçut son Certificat d'Auditeur et
intégra le personnel permanent de la Fondation sans plus
penser à sa carrière dans l'industrie pétrolière.

A la Fondation, tout le monde passait son temps à auditer tout le monde, les instructeurs comme les élèves, de
sorte qu'il fallait bien que l'un d'eux se dévoue de temps à
autre pour auditer Hubbard. Ce périlleux honneur,
dévolu au hasard des humeurs du Maître, échut une fois à
un assistant de recherche nommé Perry Chapdelaine.

« Je m'étais cru obligé de m'en tenir strictement aux
techniques enseignées, se souvient Chapdelaine, mais
cela ne s'est pas du tout passé comme je m'y attendais.
Hubbard s'est étendu sur son lit, il a fermé les yeux et
s'est mis à parler. De temps en temps, comme on me
l'avait appris, je claquais des doigts pour le faire remonter
à des souvenirs plus anciens mais il me lançait un regard
furibond, refermait les yeux et reprenait son monologue...
J'ai vite compris ce qu'il voulait dire par " recherche " :
c'était lui qui parlait et l'auditeur devait écouter... Le problème, avec la plupart des gens de la Dianétique, c'est
qu'ils prenaient tout ce que disait Hubbard comme parole
d'Évangile... Je me souviens d'une conférence où il a dit
qu'en faisant certaines choses, on n'aurait plus jamais
besoin de porter des lunettes et il a montré un grand vase
au pied de l'estrade où tout le monde est venu jeter ses
lunettes, Don Purcell comme les autres... Hubbard était
ravi de sa plaisanterie. Il m'en a parlé un peu plus tard
pour se moquer de Purcell, qui était sorti de la salle à
tâtons, et des gens prêts à faire n'importe quoi du moment
que c'était lui qui le disait. Bien entendu, tout ceux qui
avaient jeté leurs lunettes avaient dû s'en faire refaire des
neuves le lendemain... Hubbard avait un don extraordinaire pour convaincre. Quand il m'a audité, j'ai eu
pour la seule et unique fois de ma vie la nette impression
d'être un embryon. C'était ahurissant. »

En août, pour ne pas perdre sa pension d'invalidité,
Hubbard dut se soumettre à l'humiliation d'une visite
médicale de l'Administration des anciens combattants. Il
présenta sa longue liste habituelle de blessures et de mala-

dies mais, cette fois encore, les médecins ne décelèrent pas le moindre symptôme des unes et des autres : « Sujet robuste et bien nourri, ne présente aucun signe d'invalidité chronique », conclut le rapport. L'administration n'avait aucune raison de continuer à entretenir un ancien combattant en parfaite santé mais, pour une fois, ledit ancien combattant ne s'en soucia guère, car Don Purcell pourvoyait à ses besoins.

Leurs rapports commençaient néanmoins à tourner à l'aigre. Ils étaient convenus que Purcell serait responsable de la gestion et de l'administration de la Fondation tandis que Hubbard resterait chargé de la formation, des procédures et de la recherche. Malheureusement, cette répartition du travail aussi simple que logique se révéla vite impraticable.

« Tout marchait bien jusqu'à ce que Ron se mette à piétiner mes plates-bandes, se souvient Purcell. Plus il en faisait, plus je me rebiffais. Il avait mis sur pied une organisation dont les frais de fonctionnement dépassaient de loin les recettes brutes. Je voulais la restructurer pour la ramener à un niveau compatible avec nos rentrées, quitte à l'accroître à mesure que les rentrées augmenteraient, mais Ron ne voulait rien entendre. Il me répétait que j'avais donné mon accord pour payer les anciennes dettes et financer le redémarrage de la Fondation et que je n'avais qu'à tenir parole. » L'avocat de Purcell, qui assistait à leurs discussions, confirme que « les factures atteignaient des proportions astronomiques... La Fondation perdait de l'argent plus vite que Purcell n'était capable de boucher les trous. » Mais là n'était pas le seul problème : Hubbard et Purcell étaient en désaccord fondamental sur la question des « vies antérieures ».

Dès les débuts de l'*auditing,* certains sujets invités à remonter leur « piste de temps » étaient retournés au-delà de leur naissance ou de leur conception jusqu'à retrouver une existence antérieure, souvent romanesque, en la personne d'un chevalier médiéval ou d'un centurion romain. Le même phénomène était arrivé à Helen O'Brien, qui s'était revue au début du XIXe siècle sous les traits d'une jeune paysanne irlandaise tuée par un soldat anglais qui voulait la violer. D'abord assez sceptique sur le concept des vies antérieures, Hubbard en était devenu un adepte enthousiaste au moment de son arrivée à Wichita – au point de venir un jour donner son cours en boitant bas. Il expliqua qu'il avait remonté sa « piste de temps génétique » jusqu'au moment de la guerre de Sécession, où il avait reçu une balle dans la jambe, et qu'il n'avait pas eu le temps de revenir au présent...

De son côté, Purcell espérait toujours que la valeur de la Dianétique serait universellement reconnue; la notion de vie antérieure ne lui disait rien qui vaille sur un plan scientifique et il aurait préféré l'abandonner. Mais Hubbard n'était pas homme à faire crédit à l'esprit terre à terre d'un promoteur immobilier et Purcell s'immisçait indûment dans son domaine réservé, la « recherche ». « Ron voulait que la Dianétique se borne à l'autorité de son enseignement, dit Purcell. Quiconque avait l'audace de suggérer qu'il pourrait y contribuer valablement devait être neutralisé. » Les frictions entre les deux hommes ne pouvaient donc que s'aggraver.

Pendant ce temps, toujours vigilant, le FBI continuait à s'inquiéter des faits et gestes de Hubbard – en faisant la preuve d'un manque de coordination de ses services digne en tous points d'une administration modèle. Ainsi, l'antenne du FBI à Kansas City – où l'on ne lisait apparemment jamais les journaux – demanda à Washington le 1er octobre 1951 des renseignement sur « une école ou clinique Dyanétique (*sic*) de Wichita, dirigée par un certain L. Ron Hubbard ». Washington répondit que, selon des sources bien informées, les activités de la Fondation « attiraient particulièrement les pervers sexuels et les hypocondriaques » et que Hubbard était accusé par sa femme d'« incapacité mentale ». Le rapport omettait toutefois d'ajouter que Sara s'était rétractée par la suite.

En novembre et décembre, Hubbard allait de nouveau tenir la vedette au FBI avec une entreprise sortie tout droit d'un roman de science-fiction. Il avait décidé de fonder une alliance des principaux savants mondiaux, d'archiver sur microfilms les dernières découvertes scientifiques et de les stocker dans un abri antiatomique en Arizona afin, disait-il de manière quelque peu sibylline, de « retirer aux pays individuels la capacité technique de déclencher une guerre nucléaire ». Se vantant de pouvoir ainsi exercer son contrôle sur les guerres et, par voie de conséquence, sur le monde, il baptisa le projet « Allied Scientists of the World » (raison sociale déjà utilisée dans un de ses romans) et chargea Perry Chapdelaine d'organiser la chose.

Chapdelaine fut dépêché en grand secret à Denver, Colorado, futur siège de l'Alliance, avec pour mission d'expédier à plusieurs milliers de scientifiques un courrier les informant qu'ils avaient l'honneur d'être cooptés membres fondateurs de l'Alliance – et les invitant à régler par retour leur cotisation annuelle de 25 dollars. « Sur des milliers d'envois, se souvient Chapdelaine, nous n'avons reçu qu'une ou deux réponses. » En revanche, le FBI fut aussitôt inondé de demandes des récipiendaires qui voulaient savoir si cet organisme inconnu ne servait pas de couverture à des menées communistes ou subversives. Le FBI ne tarda pas à établir que leur vieille connaissance L. Ron Hubbard était derrière tout ce tintamarre et les inspecteurs des Postes diligentèrent une enquête aux fins de déterminer s'il n'y avait pas quelque fraude postale à la clef. Hubbard battit précipitamment en retraite et abandonna l'Alliance mondiale des savants aussi vite qu'il l'avait lancée.

Pour Purcell, ce nouveau fiasco fut l'avant-dernière goutte d'un vase déjà prêt à déborder. Selon Chapdelaine, « Purcell mourait de peur que cela rejaillisse sur lui. Il se demandait en tremblant ce que Hubbard allait encore inventer. »

Les deux hommes étaient au bord de la rupture; il incombait aux hommes de loi de la consommer. Depuis l'arrivée de Hubbard à Wichita, Purcell ne cessait de se débattre contre les créanciers, qui se manifestaient toujours plus nombreux à mesure que les Fondations fermaient leurs portes les unes après les autres. A un moment, il avait même dû fournir une caution de 11 000 dollars pour éviter la mise en liquidation judiciaire de la Fondation de Wichita par l'État du Kansas. Il s'était cru ainsi à l'abri des mauvaises surprises : son soulagement fut de courte durée.

Au début de 1952, un tribunal rendit la Fondation de Wichita responsable des dettes considérables contractées par la défunte Fondation d'Elizabeth. Pour Purcell, c'était un désastre. Comprenant trop tard que son loyal associé lui avait depuis le début caché la vérité sur l'état de ses finances, il prit la décision de déclarer la Fondation en état de cessation de paiement. Hubbard voulut s'y opposer ; mis en minorité par le conseil d'administration en séance extraordinaire, il démissionna en annonçant son intention d'ouvrir en ville un « Collège Hubbard » concurrent. A l'issue de discussions animées, Purcell et lui scellèrent d'une poignée de mains un *gentlemen's agreement* aux termes duquel Hubbard poursuivrait sa collaboration.

Mais pour Hubbard, un engagement sur l'honneur était lettre morte ; Purcell s'étant rangé parmi ses ennemis, il pouvait désormais le combattre et l'annihiler par tous les moyens. L'infortuné millionnaire s'en rendit compte dix jours plus tard en recevant un télégramme par lequel Hubbard l'informait qu'il lui intentait un procès pour « rupture abusive de contrat » et un autre pour « fautes lourdes de gestion », chacun assorti de 50 000 dollars de dommages et intérêts. Il poussait la sollicitude en concluant : « Désolé de devoir en arriver à une telle extrémité. »

L'arrêté des comptes de la Fondation révéla que, dans la période de son activité, les recettes s'étaient élevées à 142 000 dollars pour 205 000 dollars de dépenses, que Hubbard avait perçu 22 000 dollars d'honoraires alors que les salaires de l'ensemble du personnel ne se montaient qu'à 54 000 dollars. Quant à l'inventaire de l'actif, il se bornait aux droits sur les enregistrements, livres, brochures et techniques pédagogiques de la Dianétique, y compris le nom assimilé à une marque commerciale.

Purcell et Hubbard faisant l'un et l'autre valoir leurs droits sur ces maigres reliefs, la querelle tourna à la guerre ouverte. Hubbard monta contre son ancien associé et bienfaiteur une campagne de diffamation systématique, en l'accusant d'avoir conspiré pour s'emparer de la Dianétique et d'avoir reçu un demi-million de dollars de l'American Medical Association pour saboter le mouvement. Honnête et naïf, Purcell était complètement dépassé par les événements. Aucun harcèlement, aucune mesquinerie ne lui fut épargné : ainsi, il constata un jour que le fichier d'adresses de la Fondation et les plaques d'Adressograph avaient disparu. Un assistant de Hubbard admit peu après les avoir déplacées « par inadvertance ». Sachant qu'il s'agissait de plaques de métal contenues dans des boîtes pesant quelques dizaines de kilos chacune, une telle « étourderie » laisse rêveur. Les enregistrements des cours s'évanouirent à leur tour ; quand Purcell obtint leur restitution par ordonnance de référé, il s'aperçut qu'une bande sur trois ou quatre avait été effacée.

En mars 1952, Hubbard observa une courte trêve dans les hostilités pour épouser Mary Sue Whipp, enceinte de deux mois. Afin d'éviter le délai de trois jours imposé par les lois du Kansas, les tourtereaux franchirent la frontière de l'Oklahoma où l'on pouvait convoler sur-le-champ. De retour à Wichita, la nouvelle Mme Hubbard participa à la direction du Collège Hubbard, installé dans un immeuble de bureaux moderne près du centre. L'établissement ne fonctionna que six semaines, mais cela suffit à son fondateur pour battre par télégramme le rappel de ses fidèles partisans et les convoquer à une convention extraordinaire, pendant laquelle il promettait de leur dévoiler d'« importantes nouveautés ».

Quatre-vingts personnes environ vinrent assister à l'événement, qui eut lieu dans la salle des banquets d'un hôtel de Wichita. Hubbard leur révéla d'abord un ingénieux petit gadget baptisé « E-Meter », ou « électromètre », censé mesurer les émotions d'un sujet avec assez de précision pour « donner à l'auditeur un merveilleux aperçu du mental de son *preclear* ». L'appareil se présentait sous forme d'un boîtier de métal noir pourvu d'un cadran lumineux, de boutons et de fils reliés à deux boîtes en fer-blanc. Hubbard en fit la démonstration en faisant tenir les boîtes par un volontaire dont il pinça le bras : l'aiguille se déplaça sur le cadran. Il lui demanda ensuite d'imaginer qu'il était pincé – et l'aiguille se déplaça de nouveau.

Mais la sensation causée par l'électromètre ne fut rien comparée à la révélation suivante. Hubbard affirma avoir découvert et mis au point une science entièrement nouvelle, qui transcendait les limitations de la Dianétique et se fondait sur la *certitude*. Cette science fabuleuse avait déjà un nom : la Scientologie.

Chapitre 12

La renaissance du Phénix

« L. Ron Hubbard reçut de nombreuses distinctions..
[dont un] Doctorat honoraire en Philosophie, décerné en
témoignage de son exceptionnel travail sur la Dianétique
et de l'exemple ainsi donné à tous ceux... qui ont entrepris à sa suite des études approfondies dans ce domaine. »
(*Mission into Time*, 1973.)

Au début d'avril 1952, Hubbard chargea ses possessions
dans son cabriolet Pontiac et prit avec sa jeune épouse la
route de l'Ouest en direction de Phœnix, Arizona, à quelque 1 500 kilomètres de Wichita. De loyaux supporters y
avaient déjà accroché, à la porte d'un petit bureau de
North Central Street, une enseigne proclamant que les
lieux abritaient le siège de l'Association Hubbard des
Scientologues. La ville de Phœnix avait pris le nom de
l'oiseau mythologique qui renaît de ses cendres parce
qu'elle s'était édifiée sur les ruines d'un ancien village
indien ; rien ne pouvait mieux convenir à l'apparition de
la nouvelle « science », née des ruines encore fumantes de
la Dianétique.

Hubbard croyait avoir inventé le terme de Scientologie

en combinant le verbe latin *scire*, connaître, et le mot grec *logos*, étude. Or, par une étrange coïncidence, ce vocable avait déjà été imaginé en 1934 par un philosophe allemand, le Doktor A. Nordenholz, auteur d'un obscur traité intitulé *Scientologie, Wissenschaft von der Beschaffenheit und der Tauglichkeit des Wissens*, c'est-à-dire *Scientologie, Science de la Structure et de la Validité de la Connaissance*. Il est toutefois improbable que Hubbard ait plagié Nordenholz, car son livre n'avait jamais été traduit en anglais et Hubbard ne possédait de l'allemand que des notions rudimentaires.

Hubbard présentait la Scientologie comme le prolongement logique de la Dianétique – prolongement fort commode, qui lui permettrait de conserver son fonds de commerce si les tribunaux décidaient d'attribuer la Dianétique et ses « copyrights » à Don Purcell, son ennemi exécré. La différence entre les deux résidait dans le fait que la Dianétique s'adressait avant tout au corps et la Scientologie à l'âme : avec sa modestie coutumière, Hubbard proclamait en effet qu'il avait découvert « la preuve irréfutable et scientifiquement démontrée de l'existence de l'âme ».

La nouvelle « science » se fondait sur une cosmologie gravitant autour de l'idée que le véritable *moi* de l'individu était une entité immortelle, omnisciente et omnipotente, à laquelle Hubbard donnait le nom de *Thétan*. Préexistants au commencement des temps, les Thétans occupaient et rejetaient des millions de corps humains depuis des milliards d'années. Manipulant l'univers pour leur plaisir, ils s'étaient pris à leur propre jeu au point d'en arriver à se croire rien de plus que les corps qu'ils habitaient. La Scientologie se donnait pour but de rétablir les capacités du Thétan de chaque être humain à son niveau d'origine, celui de *Thétan Opérant*, ou « OT », état transcendant encore inconnu sur Terre. « Tout prouve que ni Bouddha ni Jésus-Christ n'étaient OT, affirmait Hubbard, mais à peine supérieurs à *Clear*. »

Hubbard exposa ses théories pendant l'été 1952 devant un public composé en majorité de fervents dianéticiens n'ayant jamais douté de son génie et acceptant tout ce qu'il disait sans discuter. S'il fallait valider un point ou un autre, il faisait intervenir son postulat des « vies antérieures », désormais intégré aux procédures de l'*auditing*.

Les Thétans ne se limitant évidemment pas à notre seul univers, les séances d'*auditing* faisaient surgir d'innombrables récits de voyages dans l'espace et d'aventures survenues sur d'autres planètes – récits étrangement similaires à ceux qu'on pouvait lire dans les pages d'*Astounding* et autres magazines auxquels l'inventeur de la Scientologie collaborait encore récemment. La réalité des vies antérieures trouvait une confirmation inattendue dans les oscillations de l'aiguille de l'électromètre, adopté d'enthousiasme comme un indispensable auxiliaire technologique. Inventé par un dianéticien nommé Volney Mathison, l'électromètre était en fait un instrument de mesure des variations galvaniques de conductivité de la peau sous l'effet d'un stimulus ou d'un stress, mais il ne tarda pas à se voir attribuer le pouvoir quasi mystique de déceler les pensées les plus intimes d'un individu. L'appareil devint du même coup une importante source de profits, aucun scientologue digne de ce nom ne pouvant se passer de son électromètre – fourni exclusivement par l'Association.

La Scientific Press of Phœnix, filiale *ad hoc* de l'Association, fit paraître en juillet *The History of Man*, ouvrage présenté comme « le compte rendu véridique de vos six derniers trillions d'années » (*sic*). Hubbard avait l'ambition avouée d'en faire le fondement de la Scientologie, dont il proclamait haut et fort les vertus : grâce aux connaissances dispensées par la Scientologie, écrivait-il dans le troisième paragraphe, « l'aveugle recouvre la vue, l'estropié marche, le malade guérit, le fou devient sage et le sain d'esprit encore plus sensé ». Même jugé à l'aune de sa science-fiction, *L'Histoire de l'Homme* est l'un des livres les plus saugrenus sortis du cerveau de Hubbard – voire un « concentré des plus absurdes élucubrations jamais écrites », ainsi que l'exprimera avec irrévérence le rapport d'une commission d'enquête australienne sur la

Scientologie. Mélange confus de mysticisme, de psycho-thérapie et de science-fiction, le texte ne manqua pas de provoquer l'hilarité des non-croyants et la vénération des fidèles disciples.

Dans un style digne d'une rédaction de collégien et mâtiné de jargon pseudo-scientifique emprunté aux publications médicales, Hubbard expliquait que le corps humain abrite à la fois un Thétan et une « *Entité Génétique* », ou GE, sorte d'âme d'essence inférieure localisée vers le milieu du corps. (« L'entité génétique s'introduit dans le protoplasme deux jours à une semaine avant la conception. Il semblerait que le GE soit double, l'un d'eux arrivant par le sperme... ») Les GE perdurent depuis le début de l'évolution, « habituellement sur la même planète », tandis que les Thétans étaient arrivés sur Terre il y a quelque 35 000 ans dans le dessein de super-viser l'évolution de l'homme des cavernes en *Homo Sapiens*. Le GE aurait donc pu être « un anthropoïde dans les forêts profondes de continents oubliés ou un mol-lusque luttant pour survivre sur le rivage d'un océan perdu ». La découverte du GE (pour Hubbard, la moindre idée issue de son imagination n'est jamais moins qu'une « découverte ») « apporte enfin une justification aux théo-ries de Darwin ».

Hubbard entreprenait d'abord de remanier l'évolution, censée débuter selon lui par l' « atome complet, avec ses anneaux électroniques » suivi du « choc cosmique » pro-duisant un « convertisseur de photons » puis de l'appari-tion de la première créature monocellulaire, elle-même précédant l'algue, la méduse et le coquillage – chaîne évolutionniste dont la connaissance était indispensable aux scientologues, car elle leur permettait d'identifier les engrammes qu'aurait pu rencontrer ou engendrer un GE ayant occupé une forme de vie préhistorique.

Ainsi, beaucoup d'engrammes remontaient aux coquil-lages. Les bivalves souffraient de problèmes de charnière dus au conflit permanent entre le muscle qui voulait ouvrir la coquille et celui qui voulait la fermer. Le *pre-clear*, affirmait Hubbard, pouvait très facilement restimuler un engramme causé par la défaite du muscle le plus faible : il suffisait d'imaginer un coquillage s'ouvrant et se fermant sur la plage et de faire le même mouvement alternatif avec le pouce et l'index – geste, précisait-il, susceptible de troubler les observateurs. Et il mettait ses disciples en garde contre ce danger : « Évitez d'aborder ce genre de sujet en présence de non-initiés sous peine d'incidents désastreux. Restimuler l'engramme du coquillage peut provoquer de graves douleurs à la mâchoire : après avoir entendu évoquer la mort d'un coquillage, une victime a été incapable de faire fonctionner sa mâchoire pendant trois jours [*sic*]. »

Ayant ainsi retracé les tribulations d'infortunés mollusques « ballottés par le ressac pendant des millions d'années » et de créatures marines inconnues de la zoologie, mais pourvues de noms d'une rigueur toute scientifique tels que « Weeper » ou « Boohoo », il en arrivait au paresseux (plus connu des cruciverbistes sous le nom d'aï) qui avait « bien des malheurs en tombant des arbres », puis au singe et enfin à l'Homme de Piltdown, responsable d'une multitude d'engrammes allant de l'obsession de mordre à la série complète des problèmes familiaux. Ces engrammes étaient dus au fait que « le Piltdown avait des dents énormes et ne prêtait aucune attention à ce qu'il mordait ». Il était même si peu soigneux à ce sujet, observait Hubbard, qu'il se rendait parfois coupable de « dévorer sa propre femme ou de se livrer à des activités illogiques du même ordre ».

(Malheureusement pour Hubbard, la preuve sera donnée un an après la publication de son livre que les ossements fossiles d'homme préhistorique découverts en Angleterre méridionale dans les sables du Piltdown Common étaient faux. L'Homme de Piltdown n'avait jamais existé que dans l'imagination de l'archéologue amateur Charles Dawson, qui avait monté ce canular en 1912.)

Avec l'explication de Hubbard sur la manière dont les Thétans changeaient de corps, *L'Histoire de l'Homme* tournait ensuite à la pure science-fiction. Les Thétans, disait-il, abandonnent leur enveloppe corporelle avant les GE, qui y restent jusqu'au moment de la mort physique. Entre chacune de leurs incarnations, les Thétans doivent en effet se présenter à une « station d'implant » où, en attendant de se voir affecter un nouveau corps, ils sont soumis à divers contrôles, parfois en concurrence avec d'autres Thétans désincarnés. Hubbard révélait en outre que ces « stations d'implant » se trouvaient pour la plupart sur Mars ; dans certains cas, les femmes dépendaient de stations situées ailleurs dans le système solaire et il existait même « une station d'implant martienne quelque part dans les Pyrénées ».

Bien entendu, Hubbard n'était pas homme à se reposer sur ses lauriers. Au cours de l'année 1952, l'Association des scientologues et les Presses scientifiques de Phœnix éditèrent une avalanche de brochures et de livres, notamment *Scientology : 8-80* publié quelques mois après *L'Histoire de l'Homme*. Dans la lignée de ses révélations sensationnelles, l'auteur y déclarait : « Ce livre offre au médecin comme au profane, au mathématicien et au physicien la capacité de vieillir ou de rajeunir son corps à volonté, de guérir les malades sans contact physique, de traiter les aliénés et de soigner les infirmes. »

Les scientologues avaient l'obligation non seulement de lire mais d'étudier ces livres au même titre que de vrais manuels scientifiques, signe de l'incroyable domination que Hubbard commençait à exercer sur ses disciples. Si une telle omnipotence paraît incompréhensible aux non-scientologues, elle n'était pourtant pas sans précédent. La Scientologie adoptait déjà les caractères typiques d'une secte religieuse, qui offre le salut à ses fidèles grâce à des connaissances secrètes dont le chef détient le monopole. L'histoire de la chrétienté fourmille d'exemples semblables.

Il existe aussi maints parallèles entre la Scientologie et certaines pseudo-sciences, telles que la phrénologie ou l'irido-diagnostic qui prétendait diagnostiquer toutes les maladies par l'examen de l'iris. Malgré ou, peut-être, à cause de leurs prémices fantaisistes, ces pseudo-sciences n'avaient cessé d'attirer des partisans fanatiques car elles avaient en commun d'avoir été fondées par un individu à la personnalité hautement charismatique, révéré par ses dévots comme un génie d'inspiration divine. Ce chef était toujours investi d'un pouvoir absolu, ses critiques ridiculisés, ses réussites proclamées à son de trompe et ses échecs passés sous silence. Quant aux adversaires, ils étaient accusés de machinations machiavéliques, ourdies dans le dessein de stopper le progrès de l'humanité – l'un des prétextes les plus fréquemment invoqués par Hubbard.

Pendant que Hubbard pérorait au cours de l'été 1952, un visiteur inattendu survint en la personne de son fils aîné, L. Ron Hubbard Junior, qui manifestait l'intention de devenir scientologue. A dix-huit ans, Nibs était un jeune homme dodu pourvu d'un sourire angélique et d'une tignasse rousse. Incapable de poursuivre ses études à Bremerton, où ses grands-parents l'hébergeaient depuis deux ans, il avait décidé de rejoindre son père. Préoccupée par sa grossesse, Mary Sue n'objecta pas à ce qu'il vienne loger chez eux, dans la maison moderne louée par Ron à la sortie de Phœnix au pied des collines du Camel Back ; âgée d'à peine plus d'un an que ce beau-fils tombé du ciel, elle ne se sentait d'ailleurs envers lui aucune obligation.

Son père l'inscrivit à un cours par correspondance dans l'espoir qu'il termine ses études secondaires et lui trouva un job à l'Association, où il le soumit à un *auditing* intensif. Fils et homonyme du fondateur, Nibs eut droit à la déférence des scientologues ; il progressa si rapidement qu'il obtint bientôt le titre envié de « professeur du cours d'études cliniques avancées » et fit suivre son nom d'une ribambelle d'initiales et de sigles, censés correspondre aux diplômes indispensables à sa nouvelle dignité.

En septembre 1952, Hubbard et Mary Sue firent leur premier voyage en Europe. Les motifs invoqués par Hubbard sont plutôt surprenants : « Dans le climat de violence engendré par les procès du traître Don Purcell... Mary Sue était tombée malade et [j'ai dû] l'emmener en Angleterre pour lui sauver la vie. » Il omet de préciser comment le fait d'aller en Angleterre sauvait la vie de Mary Sue, d'autant qu'elle était enceinte de huit mois et qu'il aurait mieux valu pour son bien ne pas la faire voyager. Quoi qu'il en soit, Hubbard voulait aller à Londres afin de prendre en main le petit groupe de dianéticiens qui s'y était spontanément formé et Mary Sue avait tenu à l'accompagner.

Leur premier contact avec Londres leur fit une triste impression : rues encore bordées des ruines du Blitz, passants à la mine déprimée, devantures vides. Hubbard était lui-même fort sombre en constatant qu'il était impossible de se procurer des cigarettes américaines, des Kool en particulier. L'affliction des voyageurs se dissipa néanmoins quand leur taxi les déposa devant la belle maison louée pour eux par un dianéticien près de Regent's Park, au 30 Marlborough Place. Le surlendemain, une soirée organisée en leur honneur par un dianéticien finit de les rasséréner.

Parmi les invités se trouvait une femme nommée Carmen D'Alessio, impatiente de rencontrer le grand homme qui seul la guérirait, pensait-elle, des accès de panique dont elle souffrait depuis son enfance. « Il était grand, corpulent, le teint coloré et les cheveux rouges, pas vraiment attirant mais doté d'une présence qu'on ne pouvait ignorer... Après le dîner, je lui ai parlé de mon problème et il a immédiatement commencé à m'auditer... sans aucun résultat. »

Quelques jours plus tard, Carmen D'Alessio assista chez Hubbard à sa première conférence. « Il y avait trente ou quarante personnes réunies dans le salon, se souvient-elle. Quand Hubbard est entré, j'ai tout de suite vu qu'il était enrhumé comme un veau. Il avait le visage rouge, les yeux larmoyants, il parlait du nez et se mouchait sans arrêt. Pourtant, il nous a affirmé qu'il souffrait depuis qu'il avait quitté son corps pour se rendre sans précautions dans une autre planète où une sorte de bombe avait éclaté à ses pieds. Tout le monde l'a pris au sérieux mais je me suis dit qu'il était un fieffé menteur – et j'avais raison. Je connaissais l'infirmière qui vivait chez eux à cause de sa femme enceinte. Elle m'a dit qu'il avait attrapé la grippe et qu'elle lui faisait des piqûres. »

L'infirmière ne tarda cependant pas à prodiguer ses soins à Mary Sue. Le 24 septembre, moins de trois semaines après son arrivée à Londres, elle mit au monde une fille baptisée Diana. Ron télégraphia la nouvelle à Phœnix, sans oublier d'ajouter : « PRIÈRE ENVOYER ENCORE DES KOOL ».

En octobre, l'édition anglaise de *Scientology : 8-80* parut avec une notice biographique sur l'auteur, due à un rédacteur anonyme : « Certains considèrent son œuvre comme la seule ouverture significative de l'esprit depuis les travaux de Freud, d'autres y voient la première adaptation valable des philosophies orientales réalisée en Occident. Selon un célèbre auteur américain, il s'agit de " la plus importante avancée de l'humanité au XXᵉ siècle "... Aucun philosophe contemporain n'aura connu de son vivant une popularité plus grande, une réussite plus éclatante que celles de Hubbard. »

A la fin novembre, Hubbard regagna les États-Unis, avec Mary Sue et le bébé. Il devait donner une série de conférences à Philadelphie où Helen O'Brien dirigeait avec son mari la succursale de la Scientologie, privilège concédé par Hubbard moyennant une commission de dix pour cent sur les recettes brutes. Les O'Brien avaient en outre accepté de lui verser 1 000 dollars à titre d'honoraires de conférencier, de lui fournir une voiture et de lui retenir un appartement ultra moderne dans un beau quartier. Hubbard essaya de leur faire endosser le bail, mais Helen le connaissait trop bien pour s'y laisser prendre : « Je lui ai dit : " Cet appartement est pour vous, c'est à vous de signer le bail. ". Avec lui, il fallait toujours se méfier. »

Du 1ᵉʳ au 9 décembre, Hubbard parla soixante-dix heures devant trente-huit fidèles. Ces causeries, enregistrées sur bande magnétique et illustrées par un recueil de dessins de la main de l'auteur, feront ensuite l'objet d'un commerce lucratif sous le titre de « Cours de doctorat de Philadelphie ». Consacrées pour l'essentiel à la cosmologie scientologique, elles abordaient également des méthodes d'« extériorisation » destinées à sortir de son corps, ainsi que la démonstration d'une nouvelle technique d'*auditing,* le « *processing* créatif ». « Ce qui nous semblait passionnant, dira un des assistants à cette série de conférences, c'était de se sentir impliqué dans le développement d'une science nouvelle... avec laquelle on pouvait faire quelque chose en pratique, pas une théorie abstraite et inutile. »

Le seul accroc dans le programme se produisit le 16 décembre, lorsque des policiers se présentèrent à la Fondation munis d'un mandat d'arrêt au nom de Ron Hubbard. Dans le style épique de ses nouvelles pour les magazines western, Hubbard en rendit compte comme d'une bataille rangée; Helen O'Brien relate l'incident avec plus de sobriété : « Il n'y a pas eu de bagarre. Deux détectives en civil et un agent en uniforme ont sonné à la porte en disant qu'ils venaient arrêter Ron... Mon mari et moi sommes montés avec lui dans le panier à salade et l'avons accompagné au poste... Mon frère, qui est avocat, l'a fait relâcher une heure plus tard sous une caution de 1 000 dollars. »

La cause de ce fâcheux épisode n'était autre que Don Purcell, qui poursuivait inlassablement Hubbard dans l'espoir de récupérer son argent et de remettre sur pied la Fondation de Wichita. Apprenant que son associé indélicat séjournait à Philadelphie, il y avait porté plainte pour détournement de la somme de 9 286 dollars, soustraite frauduleusement du compte de la Fondation en liquidation judiciaire. Hubbard comparut devant le tribunal, accepta de restituer la somme et l'affaire se conclut par un non-lieu le 19 décembre.

Peu de temps après, il reprit l'avion pour Londres où la Hubbard Association of Scientologists International, ou HASI, venait d'ouvrir ses portes dans deux petites pièces lugubres et d'aspect misérable au-dessus d'une boutique de Holland Park Avenue à West London. C'était là un cadre singulièrement dénué de prestige pour une science offrant rien de moins que l'immortalité, mais Hubbard avait encore du mal à implanter la Scientologie en Grande-Bretagne.

En février 1953, soucieux d'améliorer son image auprès des Britanniques, Hubbard décida de se procurer les titres académiques qui lui faisaient défaut – et il savait où les trouver : à la Sequoia University. Cette « université » de Los Angeles appartenait à un certain Dr Joseph Hough, chiropracteur de son état, qui, entre deux consultations, conférait des « diplômes » à quiconque lui en paraissait digne. C'est ainsi que Richard De Mille s'était vu, à sa grande surprise, bombarder d'un « Ph. D » (doctorat en philosophie) de la Sequoia University pour une mince plaquette, intitulée *Introduction à la Scientologie*, dont il était l'auteur.

Le 27 février, le toujours fidèle Richard De Mille reçut à Los Angeles un télégramme de Hubbard le requérant de solliciter de toute urgence du Dr Hough un quelconque doctorat. Dès le lendemain, De Mille répondit par l'affirmative en annonçant l'envoi du diplôme par la poste aérienne. C'est ainsi que Hubbard put accoler à son nom le titre aussi prestigieux que fantaisiste de docteur en philosophie, suivi peu après d'un non moins mystérieux doctorat en théologie puis d'un doctorat en Scientologie que, pour plus de sûreté, il s'était lui-même décerné.

Sa correspondance de l'époque trahit la préoccupation de Hubbard sur l'avenir de la Scientologie. Aux États-Unis, le chiffre d'affaires des succursales « franchisées » stagnait et l'organisation s'était développée de manière anarchique, en un conglomérat de filiales dispersées sur tout le territoire et difficiles à contrôler. La Scientologie se trouvait également en butte à l'hostilité larvée mais tenace du FBI, dont les agents ne manquaient jamais de noter dans leurs rapports que Hubbard avait été accusé de « démence incurable » par son ex-femme.

Au début de mars, Hubbard écrivit à Helen O'Brien en lui demandant d'aller à Phœnix fermer la maison d'édition pour la transférer à Philadelphie. Helen découvrit en arrivant que la maison des Hubbard avait été cambriolée ; elle supposa que les malfaiteurs avaient en vain recherché le légendaire manuscrit d'*Excalibur* et signala à la police la disparition de deux revolvers. Elle entreprit ensuite de fermer le « centre de communication », expédia le matériel à Philadelphie et reprit la publication du bulletin bimensuel de l'Association, le *Journal de la Scientologie*. Ce n'était pas pour elle une tâche trop épuisante car Hubbard rédigeait tout. Quand il voulait chanter ses propres louanges, il prenait toutefois la précaution de signer ses articles du pseudonyme de Tom Esterbrook.

Le 10 avril, Hubbard écrivit de nouveau à Helen en envisageant la création d'une chaîne de « cliniques HASI » ou de « Centres de Conseil Spirituel » qui, disait-il, pourraient « rapporter gros » si chaque centre réussissait à traiter de dix à quinze *preclears* par semaine à 500 dollars par tête. Il revenait également sur la transformation, évoquée dans une lettre précédente, de la Scientologie en religion : « J'attends votre réaction. A mon avis, l'opinion publique ne pourrait pas être plus mauvaise qu'elle ne l'est déjà et nous ne pourrions pas avoir moins de clients... »

Dans sa lettre suivante, Hubbard affiche des sentiments nettement plus profanes envers un membre de l'espèce humaine qui s'obstinait à lui mettre des bâtons dans les roues : Don Purcell. « Tôt ou tard, cet individu... haï de tout Wichita à cause de ses mœurs en affaires... poussera à bout quelque pauvre diable qui lui logera une balle dans le corps... Cet homme est un fou dangereux... La seule chose qui m'étonne, c'est que le public accorde tant d'attention à ses faits et gestes, ce qui démontre la stupidité des Américains et leur envie de se laisser rouler. »

A la fin mai, Hubbard quitta Londres en voiture, avec Mary Sue de nouveau enceinte et la petite Diana âgée de huit mois, pour se rendre en Espagne dans l'intention avouée de promouvoir la Scientologie en Europe continentale. La famille séjourna sur la côte et descendit jusqu'à Séville en passant, semble-t-il, d'agréables vacances, ce qui n'empêcha pas Hubbard de continuer à inonder de lettres Helen O'Brien qui, seule avec son mari, faisait marcher la Scientologie aux États-Unis.

Hubbard revint à Philadelphie vers la fin septembre afin de prendre la parole au Congrès international des scientologues et dianéticiens réunissant plus de trois cents délégués. Le Congrès fut une réussite mais ses organisateurs, les O'Brien, étaient à bout de forces. Devenus depuis un an les esclaves de Hubbard, ils n'en avaient rien reçu en échange et n'en attendaient plus rien. « A peine nous étions-nous chargés de défendre ses intérêts, se souvient Helen, qu'il a commencé à se méfier de nous, à nous tromper, à nous jouer des tours pendables. » On comprend, dans ces conditions, qu'ils aient eu hâte de prendre leurs distances. Helen O'Brien ne peut oublier ses adieux à Hubbard : « Vous êtes, lui avait-elle dit, comme une vache qui donne un seau de bon lait et le renverse d'un coup de sabot. »

En octobre et novembre, Hubbard donna une série de conférences à l'Association de Camden, New Jersey. Mary Sue qui, en temps normal, ne manquait jamais une conférence, préféra cette fois rester à la maison à cause de sa fille en bas âge et de sa grossesse. Nibs, qui s'était marié entre-temps à Los Angeles avec son amie d'enfance Henrietta, vint leur rendre visite. Il s'en trouva récompensé par un emploi dans l'« Org » (abréviation scientologique d'organisation) de Camden. A Noël, les Hubbard regagnèrent Phœnix où Mary Sue mit au monde le 6 janvier 1954 son fils Geoffrey Quentin.

Privé des services d'Helen O'Brien, Hubbard voulut remettre à contribution ceux de Richard De Mille – pour se rendre compte qu'il était lui aussi désabusé. « Je cherchais une réponse à mes interrogations, se souvient Richard De Mille, mais je tombais chaque fois sur de nouvelles contradictions et je devenais de plus en plus sceptique. Plus on nous promettait monts et merveilles, moins il y avait de résultats... Quand Hubbard m'a appelé pour me demander de revenir près de lui, je lui ai fait comprendre que je n'y croyais plus et il a eu une réaction typique : " Quelle mouche vous a piqué, Dick ? " m'a-t-il demandé. Il n'avait jamais admis qu'on puisse tout simplement perdre la foi. »

En dépit de ces défections, la Scientologie prospérait si bien que la HASI de Phœnix emménagea en avril 1954 dans de nouveaux et somptueux locaux, comportant un auditorium pourvu de matériel d'enregistrement ultramoderne, vingt salles d'*auditing,* de confortables bureaux pour les dirigeants et même une piscine. La luxueuse brochure éditée pour la circonstance, qu'ornaient sur la couverture les portraits souriants de MM. L. Ron Hubbard Senior et Junior, proclamait que « dix mille ans de pensée humaine ont rendu cette science possible. L. Ron Hubbard a consacré plus de trente années à la conception et au perfectionnement de la Dianétique et de la Scientologie pour les amener jusqu'au point de leur application pratique. »

La maison au pied des Camel Back, où les Hubbard connaissaient une stabilité résidentielle sans précédent, devint un lieu de ralliement pour les courtisans en faveur. L'un d'eux, un Anglais du nom de Ray Kemp, était intimement persuadé que Hubbard détenait des pouvoirs surnaturels : « Je l'ai vu déplacer des nuages dans le ciel. Pour lui, c'était tout simple, il le faisait en s'amusant », écrit-il sans rire avant de relater d'autres miracles non moins étonnants accomplis par le Maître. Ce comportement aberrant – au sens réel et non dianétique du terme – illustre la propension des disciples de Hubbard à bâtir des mythes autour de leur idole et à prendre ses moindres propos pour paroles d'Évangile.

Au cours de l'été 1954, Jack Horner rejoignit lui aussi le cercle des intimes. A l'instar de nombreux dianéticiens de la première heure, Horner s'était d'abord brouillé avec Hubbard, qui l'avait accusé de trafiquer les comptes de la Fondation de Los Angeles. Incapable de couper complètement le cordon ombilical, il était revenu au bercail à la première occasion, plus enthousiaste que jamais : « J'étais chez lui un après-midi à Phœnix quand on a sonné à la porte. Ron est resté parler dehors à quelqu'un pendant cinq minutes et il est revenu avec un large sourire en disant qu'on était venu lui offrir 5 000 dollars pour une copie d'*Excalibur*. Alors, il a ajouté en éclatant de rire : " Un de ces jours, il faudra que je me décide à l'écrire ! " C'était la première fois que Ron admettait que ce manuscrit n'existait pas... Mais cela n'avait pas d'importance. Pour nous, il n'y avait de valable que la Scientologie... Si Ron voulait raconter des histoires pour se faire valoir, la belle affaire ! Son génie éclipsait ses travers et son grain de folie. »

Les plus fervents admirateurs de Hubbard, y compris Horner, n'éprouvaient cependant pas la même dévotion pour Mary Sue. « Je la détestais, se souvient Horner. Une vraie baptiste puritaine à l'esprit étroit. Un soir, nous nous sommes disputés parce qu'elle traitait ma petite amie de putain. Je lui en ai dit de toutes les couleurs et Hubbard m'a jeté dehors. » Hubbard, en effet, ne souffrait pas la moindre critique à l'encontre de Mary Sue. S'il ne lui manifestait guère d'affection en public, il semble qu'après d'innombrables liaisons et l'échec de ses deux mariages il ait trouvé auprès d'elle une sorte de stabilité.

Le brasseur d'affaires quadragénaire, extroverti et beau parleur, et la petite provinciale renfermée de vingt ans sa cadette formaient pourtant un couple bien mal assorti. En apparence, du moins, car quiconque sous-estimait Mary Sue commettait une grave erreur : à vingt-quatre ans, elle exerçait un redoutable pouvoir occulte sur le mouvement et tous ceux qui gravitaient autour de Hubbard apprenaient très vite à s'en méfier. Farouchement dévouée à son mari, tyrannique, brusque jusqu'à la brutalité, elle pouvait devenir une ennemie dangereuse. La Nature l'avait aussi dotée d'une étonnante fertilité car, moins de quatre mois après la naissance de Quentin, elle se retrouvait de nouveau enceinte.

En juin, la HASI produisit une biographie de Hubbard, remaniée avec une louable imagination dans le but de faire bonne impression sur le Better Business Bureau de Phœnix. Cette version présentait des informations inédites, dont certaines laissent perplexe. Il est ainsi fait référence au « Commandant Thompson... qui a introduit la psychanalyse dans la US Navy pour être appliquée à la chirurgie en vol [*sic*] ». On découvre également l'existence d'un livre dont il n'avait jamais été question jusqu'alors : « En 1947, Hubbard publia un ouvrage intitulé *La Scientologie : une nouvelle science*, destiné à la Gerontological Society et à l'Americain Medical Association », ouvrage accueilli « avec intérêt ». On s'étendait également sur les malheurs de l'infortuné Hubbard, victime de son succès, car les éditeurs avides exigeaient de lui des œuvres de science-fiction alors qu'il ne rêvait que de consacrer son temps et ses forces à ses recherches de « physique nucléaire » et autres études, sans oublier les affreux scandales provoqués par la méchanceté de son ex-femme. Cette vie mouvementée trouvait néanmoins un heureux épilogue à Phœnix où l'Association – pour la première fois sous le contrôle du seul Ron Hubbard, donc à l'abri des manœuvres de ses ennemis – était parvenue à asseoir sa réputation et payait ses dettes rubis sur l'ongle. Mieux encore, la Scientologie annonçait « au titre de service public » son intention de se mettre à la disposition des handicapés.

La lettre d'accompagnement était signée de John Galusha, secrétaire général de la HASI, fort honnête homme au demeurant. « Je considérais comme un privilège de travailler pour Ron. Peut-être était-il réellement un charlatan et un menteur, mais je m'en moquais. Ce qui m'intéressait, c'était que la " tech " soit bonne et qu'elle fonctionne. » (La « tech » était l'abréviation utilisée pour ce que Hubbard, le brillant ingénieur, appelait la « technologie » de la Scientologie.)

Galusha n'eut jamais l'occasion de connaître Hubbard intimement, mais peu de personnes pouvaient s'en vanter. Jack Horner cite à ce propos une curieuse réflexion que lui avait faite Hubbard : « Un jour... je lui ai dit : " Vous savez, Ron, ce serait bien qu'on soit bons amis. " Au bout d'un long silence, il m'a répondu : " Oui, ce serait bien, mais je ne peux pas avoir d'amis. " »

Vers la fin de 1954, Hubbard reçut les meilleures nouvelles de l'année quand il apprit de Wichita que Don Purcell jetait l'éponge. Purcell avait fini par se lasser des interminables séries de procès qui le forçaient à lutter pied à pied et des incessantes attaques personnelles lancées contre lui par les scientologues. Il commençait également à s'intéresser à la Synergétique, sorte de vague rejeton de la Dianétique, à laquelle il entendait dorénavant consacrer ses ressources. Il restitua donc à Hubbard les copyrights et les listes d'adresses de la Fondation de Wichita et rompit avec soulagement les derniers liens le rattachant à celui qu'il avait un moment considéré comme un sauveur de l'humanité.

La capitulation de Purcell ne pouvait survenir à un moment plus opportun. Avec la Dianétique et la Scientologie désormais sous son seul contrôle, Hubbard était enfin prêt à profiter de son propre conseil, si souvent exprimé : « Si on veut vraiment gagner un million de dollars, le meilleur moyen est encore de fonder une religion. »

Chapitre 13

L'Apôtre de la première chance

« La fondation de la première Église de scientologie a constitué une étape capitale dans la vie personnelle de L. Ron Hubbard comme dans l'histoire de la Dianétique et de la Scientologie. Elle marquait l'aboutissement des principes de nature religieuse datant des premiers stades de sa recherche qui, à l'évidence, s'était toujours exercée dans le domaine de la religion. » (*Mission into Time*, 1973.)

Depuis son retour d'Europe à l'automne 1953, Hubbard préparait la métamorphose de la Scientologie en Église. Sa décision se fondait sur des considérations financières, les Églises bénéficiant d'avantages fiscaux substantiels, et pratiques, Hubbard estimant que ce statut rendrait la Scientologie moins vulnérable aux attaques de ses « ennemis ». En outre, la conjoncture était favorable : l'Amérique connaissait un renouveau de ferveur religieuse, illustrée notamment par les « croisades » de l'évangéliste Billy Graham, et les Églises voyaient affluer les nouveaux adeptes. Le président Dwight D. Eisenhower lui-même déclarait à la fin de 1952 : « Notre système de gouvernement n'aurait aucun sens s'il ne s'appuyait sur une profonde foi religieuse – peu importe laquelle!» Hubbard s'empressa donc de sauter dans le train en marche.

En décembre 1953, il fit enregistrer à Camden, New Jersey, les statuts de l'Église de scientologie avec ceux de deux autres, la *Church of American Science* (Église scientiste d'Amérique) et la *Church of Spiritual Engineering* (Église d'ingénierie spirituelle). L'Église de scientologie de Californie était fondée à son tour le 18 février 1954, suivie peu après par celle de Washington D.C. Jusqu'à la fin de l'année 1954, Hubbard incita ses «franchisés» à convertir leurs associations respectives en Églises, si bien que les anciens dirigeants de la HASI adoptèrent d'enthousiasme le titre de pasteur, certains allant même jusqu'à s'affubler d'un costume ecclésiastique et à se faire appeler «Révérend».

Au début de 1955, estimant que les droits constitutionnels de son Église seraient mieux protégés par les lois fédérales que par celles des États, Hubbard transféra son quartier général de Phœnix à Washington. La famille suivit au grand complet – Mary Sue, toujours enceinte, et ses deux jeunes enfants, sans oublier Nibs avec sa femme Henrietta, enceinte elle aussi. Le 13 février, Mary Sue donna naissance à une fille, Mary Suzette, son troisième enfant en un peu moins de trois ans de mariage.

De la banlieue résidentielle de Silver Springs où il avait installé sa famille, Ron reprit sa correspondance avec la division anticommuniste du FBI. Ainsi, le 11 juillet 1955, il écrivit une lettre de trois pages pour se plaindre de communistes et de comptables malhonnêtes qui s'ingéniaient à vouloir le détruire avec la complicité d'agents du fisc félons, accusations tellement ineptes que l'agent destinataire se borna à griffonner en marge : «Semble déséquilibré». Par la suite, le FBI ne se donnera même plus la peine de répondre aux élucubrations de Hubbard.

Au vif regret des Incorruptibles, ce dédain ne le guérit pas de son prurit épistolaire. Quinze jours plus tard, en effet, il récidivait en annonçant qu'il avait été invité à trahir au profit de l'URSS, où on lui promettait des laboratoires modernes et de mirifiques honoraires afin qu'il poursuive ses passionnantes études à l'abri des tracasseries et des persécutions. Hubbard refusait toutefois de nommer son contact, « trop haut placé au Capitole ».

Ayant apparemment résisté aux chants des sirènes de derrière le Rideau de Fer, Hubbard donna pendant l'été une série de conférences dans les locaux de l'Académie des Arts et Sciences religieux, une autre de ses créations. Le 7 septembre, il se plaignit auprès du FBI de persécutions dirigées contre les scientologues dont certains perdaient inexplicablement la raison, sans doute par l'administration de LSD, « la drogue qui rend fou et dont abuse l'American Psychological Association ». Il se disait lui-même en butte à l'hostilité d'avocats et de magistrats qui répandaient sur son compte des « rumeurs calomnieuses » et osaient « mettre en doute [sa] raison ». Il annonçait en outre qu'il travaillait à des monographies sur des sujets dont il était spécialiste, « la physique nucléaire et la psychologie », afin de soulager les victimes d'irradiations. Il prétendait enfin posséder des informations exclusives sur les plus récentes méthodes de lavage de cerveau utilisées par les Soviétiques.

Depuis la fin de la guerre de Corée, l'Amérique avait la hantise du lavage de cerveau. Toujours prompt à saisir les occasions, Hubbard publia donc une brochure intitulée : *Lavage de cerveau : synthèse du Manuel soviétique de psychopolitique*, présentée comme la transcription d'instructions données aux services du KGB par Lavrenti Beria. Après examen du document, le FBI conclut à une authenticité pour le moins douteuse – les lecteurs habituels de L. Ron Hubbard auraient toutefois distingué de troublantes similitudes de style et de vocabulaire – mais négligea d'en accuser réception. Le silence réprobateur du FBI ne dissuada cependant pas Hubbard d'expédier sa brochure apocryphe à des milliers d'organismes et de personnalités influentes, en se prétendant « autorisé » à la diffuser après l'avoir communiquée au FBI.

Son absorbante correspondance avec le FBI n'empêchait pas Hubbard d'affermir entre-temps sa mainmise sur le mouvement et d'inciter ses membres à poursuivre impitoyablement quiconque s'aviserait de pratiquer la Scientologie hors du giron de l'Église. Il fustigeait les apostats qu'il conseillait de réduire à merci : « On peut utiliser la loi de façon efficace pour harceler l'adversaire, écrivait-il dans un de ses bulletins de liaison. Un harcèlement bien conduit suffit dans la plupart des cas à le décourager et à le neutraliser professionnellement. Si possible, ajoutait-il, acculez-le à la ruine complète. » Il dispensait aussi ses conseils aux scientologues assez malchanceux ou maladroits pour se faire arrêter : ils devaient immédiatement intenter des poursuites en dommages-intérêts pour « brutalités envers un paisible homme de Dieu » et pousser leur contre-offensive « avec force, ardeur et habileté » jusqu'à ce que juges et policiers se répandent en excuses. La meilleure défense, écrivait-il, est une attaque : « Si jamais vous l'oubliez, vous perdrez toutes les luttes dans lesquelles vous serez engagés. » Il adhérera avec ardeur sa vie durant à ce noble principe.

A la fin septembre, les Hubbard refirent encore une fois leurs valises et reprirent le chemin de Londres pour un séjour prolongé. Hubbard avait loué un vaste appartement à Brunswick House, ensemble résidentiel de Kensington, qui devint le siège temporaire du Centre de Communications grâce auquel Hubbard gardait le contact avec les groupes de scientologues qui se formaient à l'étranger. Des Églises existaient déjà en Afrique du Sud, en Australie et en Nouvelle-Zélande.

Dès son arrivée, Hubbard prit en main la direction de la HASI, toujours installée dans ses sordides locaux de Holland Park Avenue. L'Association s'était considérablement développée depuis sa création et comptait désormais vingt auditeurs à plein temps parmi lesquels le jeune Cyril Vosper, étudiant en biologie devenu auditeur à vingt ans après avoir découvert la Dianétique à dix-neuf.

« L'arrivée de Hubbard à Londres a été pour moi un événement historique, se souvient-il. J'étais convaincu qu'il avait du génie et qu'il en savait plus que n'importe qui sur la nature humaine... Ce qui me chiffonnait c'est qu'il n'avait pas du tout l'allure d'un Messie. Il s'habillait avec le mauvais goût voyant d'un touriste américain – des vestes à carreaux, des cravates bariolées, bref, il n'avait pas l'image à laquelle nous nous attendions...[A la HASI], l'atmosphère était très amicale et nous nous appelions par nos prénoms, Ron y compris, mais c'était incontestablement lui le patron... J'avais lu *L'Histoire de l'Homme* et, étant étudiant en biologie, je savais que ça ne tenait pas debout mais je l'avais pris comme une œuvre allégorique. En tout cas, je ne lui aurais jamais dit : " Écoutez, Ron, ce que vous dites là n'est pas vrai. " Personne n'aurait jamais osé faire une chose pareille... Ses sautes d'humeur ont commencé à me troubler. Il pouvait être gentil et plein de sollicitude à un moment et devenir odieux ou même cruel sans transition. »

En dehors de ses crises de colère, Hubbard était fort satisfait de son séjour à Londres, ainsi qu'il l'écrivit à Marilyn Routsong, une assistante chargée de veiller sur ses affaires à Washington. Il lui annonça aussi une étonnante nouvelle : « Tout à fait entre nous, je dispose d'une méthode pour " as-iser " la bombe atomique. » Dans le jargon de la Scientologie, l'« as-sisness » était un processus censé faire disparaître quelque chose dans le néant. Hubbard se vantait-il de débarrasser la Terre entière des armements nucléaires ? En tout cas, son processus ne devait pas être très au point car il allait bientôt appliquer les pouvoirs infinis de son imagination au problème des radiations.

Les Hubbard avaient retrouvé à Londres leur ami Ray Kemp, revenu de Phœnix, et sa fiancée Pam, qui travaillaient tous deux à la HASI. « Pasteur » de son Église, Hubbard célébra leur mariage en février 1956, leur offrit des billets d'avion et leur procura un appartement à Tanger pour leur voyage de noces. Au retour du jeune ménage, les deux couples se fréquentèrent assidûment. Admirateur toujours aussi inconditionnel de Hubbard, Kemp passait de longues soirées à jouer avec lui au

Cluedo, jeu alors fort à la mode, ou organisait des surprises-parties que Hubbard animait avec entrain en dansant, en chantant et en jouant de la guitare.

A la fin mars 1956, Ray Kemp se rendit à Dublin avec Hubbard, qui se faisait fort de régler à lui seul la « question irlandaise », mais cette louable tentative resta sans effet. De retour à Londres, Hubbard s'appliqua à promouvoir son Église en faisant paraître dans la presse du soir une annonce comportant un numéro de téléphone et la promesse de « parler de tout avec n'importe qui ». La solitude des grandes villes étant ce qu'elle est, l'Association fut submergée d'appels allant, selon Kemp, « de candidats au suicide à des filles qui ne savaient pas quel homme épouser ».

Le succès de cette campagne incita Hubbard à cibler sa prospection sur les personnes vulnérables, en commençant par les victimes d'une des maladies les plus redoutées de l'époque, la poliomyélite. Les polios furent bientôt suivis des asthmatiques et des arthritiques, à qui une « Fondation de Recherche sans but lucratif » offrait ses services. Avec un bon goût aussi remarquable, cette méthode de recrutement fut étendue à tous les affligés, quels que soient leurs malheurs, dont les noms étaient relevés dans les faits divers ou les faire-part de décès.

A l'été 1956, la Scientologie prospérait et son fondateur en récoltait enfin les fruits : pour l'année fiscale se terminant à fin juin 1956, Hubbard accusait des revenus bruts de 102 604 dollars, somme respectable à tous égards. L'Église de scientologie ne lui versait qu'un salaire nominal de 125 dollars par semaine, mais il touchait des commissions sur les ventes des cours imprimés et des électromètres, sans oublier les droits d'auteur de ses innombrables publications : on ne dénombrait à l'époque pas moins de soixante livres de L. Ron Hubbard sur la Scientologie et il en paraissait en moyenne un tous les deux mois, traitant le plus souvent de nouvelles procédures qui rendaient caduques les précédentes.

La Scientologie pouvait aussi se permettre de payer à son fondateur de fréquents voyages transatlantiques : pendant cette même année, Hubbard fit la navette entre Londres et Washington, où il empochait au passage des honoraires de conférencier. En novembre, il transféra l'Académie des Arts et des Sciences religieux – devenue entre temps Académie de Scientologie – dans deux maisons jumelles d'un respectable quartier résidentiel de Washington et loua en face pour sa famille une vaste et élégante demeure.

En mars 1957, l'Église de scientologie modifia son mode de rémunération. Hubbard ne percevait désormais plus de salaire mais un pourcentage sur les recettes brutes, mesure au résultat spectaculaire : les revenus annuels du fondateur de la Scientologie atteignirent ainsi 250 000 dollars – nettement plus que ceux du président des États-Unis.

En avril, ayant sans doute renoncé à « as-iser » à lui seul l'arsenal atomique mondial, Hubbard présida un congrès sur le danger des radiations nucléaires. Grâce aux talents conjugués d'un « docteur en médecine » et d'un « physicien nucléaire », les travaux du congrès furent ensuite résumés, en un ouvrage intitulé *All about Radiations*. Si le médecin gardait l'anonymat, le « physicien nucléaire » n'était autre L. Ron Hubbard qui affirmait, par exemple, qu'un mur de quatre mètres d'épaisseur ne pouvait pas arrêter les rayons gamma alors que le corps humain en était capable, déclaration qui amènera un éminent radiologue à dire que cela dénotait « une ignorance absolue des lois élémentaires de la physique et de la médecine ». Fidèle à son principe que les maladies sont d'origine mentale, Hubbard déclarait par ailleurs : « Le danger, à mon avis, se situe moins dans les radiations... que dans l'hystérie qu'elles provoquent. » Les radiations, ajoutait-il, « sont un problème plus mental que physique ».

En tout cas, l'humanité ne devait pas s'en soucier car Hubbard avait formulé un cocktail de vitamines, baptisé « Dianazene », censé non seulement assurer une protection efficace mais encore « immuniser contre les radiations... et éliminer la plupart des cancers à leurs débuts ». Dans la seconde partie du livre, sous le pseudonyme de

Medicus, le docteur confirmait que « les récents travaux de L. Ron Hubbard et de la Scientologie indiquent que de simples composés vitaminés peuvent se montrer efficaces à certaines doses ». Aux États-Unis, la toute-puissante Food and Drug Administration (FDA) y vit au contraire une publicité mensongère tombant sous le coup de la loi : les agents de la FDA saisirent à Washington 21 000 comprimés de Dianazene dans les locaux du Distribution Center Inc., filiale de la Scientologie, et procédèrent à leur destruction.

En juillet 1957, Hubbard prit la parole à Washington devant le « Congrès de la Liberté » qui se déroulait à l'hôtel Shoreham. Il y procéda pour la première fois à un « baptême scientologique », cérémonie destinée, expliqua-t-il, à « aider le Thétan à s'orienter dans son nouveau corps ». Le rituel affectait une grande simplicité, teintée d'une bonhomie paternaliste que Hubbard ne manifestait guère à ses propres enfants. Nibs ne parvenait jamais à contenter son père et sa sœur Catherine, alors âgée de vingt et un ans, ne le voyait presque jamais. En 1956, elle avait épousé un scientologue qui n'eut pas l'heur de plaire à Hubbard, de sorte qu'elle dut divorcer un an plus tard. Quant à Alexis, la fille de Sara, il n'essayait même pas de la revoir.

Le même mois, la Central Intelligence Agency ouvrit sous le numéro 156409 un dossier sur L. Ron Hubbard et son organisation. Les agents de la CIA passèrent au peigne fin les archives de la police, du fisc et des banques, ainsi que les registres du commerce et les titres de propriété, afin de débrouiller l'écheveau des affaires publiques et privées de Hubbard, tâche herculéenne tant l'Église de scientologie s'était retranchée au cœur d'un véritable labyrinthe de filiales et de sociétés écrans. Ainsi, le papier à lettres de l'Académie de Scientologie ne mentionnait pas moins de dix-sept organismes affiliés, allant de l'American Society for Disaster Relief (Association américaine de secours aux victimes des catastrophes naturelles) à la Society of Consulting Ministers (Association des conseils pastoraux).

Les agents parvinrent à attribuer certaines propriétés à Hubbard, sa femme, son fils ou l'une des « Églises » du réseau, mais ils se perdirent très vite dans la ramification des noms, des raisons sociales et des adresses de locaux, loués ou achetés par les uns ou les autres et souvent utilisés par des tiers. « On dénombre aux États-Unis, cite le rapport, plus de cent Églises de cette dénomination. »

Un agent s'était vu attribuer le pensum de lire toutes les œuvres de Hubbard déposées à la Bibliothèque du Congrès afin de « comprendre de l'intérieur » la scientologie. « Les écrits de Hubbard, notait-il, comportent de nombreux mots incompréhensibles au profane, peut-être à dessein. » Les services des impôts directs du District of Columbia firent savoir à la CIA qu'ils soupçonnaient la Scientologie d'avoir adopté le statut d'Église à seule fin de bénéficier d'exemptions fiscales; de leur côté, les contributions indirectes avaient maintes fois demandé sans succès à l'Église de produire les documents comptables permettant d'établir l'assiette des taxes foncières auxquelles elle était assujettie.

Faute de preuves de réelles malversations, la CIA dut finalement se contenter d'une liste de vagues soupçons. Plus étonnant, son enquête ne révéla presque rien de la remarquable carrière du fondateur de l'Église de scientologie – exemple typique du manque de coordination entre services officiels, car les agents du FBI auraient pu éclairer utilement sur ce point leurs collègues de la CIA. Le développement spectaculaire de la Scientologie à partir de 1957 incita toutefois les agences fédérales à redoubler de vigilance. Films, bandes magnétiques et photographies venaient grossir le dossier de Hubbard au bureau de Washington du FBI qui, par ailleurs, relevait soigneusement ses écarts de langage envers les autorités. C'est ainsi qu'il s'était laissé aller à déclarer, au cours d'une conférence, que « J. Edgar est un brave type mais complètement idiot ». Les agents du FBI, qui n'avaient sans doute pas le même sens de l'humour que Hubbard, notèrent scrupuleusement ce jugement peu flatteur sur leur supérieur et se firent un devoir de l'en informer.

Sans se douter de cet intérêt fédéral pour ses faits et gestes, Hubbard resta à Washington donner une série de cours à l'Académie et fit revenir de Londres Mary Sue et les enfants. Enceinte comme à son habitude, Mary Sue fut nommée directrice de l'Académie et recommença à régenter l'ensemble de l'organisation. Le 6 juin 1958, elle mit au monde son quatrième enfant, un garçon nommé Arthur Ronald, pourvu comme ses frères et sœurs d'une tignasse poil de carotte.

Hubbard consacra la plus grande partie de 1958 à ses conférences de l'Académie. Dans l'une d'elles, il retrace l'historique de la Dianétique et de la Scientologie, dans un récit au rythme endiablé où il mêle artistement anecdotes et plaisanteries pour la plus grande joie de son public qui lui prodigue sans compter rires et applaudissements. Il s'agit, en fait, de l'histoire de sa propre vie, corrigée par son imagination et enjolivée d'aventures choisies plus pour leur pittoresque que leur respect de la vérité. C'est ainsi qu'il s'étend sur les enseignements de « Snake » Thompson qui le familiarise avec la psychanalyse freudienne, relate son initiation aux mysticismes de l'Asie, ses prouesses aux examens auxquels il se préparait en lisant ses livres la veille au soir, sa « découverte » en 1938 que l'instinct de survie est le dénominateur commun de toutes les formes de vie, sans oublier ses triomphes à Hollywood, ses glorieuses campagnes et ses blessures de guerre.

Ses mots les plus révélateurs sur lui-même au cours de cette conférence se trouvent sans doute dans un aphorisme du « Commandant » Thompson : « Ce qui n'est pas vrai pour toi n'est pas la vérité », principe s'accordant à merveille à sa propre philosophie, expliqua Hubbard, parce que « s'il y a une personne au monde qui ne croit que ce qu'il veut bien croire, c'est moi ». Jamais L. Ron Hubbard n'aura proféré de paroles aussi véridiques.

En octobre, Hubbard retourna à Londres diriger un cours de « recherche clinique avancée » dans les nouveaux et élégants locaux de la HASI dans le West End. Cyril Vosper, qui y assistait dans l'espoir d'obtenir un doctorat de Scientologie, remarqua un net changement dans l'apparence de Hubbard : « Ses oripeaux voyants avaient fait place à de sobres complets gris et à des chemises de soie. Il avait une allure d'homme d'affaires prospère et distingué. » Les étudiants devaient consacrer le plus clair de ce « cours » à l'étude de leurs « vies antérieures » respectives. Sans doute influencés par la manière dont Hubbard rendait compte des siennes sur de distantes planètes, avec la panoplie complète de pistolets à rayons cosmiques, soucoupes volantes, vaisseaux intersidéraux, fédérations galactiques et autres gadgets, celles de ses élèves, se souvient Vosper, ressemblaient de plus en plus aux aventures de Flash Gordon.

Nibs, l'un des instructeurs, se révéla bientôt fort utile dans ce domaine : « Si quelqu'un avait du mal à " retrouver " sa vie antérieure, se souvient Vosper, Nibs la lui soufflait. Il fallait absolument pouvoir raconter une vie antérieure complète... si on voulait passer pour un vrai scientologue. On rivalisait de vies antérieures plus extraordinaires ou prestigieuses les unes que les autres. Jésus avait beaucoup de succès – j'en ai connu au moins trois qui se " rappelaient " avoir été crucifiés. La reine Elizabeth Iʳᵉ, Sir Walter Raleigh et autres personnages historiques avaient aussi la cote. Le plus étonnant, c'est que personne ne parlait jamais d'Attila ou de Ponce Pilate. »

Rentré à Washington pour Noël, Hubbard se prépara dès le Jour de l'An à regagner Londres. Ray et Pam Kemp, qui déménageaient, lui proposèrent leur maison au nord de Londres, où Hubbard s'installa à la fin février avec Mary Sue et la famille au grand complet – Diana, six ans, Quentin, cinq, Suzette, quatre, et Arthur, huit mois.

« Ma fille Suzanne est née le jour de l'anniversaire de Ron, se souvient Pam Kemp. Ron m'a offert un ravissant châle en angora parce que, disait-il, on fait des cadeaux au bébé mais on oublie toujours la mère. C'était typique de sa part. Ce qui était encore plus typique, ajoute-t-elle, c'est qu'il ne nous a jamais payé un sou de loyer et qu'il a laissé une ardoise monumentale chez l'épicier d'en face... Et puis, un jour, il est arrivé ravi et tout excité en nous disant : " Devinez ce que je viens de faire ! " »

Et Ron annonça à ses amis ahuris qu'il avait acheté dans le Sussex le château du maharajah de Jaïpur.

Chapitre 14

Le seigneur du castel

« Je mène une vie plutôt monotone, ces temps-ci. J'ai gagné au poker le château du maharajah de Jaïpur. » (Note du Dr L. Ron Hubbard dans l'*Explorers Journal*, février 1960.)

Lourde bâtisse de style géorgien, Saint Hill Manor se dressait à trois kilomètres de la petite ville d'East Grinstead, dans le Sussex. La douceur de la campagne environnante et sa proximité de Londres y avaient attiré la noblesse de Cour, qui s'était fait bâtir au XVIIIᵉ siècle de nombreuses et opulentes résidences.

Construit en 1773, Saint Hill Manor n'était pas un chef-d'œuvre d'architecture – d'aucuns jugeaient même sa façade de pierre grise plutôt rébarbative. Il s'enorgueillissait toutefois d'un parc de vingt hectares agrémenté d'un étang et de massifs de rhododendrons, d'une salle de bal à colonnes de marbre, de onze chambres, huit salles de bain et une piscine. Le maharajah avait fait de gros frais pour en moderniser la décoration intérieure – en commandant notamment pour un des salons une fresque à John Spencer Churchill – mais n'y résidait que rarement. Sa fortune, comme celle des autres princes, ayant décliné après l'indépendance de l'Inde, il dut mettre sa propriété en vente ; l'acheteur qui se présenta n'était autre que L. Ron Hubbard.

L'arrivée d'une famille américaine à Saint Hill Manor au printemps 1959 fit presque autant sensation que celle de l'exotique maharajah quelques décennies auparavant. Le journal local dépêcha un reporter, Alan Larcombe, interviewer le nouveau châtelain qui parla longuement de lui-même. D'une plume enthousiaste, Larcombe évoqua « l'œuvre humanitaire mondialement connue du Dr Hubbard » et retraça les grandes étapes de la vie du héros, en commençant par ses chevauchées dans les vastes plaines du Montana. « Quand son grand-père lui légua d'immenses propriétés lourdement hypothéquées, il sut les rendre à nouveau rentables avant de s'essayer avec un égal bonheur à l'écriture de romans, de scénarios, etc. »

Cet héritage n'avait jusqu'alors jamais figuré dans les affabulations de Hubbard, non plus que sa passion pour la botanique : « Le Dr Hubbard, écrivait Larcombe, poursuit des recherches sur la mutation des plantes. En bombardant les graines avec des rayons X, il peut en retarder ou en accélérer la croissance. » L'atmosphère bucolique de la campagne anglaise et la présence à Saint Hill Manor de serres bien garnies suffisaient-elles à muer Hubbard en expert du jardinage ? Ses expériences horticoles avaient plutôt le mérite de détourner l'attention du véritable motif de son achat, faire du château le siège mondial de la Scientologie – nouvelle à tout le moins prématurée, estimait-il avec raison, pour l'opinion publique d'East Grinstead.

En août, le *Courier* d'East Grinstead annonça que le Dr Hubbard, « physicien nucléaire », produisait des plants de tomates géants et avait découvert que les rayons infrarouges protégeaient les végétaux contre le mildiou, découverte assurément utile aux maraîchers. Ces prouesses ne tardèrent pas à attirer l'attention du magazine *Garden News*, à qui Hubbard confia, « entre jardiniers », sa conviction que les plantes étaient sensibles à la douleur. Il le démontra en branchant un électromètre sur un géranium et fit osciller l'aiguille en arrachant des feuilles. Sidéré, le correspondant de *Garden News* qualifia Hubbard de « savant révolutionnaire dans le domaine de l'horticulture ».

La télévision et la grande presse se précipitèrent à leur tour à Saint Hill Manor recueillir les surprenantes révélations du « savant », qui se fit photographier penché avec compassion sur une tomate lardée d'électrodes reliées à un électromètre, photo qui finit par atterrir dans le magazine américain *Newsweek* pour la plus grande joie des lecteurs. Sceptique, le présentateur de la BBC-TV Alan Whicker demanda à Hubbard d'un ton ironique s'il fallait interdire la taille des rosiers afin de leur épargner des souffrances, mais Hubbard évita habilement le piège en répondant que certaines opérations chirurgicales douloureuses étaient néanmoins indispensables. Quant aux scientologues, en droit d'être perplexes, ils furent rassurés sur les étranges expériences de leur leader en apprenant qu'elles avaient pour objet la « reconstitution des réserves alimentaires mondiales ».

Peu après l'arrivée de Hubbard à Saint Hill Manor, l'Église de scientologie commanda un buste de son fondateur au sculpteur Edward Harris. Aimant faire parler ses modèles pendant les séances de pose, Harris demanda à une de ses amies, Joan Vidal, de venir à son atelier animer la conversation. « Avec ses joues roses et ses cheveux roux clairsemés, se souvient Joan Vidal, il m'a fait l'impression d'un gros cochon rose bien astiqué. Une des premières choses qu'il m'ait dites c'était qu'on entendait les tomates hurler de douleur quand on les coupait et qu'il n'en mangeait plus à cause de cela. Il me parlait surtout des souffrances des légumes et de ses vies antérieures. Il semblait avoir beaucoup lu et je l'ai trouvé intelligent, distrayant... Le buste terminé, il nous a invités à dîner à Saint Hill avec Mary Sue... une femme terne et froide... Les travaux de la maison n'étant pas finis, ils nous ont fait dîner à la cuisine... où nous avons été servis par une femme en blouse et chaussures blanches, comme une infirmière. Il n'y avait rien à boire que de l'eau ou du Coca-Cola et le repas était infect – du poisson surgelé et des légumes bouillis suivis d'une glace insipide, alors qu'il avait droit à un énorme steak qui débordait de son assiette. Tout tournait autour de lui, il exerçait un pouvoir absolu – il me rappelait Oswald Mosley [le fondateur de l'ancien parti nazi britannique]... Nous ne nous sommes pas attardés. En arrivant à la gare de Victoria, Eddie et moi avions tellement faim que nous nous sommes précipités au buffet dévorer des sandwiches. »

En octobre, le savant Dr Hubbard dévoila un autre de ses nombreux sujets d'intérêt en se portant volontaire pour le poste, devenu vacant à East Grinstead, de Coordinateur de la sécurité routière. Son ardent désir de se rendre utile à ses concitoyens, son expérience au sein de « nombreuses » commissions de sécurité aux États-Unis et ses suggestions sur les mesures à adopter pour réduire les accidents de la route emportèrent l'adhésion unanime.

Il n'accorda toutefois pas longtemps ses soins à la sécurité routière car il partit en novembre pour l'Australie porter la bonne parole aux scientologues de Melbourne. Ceux-ci lui réservèrent un accueil d'autant plus enthousiaste qu'il se déclara convaincu que l'Australie serait le premier *continent clear*. Entre ses causeries, il conférait avec les dirigeants de la HASI locale sur les moyens de convertir le parti travailliste et les syndicats aux techniques de la Scientologie. Grâce à elles, les travaillistes gagneraient à coup sûr les prochaines élections, ce qui créerait un climat favorable à l'expansion de l'Église et permettrait de contrer l'hostilité virulente de la presse australienne.

Pendant son séjour à Melbourne, Hubbard reçut une fort mauvaise nouvelle de Washington : Nibs désertait l'« Org » (abrévation pour l'Organisation, c'est-à-dire l'Église), crime inexpiable pour un scientologue. Une telle trahison de la part d'un des plus hauts dignitaires, fils et homonyme du fondateur par-dessus le marché, était proprement inconcevable car Nibs occupait cinq postes élevés dans la hiérarchie de l'Organisation, dont celui de membre du conseil international.

Malgré ses titres ronflants, Nibs était profondément frustré de voir que la Scientologie ne lui rapportait rien. Dans sa lettre de démission, il expliquait à son père que sa défection était uniquement causée par son impécuniosité chronique : « Ces dernières années, j'ai de plus en plus de difficultés à assurer le minimum vital à ma famille et à moi-même... et cette situation ne peut pas durer. Je n'ai peut-être pas su gérer mes affaires financières aussi bien qu'il aurait fallu, mais... j'ai épuisé toutes mes réserves et je me suis gravement endetté. »

Hubbard devint furieux contre ce fils qui ne tenait de lui que son inconscience en matière d'argent sans, malheureusement, avoir hérité de ses talents pour en gagner. Nibs annonçait son intention de chercher un emploi mais espérait continuer à pratiquer la Scientologie à ses moments perdus. C'était sans compter avec la vindicte de Hubbard qui ne lui permettra jamais de tirer le moindre profit de son œuvre : le 25 novembre, il écrivit à Marylin Routsong : « Si Nibs essaie de s'installer à son propre compte ou de provoquer une scission, faites annuler tous ses certificats... Il ne sera jamais réengagé chez nous. »

Quelques jours plus tard, Hubbard reçut d'autres mauvaises nouvelles familiales : sa tante Toilie lui téléphona de Bremerton pour lui apprendre que sa mère, alors âgée de soixante-quatorze ans, avait eu une attaque cérébrale et était à l'article de la mort. Depuis la fin de la guerre, Hubbard n'avait pratiquement plus eu aucun contact avec ses parents et la famille Waterbury ; seule, Toilie s'efforçait de ne pas briser les derniers liens en lui écrivant une ou deux fois par an et c'est donc elle qui avait été chargée de retrouver la trace de Ron quand May avait été transportée à l'hôpital. Dans la friture de la communication intercontinentale, elle entendit son neveu répondre qu'il était « trop occupé » pour venir. Malgré ses cheveux gris, Toilie n'avait rien perdu de sa fougue de jeune fille : « Tu vas prendre le premier avion, Ron, répliqua-t-elle. C'est un ordre ! Tu ne peux pas faire moins pour ta mère et je prie le Seigneur que tu arrives avant qu'elle ne soit morte. »

Quand Hubbard débarqua à Bremerton, sa mère était déjà dans le coma. Il se rendit à son chevet, lui parla en lui tenant la main et dit ensuite à sa famille qu'il était sûr qu'elle avait été consciente de sa présence. May rendit le dernier soupir le lendemain. « Ron n'est pas resté pour l'enterrement, se souvient sa tante Marnie. Il a organisé les obsèques, payé la pierre tombale et fait venir un homme de son Église de scientologie pour escorter le cercueil avec Hub et Tolie jusqu'à Helena, où May voulait être enterrée, mais il est reparti aussitôt après en Angleterre. Je ne sais vraiment pas ce qu'il y avait de si urgent là-bas pour qu'il n'assiste même pas à l'enterrement de sa propre mère. »

En mars 1960, les bonnes gens d'East Grinstead découvrirent leur coordinateur de la sécurité routière sous un jour insoupçonné lorsqu'il publia *Have You Lived Before This Life ?* (Avez-vous vécu avant cette vie ?), ouvrage dans lequel il décrivait un certain nombre de « vies antérieures » révélées au cours de séances d'*auditing*. Un sujet avait jadis été morse, un autre poisson, un troisième affirmait avoir assisté à la destruction de Pompéi en l'an 79 tandis qu'un quatrième avait été « un être très heureux, égaré sur la planète Nostra il y 23 064 000 000 d'années ».

Le *Courier* d'East Grinstead s'étant fait l'écho des controverses que ce livre soulevait en ville, Hubbard en profita pour présenter la Scientologie à ses concitoyens par un communiqué de presse : « Trente ans durant, le Dr L. Ron Hubbard et ses collaborateurs hautement qualifiés ont mené des recherches scientifiques sur la Dianétique et la Scientologie, mais ce n'est que depuis 1950 que les connaissances acquises par l'étude approfondie du fonctionnement de l'esprit humain ont pu être mises au service du public sous forme de traitements spécialisés... Le récent ouvrage du Dr Hubbard relate simplement les résultats d'observations objectives. » Dans une note intérieure à son attaché de presse, Hubbard spécifia de toujours mettre l'accent sur le fait que son travail s'exerçait dans le cadre de la « physique nucléaire appliquée aux sources de la vie et à l'énergie vitale » afin de ne pas laisser cataloguer la Scientologie avec la psychanalyse ou le spiritisme. « Ce ne sera peut-être pas facile », ajouta-t-il dans un rare moment de lucidité.

Hubbard n'avait cependant pas trop à se soucier des réactions d'East Grinstead, où le temps qu'il faisait et les nouvelles de la famille royale constituaient de toute éternité des sujets de conversation autrement passionnants que ce qui se passait à Saint Hill Manor. Au printemps 1960, avec la naissance en février du troisième rejeton de la reine, le prince Andrew, et le mariage de la princesse Margaret en mai, le royal feuilleton comportait des épisodes particulièrement palpitants. Les pubs résonnaient aussi de propos salaces sur le prochain procès en obscénité intenté au chef-d'œuvre de D.H. Lawrence, *L'Amant de Lady Chatterley* – événement que Mary Sue suivait de près car son époux, en l'auditant, lui avait découvert une vie antérieure en la personne de... D.H. Lawrence!

Dans une lettre à son amie Marylin Routsong, Mary Sue exposait les problèmes du grand écrivain qui, selon elle, avait du mal à bâtir ses intrigues, méprisait la poésie et ne croyait guère à la valeur de ses propres écrits. Forte de l'expérience littéraire de sa précédente incarnation, Mary Sue annonçait – avec des fautes de syntaxe et d'orthographe – son intention de démolir le Christ dans un livre que, pour des raisons évidentes, elle s'abstiendrait de signer de son nom. Dans la même lettre, elle racontait comment Saint Hill Manor était en ébullition parce que Ron voulait contrôler tout le personnel à l'électromètre. Le refus de huit employés à s'y soumettre signifiait à coup sûr, disait-elle, qu'ils avaient quelque chose à cacher. En fait, les « contrôles de sécurité » périodiques imposés par Hubbard dans le but de démasquer espions, dissidents et autres fauteurs de troubles, étaient devenus une pratique courante dans tout le mouvement scientologue, où nul ne doutait de la capacité de l'électromètre à déceler les émotions les plus intimes de l'individu. Cette manie du contrôle trahissait surtout la paranoïa chronique de Hubbard qui se croyait environné d'ennemis, le plus souvent issus de son imagination.

En dépit de la répugnance des serviteurs à raconter leur vie privée devant un mystérieux appareil électrique, les Hubbard menaient au manoir une vie confortable. Ils ne mobilisaient pas moins de sept personnes à leur service – secrétaire, intendante, cuisinière, maître d'hôtel, valet de chambre, plus la nurse et le précepteur des enfants. Hubbard avait transformé la salle de billard, donnant directement sur le hall d'entrée, en luxueux bureau pour lui-même ; les salons étaient aménagés en appartements privés et celui qu'ornait la fresque de John Spencer Churchill converti en salle d'études et de jeux pour les enfants. La plupart des autres pièces servaient de bureaux.

Les Hubbard n'avaient encore jamais résidé si long-temps au même endroit et les enfants étaient ravis. Ils jouaient à cache-cache dans le labyrinthe des couloirs, exploraient le parc, pataugeaient au bord de l'étang. Diana et Suzette prenaient des cours de danse deux fois par semaine. Les parents aimaient arpenter leurs terres en se livrant aux joies de la photographie, nouvelle marotte de Hubbard dont les œuvres encadrées, généralement des portraits et des paysages, décoraient les murs en attirant des commentaires flatteurs – même quand la mise au point laissait à désirer.

Un visiteur non averti n'aurait, à l'époque, rien trouvé à redire sur cette famille de bourgeois typiquement américains menant une vie cossue dans un manoir anglais. Nul, en tout cas, ne se doutait que Hubbard jouissait de l'exceptionnelle distinction d'être le seul châtelain des îles Britanniques placé sous surveillance permanente par le FBI, où son dossier ne cessait de s'étoffer. Il ne pouvait toutefois s'en prendre qu'à lui-même, car le flot des bulletins et « lettres de règlement » émanant de Saint Hill Manor à destination des scientologues de par le monde ne pouvait rester ignoré des incorruptibles de J. Edgar Hoover.

Le 24 avril 1960, par exemple, Hubbard expédia à ses

« franchisés » des États-Unis une circulaire leur recommandant de tout mettre en œuvre pour barrer la route de la présidence à « un individu nommé Richard M. Nixon ». Il justifiait sa déclaration de guerre par le fait qu'après avoir innocemment mentionné le candidat républicain dans un magazine de la Scientologie, deux agents du Service secret avaient fait irruption sur ordre de Nixon dans les locaux de l'Église de Washington et terrorisé le personnel. « Nous voulons des élus aux mains propres. Commençons par interdire à Nixon d'accéder à la présidence des États-Unis, quoi qu'il fasse pour nous intimider... » Si la présidence échappa en effet à Richard Nixon, ce fut sans doute plus à cause de son débat télévisé avec John F. Kennedy que des bulletins de Ron Hubbard.

Le châtelain de Saint Hill se considérait toutefois investi d'importantes responsabilités dans la vie politique internationale. Ainsi, au mois de juin, un autre bulletin spécifiait comment les scientologues devaient exercer leur influence : « Inutile de se faire élire, il suffit d'obtenir un poste de secrétariat ou de garde du corps. » Ainsi placée dans l'ombre des allées du pouvoir, la Scientologie pourrait avantageusement transformer le système de l'intérieur. En août, il annonça la création d'un « Département des affaires gouvernementales » rendu nécessaire, expliqua-t-il, par le temps croissant que les principaux dirigeants du mouvement devaient y consacrer face à la désintégration des gouvernements dans le monde sous la double menace du communisme et de la guerre nucléaire. « Ce Département a pour but d'amener les gouvernements ou les sociétés hostiles à se conformer aux principes de la Scientologie », par la ruse ou la force si nécessaire. Reprenant un de ses thèmes favoris, Hubbard adjurait ses troupes de défendre la Scientologie en attaquant l'adversaire : « Si quiconque, individu ou organisation, vous attaque sur un point vulnérable, vous devrez trouver ou fabriquer de quoi les menacer jusqu'à ce qu'ils implorent la paix... Il ne faut jamais se défendre, toujours attaquer... »

Comme beaucoup d'autres « créations » de Hubbard, le

« Département des affaires gouvernementales » n'exista jamais que sur le papier. Mais cela importait peu : les innombrables paperasses émanant du « Bureau de communication Hubbard », le sacro-saint HCO, avec toutes les fioritures d'une bureaucratie officielle – couleurs codées, diffusion sélective, références chiffrées, sigles, etc. – donnaient de la Scientologie l'image d'une puissante organisation internationale prête à intervenir afin de sauver le monde des périls conjugués du communisme, des armes atomiques et de ses propres folies.

Souvent assis des nuits entières devant sa machine à écrire, comme à sa grande époque de la science-fiction, Hubbard produisait des montagnes de documents paraissant résulter des travaux assidus de comités d'experts. Leur présentation élaborée conférait au contenu une autorité qui ne résistait pas à un examen un peu soutenu, mais aucun scientologue n'aurait songé à mettre en doute le moindre mot, pour invraisemblable qu'il fût, écrit ou prononcé par Ron Hubbard.

En mars 1961, Hubbard lança un cours de prestige, le « Saint Hill Special Briefing Course », destiné aux « auditeurs » désirant bénéficier de son enseignement personnel. Le droit d'inscription s'élevait à 250 livres par personne et le premier à s'enrôler fut un certain Reg Sharp, homme d'affaires à la retraite, qui avait été conquis par la Scientologie au point d'acheter une maison dans le hameau de Saint Hill pour se rapprocher de son grand homme. Les quinze premiers jours, le cours ne réunit que deux élèves mais ils affluèrent bientôt du monde entier, attirés par la promesse que Ron Hubbard en personne allait « déterminer et évaluer à l'aide de l'électromètre » les objectifs de chacun « pour leur vie entière ». En fidèle épouse, Mary Sue agitait l'appât du gain devant les hésitants : « Celui qui ne conçoit pas qu'un auditeur roule autrement qu'en Cadillac ou en Rolls-Royce plaquée or ferait mieux de chercher une autre orientation. »

A mesure que le nombre d'élèves croissait, l'espace se faisait plus rare. Les serres, témoins des expériences horticoles de Hubbard, furent rasées pour faire place à une

« chapelle », en réalité une salle de conférences. D'autres bâtiments s'édifièrent ainsi autour du manoir – sans que Hubbard se soucie d'obtenir de permis de construire : ce qu'il faisait sur sa terre, déclarait-il, ne concernait que lui, opinion que les autorités locales furent loin de partager en découvrant le pot aux roses. Elles finirent par imposer à leur encombrant voisin l'emploi d'un architecte et le respect des plans d'occupation des sols. Entre-temps, le « Briefing Course » se renouvelait constamment grâce à une succession d'« avancées techniques » rendant caduques les précédentes, ce qui imposait aux sciento-logues de revenir à Saint Hill actualiser leurs connais-sances.

Quand il ne discourait pas, Hubbard écrivait des direc-tives allant des méthodes pour sauver le monde jusqu'à la manière de faire le ménage dans son bureau. Aucun détail n'était indigne de son attention : une « lettre de règlement », affichée dans le garage, spécifiait comment il fallait laver les voitures ; une autre, à l'usage de la « sec-tion domestique », précisait les soins à prodiguer aux fleurs. Il trouva même le temps d'enrichir sa biographie de nouveaux épisodes à sa gloire en l'incorporant dans une brochure intitulée *Qu'est-ce que la Scientologie ?* : « Depuis des siècles, les savants cherchent à appliquer leurs connaissances de l'univers à l'Homme et à ses pro-blèmes. Soucieux d'aider l'Humanité, Newton, Einstein et les autres se sont attachés à découvrir les lois du comportement humain. Développée par le Dr L. Ron Hubbard, physicien nucléaire, la Scientologie a atteint cet objectif. Diplômé de physique avancée et de mathéma-tiques supérieures, élève de Sigmund Freud, le Dr Hub-bard a entrepris ses recherches il y a trente ans à l'univer-sité George Washington. La Scientologie en est l'aboutissement... »

Ce louable souci d'aider l'humanité cadrait mal avec la multiplication des contrôles de sécurité, à l'aide d'un questionnaire mieux adapté au dépistage d'obsédés sexuels et de criminels que d'éventuels dissidents. On y retrouvait bon nombre des obsessions morbides de Hubbard : « Avez-vous jamais eu des rapports sexuels avec un membre de votre famille ? », « Avez-vous jamais assassiné quelqu'un ? » (*sic*) ou encore : « Avez-vous jamais acheté illégalement des diamants ? » (*re-sic*). Hubard exigeait aussi de savoir si l'individu contrôlé avait jamais eu des « pensées inamicales » envers lui-même ou Mary Sue. Sur son ordre exprès, les rapports des contrôles étaient centralisés à Saint Hill et inclus dans le dossier individuel de chaque scientologue, dont Hubbard connaissait ainsi les pensées les plus secrètes.

Peu après Noël 1961, Hubbard se rendit à Washington assister à un congrès et vanter les bienfaits de son « cours spécial ». Il se fit accompagner par Reg Sharp, ahuri de voir à l'escale technique de Boston son leader vénéré se coller le dos au mur et n'en plus bouger jusqu'au redécollage car, expliqua-t-il, « on voulait le tuer ». A Washington, en revanche, Sharp ne put qu'admirer la vénération qui entourait le Maître. Pendant le congrès, Hubbard prit la parole quatre heures par jour avec l'aisance et le métier d'un comédien chevronné dont il utilisait toutes les ficelles.

Sa vigoureuse campagne de promotion en faveur de Saint Hill, présenté comme La Mecque de la Scientologie, incita des centaines de jeunes Américains à prendre le chemin d'East Grinstead, à la surprise des bonnes gens du pays qui n'avaient qu'une vague idée de ce qui se passait au château. Depuis quelque temps, en effet, le « Dr Hubbard » adoptait un profil bas; il avait démissionné de ses fonctions de coordinateur de la sécurité routière incompatibles, disait-il, avec les exigences de ses affaires, il sortait rarement de son parc et ne courtisait plus la presse. En ville, on vit donc plutôt d'un bon œil cet afflux inattendu de visiteurs américains discrets, courtois et volontiers dépensiers. S'ils se montraient peu bavards sur les raisons de leur présence, nul n'objectait car le respect du quant-à-soi fait partie des traditions locales.

Le conseil municipal d'East Grinstead rappela quand même que Saint Hill Manor était classé en zone d'habitation, mais la réputation du Dr Hubbard était telle qu'on se borna à lui demander de régulariser sa situation. Hubbard déposa aussitôt une demande de permis pour la construction d'un centre administratif de soixante-quinze pièces puis, soucieux de s'assurer le soutien de l'opinion publique, fit circuler un « rapport confidentiel » où il révélait « entre amis » aux habitants de la région une nouvelle dont il leur « réservait la primeur » car ils avaient « le droit de savoir ce qui se passait à leur porte » : ses dernières recherches sur les « énergies vitales » lui permettraient bientôt de « réduire l'âge physiologique d'un individu d'au moins vingt ans et d'allonger la durée de la vie de vingt-cinq pour cent ».

En août 1962, Hubbard consacra ses efforts à un sujet plus ambitieux : le président Kennedy ayant convié les forces vives du pays à envoyer un homme sur la Lune avant la fin de la décennie, Hubbard ne pouvait faire moins que d'offrir son concours. Il adressa donc une longue lettre à la Maison-Blanche pour informer le président que les techniques de la Scientologie étaient particulièrement bien adaptées à l'exploration de l'espace, car elles accroîtraient la perception sensorielle des astronautes et leur résistance physique au-delà des limites humaines.

A l'appui de ses dires, Hubbard affirma avoir entraîné « l'équipe olympique britannique » qui avait ainsi pulvérisé des records. Il ajouta qu'il repoussait depuis des années les avances des Soviétiques, qui lui proposaient dès 1938 les laboratoires mêmes de Pavlov. Son premier manuscrit lui avait été volé à Miami en 1942, le second à Los Angeles en 1950 et les communistes avaient dérobé, « pas plus tard que la semaine dernière », quarante heures de bandes magnétiques sur lesquelles étaient consignés les résultats des derniers travaux de recherche accomplis par la Scientologie en Afrique du Sud. S'il était convaincu de l'existence d'une importante bibliothèque scientologique en URSS, les Soviétiques ne disposaient heureusement pas des connaissances avancées applicables aux programmes spatiaux.

Il suffisait donc que le gouvernement des États-Unis lui

envoie les astronautes à conditionner, la Scientologie se chargerait du reste. Chaque homme devrait subir environ deux cent cinquante heures de formation à raison de vingt-cinq dollars l'heure, avec remises éventuelles par quantité. Et il concluait par un avertissement solennel : « Sans nous, l'Homme ne pourra pas aller dans l'espace avec succès. Nous ne voulons pas voir les États-Unis perdre la course spatiale, encore moins la prochaine guerre. L'issue de cette course se trouve actuellement entre vos mains et dépendra de la suite que vous donnerez à cette lettre. »

Hubbard espérait sérieusement, semble-t-il, que sa proposition serait acceptée par la Maison-Blanche. Moins de quinze jours plus tard, en effet, il débarqua à Washington afin d'examiner avec ses collaborateurs comment faire face à un soudain afflux d'astronautes, auquel cas il reviendrait de Saint Hill organiser une opération spéciale.

Pendant son voyage de retour avec Reg Sharp – en première classe à bord du *Queen Elizabeth* – les deux hommes passèrent le plus clair de la traversée à s'auditer l'un l'autre. Hubbard révéla à son ami qu'au cours d'une vie antérieure sur une autre planète, il avait dirigé une usine produisant des humanoïdes métalliques qu'il vendait aux Thétans et qu'il devait consentir une sorte de location-vente à ceux qui ne pouvaient pas payer comptant...

A Saint Hill, Hubbard attendit avec confiance la réponse du président et constata, à son étonnement croissant, qu'elle ne venait pas. Il ne comprit la raison de ce silence que quelques mois plus tard, en apprenant que la Food and Drug Administration avait fait une descente au siège de la Scientologie à Washington. Désormais, tout s'éclairait : chargée par le président de l'informer sur la Scientologie, la FDA cherchait par vengeance à la discréditer afin de promouvoir ses propres programmes spatiaux. Mais ces fonctionnaires du Diable ne l'emporteraient pas en Paradis !

Chapitre 15

Visites au paradis

« Oui, je suis allé au paradis... Tout y était, le portail, les anges, les saints en plâtre – et le matériel électronique d'implantation. » (L. Ron Hubbard, *Bulletin HCO*, 11 mai 1963.)

Le raid de la FDA sur l'Église de scientologie le 4 janvier 1963 tenait plus d'une farce des Keystone Cops que de la dignité d'une agence fédérale. Dans un invraisemblable déploiement de forces policières, les agents bouclèrent tout le quartier, investirent la place et saisirent trois tonnes de livres et d'électromètres. Il fallut faire venir deux camions pour emporter le butin.

La FDA justifia ses douteuses méthodes en engageant contre l'Église de scientologie des poursuites en « publicité mensongère et représentation frauduleuse » des électromètres. L'Agence aurait pu se contenter d'un seul appareil pour étayer ses accusations et faire ainsi l'économie d'une opération n'ayant eu pour résultat que de la ridiculiser et de fournir des armes à la Scientologie, qui exploita cette bévue en se posant en martyr. De Saint Hill, Hubbard tonna le 5 janvier : « Le gouvernement des

États-Unis... persécute la religion et jette au bûcher des ouvrages de philosophie... Où cela nous mènera-t-il ? A la censure généralisée ? Au mépris délibéré du Premier Amendement ? Est-ce désormais normal de violer les lieux du culte et de brûler les livres ? »

Hubbard revint à la charge le lendemain en accusant des « fonctionnaires subalternes » d'avoir ainsi réagi à sa lettre au président Kennedy par « sectarisme anti-religieux ». Il gardait cependant l'espoir que le président lui accorderait une audience et, au regard des récents événements, lui « garantirait sa sécurité », avant de conclure sur une note ironique : « Puisqu'on a saisi mes livres pour les brûler, je vais être obligé d'en écrire d'autres. »

En fait, l'année 1963 fut à peu près la seule de sa carrière au cours de laquelle Hubbard ne publia rien. Depuis sa thébaïde de Saint Hill, il lançait en revanche des proclamations de plus en plus bizarres. Ainsi, pour célébrer son cinquante-deuxième anniversaire, il accorda à ses fidèles une amnistie générale en termes dignes d'un potentat oriental : « Tous manquements ou offenses de toute nature commis jusqu'à ce jour, divulgués ou non, sont totalement et définitivement pardonnés. Ordonné à Saint Hill ce 13 mars 1963, an 13 de la Dianétique et de la Scientologie. L. Ron Hubbard. »

A l'amnistie succéda en mai la foudroyante révélation que Hubbard s'était rendu deux fois au paradis, respectivement 43 et 42 trillions d'années auparavant. Dans un bulletin daté du 11 mai de l'an 13 de la Dianétique, il précisait que sa première visite avait eu lieu 43 891 832 611 177 années, 344 jours, 10 heures, 20 minutes et 40 secondes avant le 9 mai 1963 à 22 h 02 GMT.

Contrairement à ce qu'on s'imagine, racontait-il, le paradis n'est pas situé sur une île flottant quelque part dans le ciel mais sur une haute montagne dans une planète inconnue. Les visiteurs arrivent dans une ville pourvue d'un tramway, de rues bordées de façades et de trottoirs, de voies de chemin de fer, d'un hôtel, d'un café et d'une banque. La ville paraissait habitée – dans l'hôtel, par exemple, il avait vu un client et la propriétaire en kimono qui lisait son journal – mais il ne s'agissait en réalité que d'effigies, probablement radioactives car « elles font mal quand on les touche ». En revanche, Hubbard affirmait n'avoir vu « ni diable ni démon » – peut-être parce qu'il était censé se trouver au paradis... Le principal centre d'intérêt n'était autre que la banque, construite dans un matériau ressemblant au granit, où l'on entrait par une porte-tambour. A l'intérieur, on voyait un comptoir sur la gauche et, en face, un escalier de marbre menant aux portes du paradis : « On y accède par une avenue bordée de statues de saints. Les vantaux sont très bien faits. Les piliers sont surmontés d'anges de marbre. Les jardins sont bien tenus... »

Lors de sa seconde visite, un trillion d'années plus tard, Hubbard constata d'importants changements : « Tout est crasseux. Il n'y a plus de végétation. Les piliers sont lépreux. Les saints ont disparu, les anges aussi. A gauche de l'entrée, on voit un écriteau avec " Ciel ". A droite, un autre avec " Enfer " et une flèche indiquant des excavations qui ressemblent à des fouilles archéologiques... encloses de grillages. Il y a une guérite devant le poteau de droite. »

Les excursions célestes de Hubbard deviendront par la suite un motif d'embarras pour les scientologues qui s'évertueront à les présenter comme des allégories. Hubbard spécifiait pourtant que « ce bulletin est basé sur mille heures d'*auditing*... [processus] scientifique qui ne peut en aucun cas refléter la seule opinion subjective du chercheur... »

Au mois d'août, Hubbard redescendit sur terre définir la politique à adopter envers les médias. Si la Scientologie avait mauvaise presse, déclara-t-il, elle le devait avant tout à l'American Medical Association qui cherchait à nuire au mouvement afin de sauvegarder son monopole. « Si un reporter vient tout sucre et tout miel vous demander une interview, il y a de fortes chances pour qu'il ait déjà en poche un communiqué inspiré par l'AMA. Il ne veut que vous soutirer de quoi confirmer un article écrit d'avance... »

La méfiance de Hubbard s'expliquait d'autant mieux que la Scientologie offrait une cible idéale, sur laquelle les journaux s'acharnaient volontiers. En Australie, où elle subissait de violentes campagnes de contre-publicité, un journal de Melbourne, *Truth*, l'accusait de « décerveler » les scientologues et de les détacher de leurs familles. Ces allégations eurent un écho jusqu'au Parlement de l'État de Victoria où l'on utilisa les mots de chantage, d'extorsion de fonds, de « pratiques nuisibles à la santé mentale » d'étudiants de l'université de Melbourne, au point que le gouvernement de l'État nomma en novembre 1963 une commission d'enquête sur la Scientologie. Hubbard affecta d'abord la satisfaction et prétendit avoir lui-même demandé l'enquête. Puis, lorsque la commission afficha son hostilité et cita Hubbard à comparaître, il trouva de bonnes raisons de ne pas se rendre à la convocation.

En mars 1964, le *Saturday Evening Post* publia l'une des dernières interviews de Ron Hubbard, qui sera néanmoins assiégé par les journalistes jusqu'à la fin de sa vie. Cette interview, d'une rare objectivité, ne dévoilait rien de très nouveau sur Hubbard, sauf qu'il disait avoir été contacté par Fidel Castro pour former un corps de scientologues à Cuba. Le père fondateur de la Scientologie abordait sans réticence tous les sujets, sauf l'argent : il affirmait jouir d'une fortune personnelle et ne toucher de son Église qu'un salaire symbolique de 70 dollars par semaine car la Scientologie était pour lui un « acte d'amour ». Le reporter du *Saturday Evening Post* avait été très impressionné par le train de vie de Hubbard – le manoir XVIIIᵉ, le majordome lui servant son Coca-Cola de 5 heures sur un plateau d'argent, le chauffeur astiquant la Pontiac neuve et la Jaguar rutilante, le parc aux horizons illimités.

Si Hubbard paraissait avoir acquis les goûts et le style d'un *gentleman farmer*, la réalité était cependant tout autre, comme l'explique le jeune scientologue Ken Urquhart, employé comme majordome à Saint Hill :

« Ron et Mary Sue travaillaient toute la journée et ne recevaient presque jamais. Ils se couchaient très tard, généralement aux petites heures du matin, et se levaient au début de l'après-midi. A peine levé, Ron s'auditait lui-même avec un électromètre... Je lui montais son chocolat et je restais avec lui pendant qu'il le buvait... Il me parlait beaucoup de son enfance, en cherchant à donner l'impression d'être d'origine aristocratique – il utilisait, par exemple, des expressions françaises malgré son accent épouvantable... Il disait que sa mère était une femme remarquable. Il m'a raconté que quand elle était mourante à l'hôpital, il était arrivé juste à temps pour lui dire qu'elle n'avait qu'à quitter son corps et en choisir un autre à la maternité. Il ne m'a toutefois pas dit comment elle avait réagi. »

Urquhart étudiait la musique au Trinity College de Londres et payait ses études en travaillant comme serveur de restaurant quand Hubbard lui avait proposé l'emploi de majordome à Saint Hill. « La Dianétique avait été pour moi une bouffée d'oxygène et j'aurais fait n'importe quoi pour Ron... mais tout a changé au début de 1965, avec l'introduction de l'" éthique ". J'ai eu droit à une " condition d'urgence " parce que je lui avais servi au dîner du saumon pas tout à fait frais. J'étais atterré. »

Les « conditions » faisaient partie de la nouvelle « technologie d'éthique » imaginée par Hubbard dans les années soixante comme méthode de contrôle collectif – en fait, le premier stade de sa tentative de former un groupe d'élite au sein de la Scientologie sur un modèle semblable à l'État totalitaire décrit par George Orwell dans son célèbre roman *1984*. Quiconque était seulement *soupçonné* d'infidélité, de négligence ou d'infraction aux règles de la Scientologie comparaissait devant un « officier d'éthique » qui, selon la gravité de sa faute, lui attribuait une « condition » assortie d'une pénalité, allant du port d'un chiffon gris au bras gauche, simple marque d'infamie, au pire : être classé « personne suppressive », ou SP, l'équivalent de l'excommunication. Hubbard définissait les SP comme du « gibier » pouvant être poursuivi et persécuté par tous les moyens, licites et illicites.

« Avec l'apparition de l'éthique, se souvient Cyril Vosper qui travaillait lui aussi à Saint Hill à l'époque, le zèle l'a emporté sur la tolérance et le bon sens. A mon avis, c'est Mary Sue qui en inventait les mesures les plus dégradantes. Autant j'admirais Ron, autant je jugeais Mary Sue vicieuse et malfaisante. C'était une vraie garce. »

En octobre 1965, la commission d'enquête australienne publia son rapport. Présidée par Kevin A. Anderson, Q.C., procureur de la Couronne, elle avait siégé 160 jours, entendu 151 témoins et condamnait en bloc la Scientologie. La teneur du premier paragraphe suffit à donner le ton de l'ensemble : « Certains aspects de la Scientologie sont tellement absurdes qu'on pourrait avoir tendance à la traiter par la dérision et considérer ceux qui la pratiquent comme d'inoffensifs hurluberlus... En lisant ce rapport, il convient de ne pas perdre de vue les observations préliminaires suivantes : la Scientologie est néfaste ; ses techniques sont nuisibles ; sa pratique constitue une sérieuse menace pour la collectivité sur le plan médical, moral et social ; ses adhérents sont honteusement leurrés et souvent mentalement malades. » Dans bien des cas, poursuivait le rapport, le dérèglement de l'esprit et la perte du sens critique résultaient des procédures mêmes de la Scientologie, conçues pour induire une docilité allant jusqu'à l'asservissement. Le sujet ainsi conditionné par la peur, la tromperie et l'affaiblissement de ses facultés ne pouvait plus y échapper. L'existence de dossiers renfermant les confessions et les secrets les plus intimes de milliers de personnes constituait en outre une grave menace pour les libertés individuelles et collectives.

Quant à L. Ron Hubbard, sa propre santé mentale était « sérieusement mise en doute ». Ses écrits, truffés de propos hyperboliques à sa propre gloire, de pitreries, d'explosions de fureur hystérique, sortaient à l'évidence d'un esprit déséquilibré, de même que ses prétendus enseignements sur des absurdités aussi manifestes que les Thétans et les vies antérieures. Il souffrait d'une maladie de la persécution ; il manifestait une crainte morbide de tout ce qui concernait les femmes et une obsession malsaine de s'appesantir « de la manière la plus répugnante et la plus avilissante » sur des sujets tels que l'avortement, la sexualité, le viol, le sadisme, l'abandon d'enfants et autres perversions. Sa manie des néologismes était caractéristique de la schizophrénie ; celle d'inventer des théories et des expériences de plus en plus aberrantes dénotait de fortes tendances à une schizo-paranoïa doublée d'un complexe de supériorité – « symptômes, ajoutait le rapport, communs à tous les dictateurs ».

Au bout de 173 pages de la même veine, le rapport concluait : « Nous avons acquis la preuve que ses théories [de la Scientologie] sont invraisemblables, ses principes pernicieux, ses techniques avilissantes... S'appuyant sur des rudiments de connaissances, son fondateur a bâti un édifice insensé... la plus importante organisation au monde de gens incompétents pratiquant des techniques dangereuses sous le masque de la thérapie mentale. »

Le rapport Anderson apporte malheureusement la preuve que le mieux est l'ennemi du bien : son ton excessif, sa partialité et ses exagérations rappellent fâcheusement les défauts qu'il fustige chez Hubbard. A vouloir à tout prix démystifier la Scientologie, Anderson a délibérément ignoré le fait que des milliers de braves gens de par le monde croyaient sincèrement bénéficier des recettes d'un charlatan. Condamner la Scientologie en de tels termes revenait à stigmatiser ses fidèles comme nuisibles ou ses victimes comme stupides – accusations souvent imméritées.

Sonné mais invaincu, Hubbard contre-attaqua sans tarder. Dans une déclaration exclusive au *Courier* d'East Grinstead, il qualifia la commission australienne de tribunal d'exception illégal l'ayant jugé et condamné sans même lui permettre de présenter sa défense. On ne s'y prenait pas autrement au plus sombre du Moyen Age, ajouta-t-il, pour envoyer au bûcher les sorcières et les hérétiques. Mais un homme tel que lui était trop magnanime pour ne pas accorder son pardon : « L'Australie est encore jeune. En 1942, officier de la US Navy en mission dans les Territoires du Nord, j'ai contribué à sauver le pays du péril japonais. Par égard pour les scientologues australiens, je continuerai à l'aider. »

Les scientologues entendirent un autre son de cloche. L'enquête australienne devant porter sur toutes les thérapeutiques mentales (« On aurait pu discréditer les psychiatres en dénonçant leurs crimes ! » dit-il avec regret), Hubbard avait accepté de coopérer mais, par suite d'une regrettable erreur bureaucratique, la Scientologie avait été seule en cause, ce qui expliquait le désastre. Désormais, en cas d'enquêtes similaires, il fallait commencer par identifier les adversaires, passer leur carrière au crible afin d'en exhumer « des délits ou pires » et communiquer ces trouvailles à la presse avec un maximum de détails compromettants. « Ne vous soumettez *jamais* docilement à une enquête, recommande-t-il. Contre nos ennemis, tous les coups sont permis. »

Le scandale soulevé par le rapport Anderson provoqua un peu partout l'ouverture d'enquêtes officielles ; l'émotion des opinions publiques incita même plusieurs gouvernements à prendre des sanctions. L'Australie ouvrit le feu : en décembre 1965, l'État de Victoria promulgua une loi qui réglementait l'exercice des professions médico-psychologiques de manière à interdire la Scientologie et donnait pouvoir à l'Attorney General (ministre de la Justice) de saisir et détruire tous documents imprimés ou enregistrés émanant de la Scientologie. Le pays hôte du « malfaisant Dr Hubbard » ne pouvait lui non plus ignorer le rapport Anderson : le 7 février 1966, lord Balniel, MP, par ailleurs président de l'Association nationale de la Santé mentale, interpella le ministre de la Santé à la Chambre des Communes en demandant l'ouverture d'une enquête sur la Scientologie en Grande-Bretagne.

Le surlendemain, Hubbard ordonna de « lancer un détective sur le passé de ce Lord et d'en exhumer les bavures. Il y en a sûrement ». Le 17 février, il créa une « Section des enquêtes publiques », composée de détectives professionnels chargés d'« assister LRH dans ses investigations ». Le premier détective engagé devait dénicher au moins un fait répréhensible sur chaque psychiatre en Angleterre, à commencer par lord Balniel. Malheureusement pour Hubbard, le fin limier n'eut rien de plus pressé que d'aller vendre l'histoire à un journal du dimanche qui assura, on s'en doute, une excellente publicité à la Scientologie.

La réplique « officielle » de la Scientologie au rapport Anderson, sous forme d'une brochure de quarante-huit pages, était plutôt mal conçue pour gagner la sympathie des Australiens : « Seule une société fondée par des repris de justice, dirigée par des criminels et organisée pour fabriquer des délinquants pouvait arriver à de telles conclusions [sur la Scientologie], proclamait l'introduction. L'État de Victoria a été peuplé par la lie des bas quartiers de Londres – voleurs, criminels, prostituées, receleurs. » Après des pages d'aménités du même ordre, Hubbard concluait sur un ton de défi : « L'avenir de la Scientologie en Australie reste étincelant... Nous serons toujours là... quand les noms de nos ennemis ne seront plus que des notations à demi effacées dans le grand livre de la tyrannie. »

Hubbard avait beau affecter la confiance, il fallait remonter d'urgence le moral des scientologues sapé par ces épreuves. En février 1966, le bruit commença donc à courir parmi les initiés que l'un d'eux avait enfin atteint l'état légendaire de *clear*. (La contre-performance de Sonya Bianca au Shrine Auditorium de Los Angeles était depuis longtemps oubliée.) Chaque scientologue aspirait à cette bienheureuse « clarté » qui s'obstinait à le fuir. Les cours introduisaient sans cesse des niveaux supérieurs de « processing », censés déboucher sur le « clair » mais aussitôt remplacés par d'autres niveaux inédits et de nouvelles promesses.

Parmi les élèves du Niveau VII se trouvait alors un Sud-Africain d'une trentaine d'années, John McMaster, employé à Saint Hill en qualité de directeur du Centre d'orientation. Étudiant en médecine à Durban, atteint d'un cancer, McMaster avait subi l'ablation d'une partie de l'estomac. En 1959, la Dianétique l'avait soulagé de ses douleurs constantes dès sa première séance d'auditing. Converti, il était venu suivre les cours spéciaux de Saint Hill en 1963 et Hubbard l'avait invité à s'intégrer au personnel permanent.

Il venait de partir pour Los Angeles enseigner les plus récentes techniques appliquées à Saint Hill quand le « Secrétaire des Qualifications » le rappela d'urgence par télégramme. Le 8 mars, il passa l'examen de contrôle sans un tressaillement de l'aiguille de l'électromètre : la « banque de mémoire » de son « mental réactif » était totalement effacée, il était *clear*! L'enthousiasme que cette grande nouvelle souleva chez les scientologues fut d'autant plus vif que McMaster possédait, disait-on, tous les attributs prophétisés seize ans auparavant dans le livre de *La Dianétique*.

Hubbard célébra l'événement en proclamant une nouvelle amnistie générale. Puis, le lendemain, une curieuse annonce parut dans le *Times* : « Je soussigné, L. Ron Hubbard, de Saint Hill Manor, East Grinstead, Sussex, constatant quels dommages la physique nucléaire et la psychiatrie infligent à notre société par des personnes parées du titre de docteur, déclare en signe de protestation renoncer à mon titre de docteur en philosophie... Bien que rien ne me rattache à la psychiatrie ou au traitement des malades et que je n'aie d'autre intérêt que la philosophie et la libération de l'esprit humain, je souhaite n'avoir plus aucun rapport avec ces personnes et je prie mes amis et le public de ne plus se référer à moi par ce titre sous aucun prétexte. »

Le *Daily Mail* du lendemain observa que le doctorat auquel Hubbard renonçait publiquement était de toute façon bidon. Quant à Reg Sharp, devenu entre-temps son assistant personnel, il fit savoir aux journalistes que M. Hubbard ne pouvait commenter la nouvelle car il était en vacances à l'étranger et ne voulait être dérangé sous aucun prétexte.

En réalité, Hubbard était en route pour la Rhodésie, dont le Premier ministre Ian Smith avait récemment défié le gouvernement britannique en proclamant unilatéralement son indépendance. Depuis que son espoir de faire de l'Australie le premier « continent *clear* » s'était évanoui, Hubbard avait ramené ses ambitions à un niveau plus modeste et cherchait un pays susceptible d'offrir un abri sûr à la Scientologie. Son choix s'était porté sur la Rhodésie, dont il pensait se concilier les autorités en les aidant à résoudre la crise provoquée par l'indépendance et, surtout, parce qu'il était convaincu d'avoir été Cecil Rhodes (dont il ignorait, bien sûr, l'homosexualité...) dans une vie antérieure. Il avait également annoncé à Reg Sharp qu'il entendait récupérer l'or et les diamants cachés par Rhodes avant sa mort.

Le 7 avril 1966, la direction de la CIA à Langley reçut de son agent en Rhodésie une demande de renseignement sur « un certain L. Ron Hubbard, citoyen américain, arrivé récemment. » Le QG de l'Agence fit savoir que le dossier du sus-nommé au fichier central ne contenait pas d'informations défavorables sur son compte mais joignit une note citant des extraits de presse et se concluant ainsi : « Les personnes ayant été en rapport avec Hubbard et/ou les organisations qu'il dirige le considèrent comme un " cinglé " et émettent des doutes sur son état mental. »

Entre-temps, le « cinglé » avait acheté une vaste villa avec piscine à Alexander Park, banlieue résidentielle de Salisbury, et négociait l'acquisition du Bumi Hills Hotel, luxueux complexe hôtelier sur le lac Kariba, dont il voulait faire sa base d'opération. Les Rhodésiens ignoraient bien entendu les projets de celui qui se présentait à eux sous les traits d'un « financier millionnaire », soucieux d'injecter des capitaux frais dans l'économie et de stimuler le tourisme. « J'étais venu pour ma santé, déclara-t-il dans une interview au *Sunday Mail*, mais je reçois tant de propositions d'investissements... que je ne puis y rester insensible. » Il prenait soin par ailleurs de garder ses distances avec ce que le journal qualifiait de « mouvement scientologue contesté » en ajoutant : « Je suis encore administrateur de la société qui le gère mais il est devenu pratiquement autonome. »

Dans ses efforts brouillons pour s'attirer les bonnes grâces des milieux gouvernementaux rhodésiens, Hubbard allait accumuler les impairs. Ainsi, en mai, il prend l'initiative de soumettre un projet de Constitution au Premier ministre Ian Smith, qui lui fait répondre que ses « suggestions seront soumises à la commission compétente. » Il s'attire une sèche rebuffade du ministre de l'Intérieur qu'il invite familièrement à dîner. En juin, il convoque John McMaster de Johannesbourg, où il donne des cours de Scientologie, avec mission d'apporter du champagne rosé, introuvable sur place, dont il veut faire cadeau à Ian Smith. Las! Il ne franchira même pas la porte du Premier ministre. Moins mortifié que stupéfait de voir ses compétences dédaignées, le « financier millionnaire » réussit à se mettre à dos les milieux d'affaires en prononçant devant le Rotary Club une conférence dans laquelle il fait la leçon à des chefs d'entreprise en leur disant comment faire leur métier et mener leur vie privée. Dans le même temps, il prend ouvertement parti pour les populations noires tout en les méprisant avec si peu de discrétion que ses propos racistes sont rapportés dans la presse.

C'en était trop pour les Rhodésiens : au début de juillet, les services de l'immigration l'informent que la prolongation de son visa de résident temporaire ne peut lui être accordée et que, en conséquence, il est « requis de quitter le territoire de la Rhodésie le 18 juillet 1966 au plus tard. » Atterré, Hubbard demanda à ses amis du Front rhodésien d'intervenir en sa faveur auprès de Ian Smith. En vain : « Smith leur a fait une scène terrible, racontera-t-il par la suite. Il leur a dit que j'avais déjà été expulsé d'Australie, que j'étais recherché par toutes les polices du monde, que mes associés en affaires se plaignaient tous de moi et qu'il n'était pas question que je reste. » Les autorités rhodésiennes refusèrent de commenter son expulsion, mais Hubbard savait d'où venait le coup : des communistes, bien sûr, qui avaient conspiré pour chasser le seul homme capable d'aider le pays à résoudre la crise politique et économique...

Le 15 juillet, au bénéfice des caméras de télévision venues enregistrer pour la postérité le départ du « financier millionnaire », Hubbard fit d'émouvants adieux à ses domestiques alignés sur la pelouse de la villa. Un des journalistes qui l'attendaient à l'aéroport lui annonça qu'une horde de ses confrères s'apprêtait à l'accueillir à Londres. Cette perspective le réconforta grandement en lui laissant penser que sa mésaventure pourrait, en fin de compte, accroître sa stature de personnalité internationale.

Tandis que Hubbard décollait de Salisbury, Saint Hill se préparait dans la fièvre à le recevoir en héros. Le 16 juillet au matin, un convoi d'autocars transporta à Heathrow quelque six cents fidèles munis de bannières et de pancartes, dont ils avaient malheureusement négligé de solliciter au préalable l'autorisation de les brandir dans un lieu public. La police de l'aéroport s'y opposa courtoisement mais fermement et les scientologues, au premier rang desquels Mary Sue et les enfants, durent attendre noyés dans la foule anonyme le débarquement de leur grand homme. Retenu par un problème de vaccination, Hubbard émergea dans le hall avec deux heures de retard, bronzé et souriant, sous les ovations de ses fidèles ; la presse était telle que la police dut lui frayer un passage jusqu'au cabriolet Pontiac décapoté d'où il salua la foule comme un chef d'État en visite.

Nul n'aurait pu rêver d'accueil plus triomphal. Seule ombre au tableau : les journalistes annoncés brillaient par leur absence. L'unique reporter qui s'était déplacé avait questionné Hubbard sur les événements d'Australie et s'était attiré cette réplique : « C'est de l'histoire ancienne ! »

Dans le cadre familier de Saint Hill Manor, Hubbard eut tout loisir de se pencher sur le présent et l'avenir de la Scientologie. Le tableau était loin d'être rose : après les défaites essuyées en Australie et en Rhodésie, l'orage grondait aux États-Unis où l'Internal Revenue Service remettait en cause les exemptions fiscales de l'Église. En Grande-Bretagne, la découverte au petit matin, dans les rues d'East Grinstead, d'une jeune femme en triste état soulevait un nouveau scandale : la police avait découvert qu'elle était internée dans un établissement psychiatrique avant d'être recrutée par la Scientologie. Ce fait divers ranima à la Chambre des Communes les demandes d'ouverture d'enquête, auxquelles le ministre de la Santé répondit : « Je ne vois pas la nécessité d'une enquête pour établir que les activités de cette organisation sont nocives. Il ne fait aucun doute que la Scientologie est totalement dénuée de valeur pour la santé publique. »

La Scientologie perdait même sa bonne réputation à East Grinstead. Comme s'il ne leur suffisait pas de croiser dans les rues des Américains couverts de badges proclamant : « Ne me parlez pas, *auditing* en cours », les habitants en voulaient aux scientologues de rafler les logements à louer, d'envahir les pubs et de mettre leur patience à rude épreuve. « La Scientologie prenait de plus en plus de place, se souvient Alan Larcombe du *Courier*, et l'opinion estimait qu'il fallait mettre un terme à son expansion avant qu'ils [les scientologues] évincent les gens du pays. Il y avait déjà un agent immobilier, un dentiste, un coiffeur, un bijoutier, une banque et deux docteurs scientologues. Cela inquiétait. »

Larcombe alla rendre visite à Saint Hill – et fut stupéfait de ce qu'il y découvrit : « Une cloche sonnait au moment où j'arrivais devant la maison et j'ai vu des gens sortir de partout, par centaines, comme un nuage de guêpes quittant son nid. Un spectacle incroyable ! Je n'en revenais pas de voir à quel point l'endroit avait changé. »

Ayant réfléchi à la multitude des problèmes de la Scientologie, Hubbard imagina à l'automne 1966 une solution pour le moins hardie et originale qu'il garda d'abord pour lui, car il aimait s'entourer de secret. Il y fit quand même allusion devant John McMaster, revenu d'Afrique du Sud depuis peu : « Vous savez, John, avec tous ces ennuis que nous font les gouvernements, il va falloir faire quelque chose. Nous avons encore devant nous beaucoup de recherches à accomplir et je veux pouvoir les poursuivre sans être continuellement harcelé. Savez-vous que soixante-quinze pour cent de la surface de la Terre échappent au contrôle des gouvernements? Voilà où nous serions vraiment libres – en haute mer. » McMaster n'avait aucune idée de ce que cela signifiait et Hubbard ne lui en dit pas davantage.

Des scientologues confirmés arrivèrent bientôt des États-Unis pour participer à un projet top secret placé sous la supervision personnelle de Ron Hubbard. On les apercevait parfois qui manœuvraient des canots pneumatiques sur l'étang de la propriété, ou penchés sur des cartes marines dans une salle de classe. Certains soirs, ils se réunissaient au garage derrière les portes closes et le bruit se répandit qu'ils s'entraînaient à faire des nœuds...

En décembre, on disait qu'ils étaient engagés dans une mystérieuse entreprise baptisée « Projet maritime » mais nul ne se doutait encore de quoi il était réellement question.

Chapitre 16

Le lancement de l'Organisation maritime

« Ayant appris que L. Ron Hubbard projetait de reprendre ses explorations et ses recherches, notamment sur les civilisations passées, de nombreux scientologues voulurent se joindre à lui et l'assister. Leur groupe adopta le nom de Sea Organization [Organisation maritime]... Déchargé de ses obligations envers l'Église et bénéficiant du soutien des premiers membres de la Sea Org, L. Ron Hubbard avait ainsi le temps et les moyens de confirmer l'existence dans l'univers physique de certains lieux et événements découverts au cours de ses voyages le long de la piste de temps. » *(Mission into Time.)*

En 1967, âgé de cinquante-six ans, sept fois père et plusieurs fois grand-père, pourvu d'une épouse dévouée, d'un château en Angleterre et de quatre enfants d'âge scolaire, L. Ron Hubbard arrivait au stade de la vie où la plupart des hommes songent à prendre racine en prévision d'une confortable retraite. Mais L. Ron Hubbard n'avait jamais été comme la plupart des hommes. En 1967, donc, il se constitua sa flotte personnelle, s'en bombarda Commodore, endossa un rutilant uniforme dessiné par lui-même et se lança avec ses navires sur les océans du globe, pourchassé par la CIA, le FBI, la presse internationale et un assortiment sans cesse renouvelé d'organismes maritimes et gouvernementaux dont ses faits et gestes éveillaient les soupçons.

Dès son retour de Rhodésie en juillet 1966, Hubbard avait entrepris de constituer l'Organisation maritime dans le plus grand secret. Désirant faire croire qu'il revenait à sa première profession, celle d'« explorateur », il avait annoncé en septembre sa démission de la présidence de l'Église de scientologie, assez solidement établie, prétendait-il, pour survivre sans lui. Afin de parachever sa mise en scène, il avait nommé une commission chargée d'évaluer les dettes contractées par l'Église envers son fondateur, somme arrêtée à quelque treize millions de dollars dont Hubbard, dans son insondable générosité, fit remise à ses fidèles.

Toujours membre de l'Explorers Club, il sollicita ensuite l'autorisation de battre le pavillon du club pour l'« Expédition Hubbard d'études géologiques », qui se donnait pour objectif d'effectuer des relevés géologiques de l'Italie au littoral oriental de l'Afrique, en passant par la Grèce, l'Égypte et la mer d'Oman, dans le dessein de « dresser la carte géologique de cette région, berceau des plus anciennes civilisations de la planète... et d'en tirer si possible des conclusions sur les formations géologiques favorables au développement de la civilisation ». Ce prétentieux charabia fit une assez forte impression sur l'Explorers Club pour qu'il accède à la demande de son illustre membre. (Le comité directeur devait gravement manquer de sens critique car il avait déjà accordé les honneurs du pavillon à Hubbard en 1940 pour son « expédition » d'Alaska, ainsi qu'en 1961 pour une « Expédition archéologique océanique », totalement imaginaire, censée explorer les « cités englouties » des Caraïbes, de la Méditerranée « et des eaux adjacentes ».)

La Hubbard Explorational Company Limited fut dûment enregistrée à Londres le 22 novembre 1966. Sous la houlette de Ron Hubbard, « chef des expéditions », et de Mary Sue, secrétaire-trésorière, la compagnie avait notamment pour objet « l'exploration et l'étude des océans, mers, lacs, fleuves et terres de toutes natures dans toutes les parties du monde ». En fait, Hubbard n'avait pas plus l'intention de se livrer à des études géologiques que d'abandonner le contrôle de l'Église de scientologie et ses juteux revenus. Il ne cherchait qu'à se dégager des entraves imposées à ses activités et à ses ambitions par d'importunes bureaucraties. Il voulait jouir d'une liberté totale dans un domaine bien à lui, tout en restant relié à ses opérations terrestres par un système perfectionné de communications codées – dans le but, tout à fait terre-à-terre cette fois, de propager la Scientologie dans le monde sous couvert de cours de « management » et de gestion des affaires.

A la fin de 1966, la Sea Org acquit secrètement son premier bateau, l'*Enchanteur*, schooner de quarante tonneaux dont le fidèle Ray Kemp voulut bien assumer la copropriété fictive. La Hubbard Explorational Co. Ltd. acheta peu après l'*Avon River*, vieux chalutier rouillé de quatre cents tonneaux en mouillage à Hull, important port de pêche du nord-est de l'Angleterre. Hubbard s'envola ensuite pour Tanger afin de « poursuivre ses recherches » tandis que Mary Sue et les enfants restaient à Saint Hill.

Avant son départ, Hubbard avait laissé ses instructions aux membres du « projet maritime » parmi lesquels Virginia Downsborough, une jeune New-Yorkaise « auditrice » à Saint Hill depuis près de trois ans. (Virginia n'avait jamais très bien compris à quoi elle devait l'honneur d'appartenir au cénacle, sinon qu'elle venait d'une famille de marins et savait faire des nœuds, principale activité du groupe à ses débuts.) Hubbard lui remit donc une enveloppe contenant ses ordres : « Je devais me rendre à Hull préparer l'*Enchanteur* et le conduire à Gibraltar où il serait remis en état... Je suis partie le lendemain. » Les scientologues étaient dressés à obéir aux ordres, quelles que soient les difficultés de la tâche à accomplir, leur manque de moyens ou de qualifications pour la mener à bien. Ancienne éducatrice titulaire d'une maîtrise d'enseignement, Virginia s'exécuta cependant sans la moindre hésitation. Il fallut une quinzaine de jours pour préparer le bateau à prendre la mer et l'*Enchanteur* leva l'ancre au Nouvel An, avec un équipage composé d'un skipper professionnel engagé pour le voyage et de quatre scientologues qui mettaient pour la première fois le pied sur un bateau.

Comparée aux futures mésaventures navales de la Sea Org, la traversée se serait passée relativement bien si l'*Enchanteur* n'avait perdu son carburant au large des côtes portugaises. Après une brève escale à Porto pour refaire le plein, le schooner et son équipage arrivèrent sans autre incident à Gibraltar, où le correspondant de Hubbard à Tanger leur apprit que Ron était malade et qu'ils devaient continuer jusqu'à Las Palmas, aux Canaries, où Hubbard les rejoignit en piteux état. Virginia alla le lendemain prendre de ses nouvelles : « Quand je suis entrée dans sa chambre d'hôtel, j'ai vu des médicaments partout. Après l'avoir si souvent entendu dire du mal de la médecine et des médecins, j'étais atterrée. Je ne savais pas ce qu'il avait, sauf qu'il était visiblement très déprimé... au point de me dire, je le cite en toutes lettres : " Je veux mourir. " »

En fait, Hubbard voulait être découvert dans cet état car il comptait bientôt annoncer qu'il avait accompli « une recherche d'une importance capitale » baptisée le « Mur de Feu ». Il consignera sous le titre « OT3 », pour Thétan Opérant Section Trois, « les secrets d'un cataclysme ayant entraîné la décadence de la vie telle que nous la connaissons dans ce secteur de la galaxie ». Hubbard était « la seule personne depuis des millions d'années » à avoir précisément retracé le chemin traversant le « Mur de Feu » et, de ce fait, son pouvoir d'OT avait connu un accroissement tel que son corps courait de graves dangers ; il s'était d'ailleurs brisé le dos, un genou et un bras au cours de sa recherche...

Si Hubbard n'avait à l'évidence rien de cassé, il avait besoin de soins. Virginia s'installa dans la chambre contiguë, lui prépara ses repas car il refusait de manger la cuisine de l'hôtel et s'appliqua surtout à le sevrer de ses drogues. Au bout de trois semaines d'efforts, elle parvint à le sortir du lit et à lui faire reprendre une activité à peu près normale. A peine fut-il sur pied que Mary Sue arriva de Saint Hill et chargea Virginia de trouver une maison à louer. Toujours dévouée, l'ex-éducatrice devint cuisinière du ménage et confidente de Hubbard qui, après que Mary Sue fut montée se coucher, lui parlait fort avant dans la nuit de ses premières femmes, Sara qu'il prétendait n'avoir jamais épousée et Polly qui avait, disait-il, lâchement abandonné le malheureux infirme qu'il était à son retour de la guerre.

Lorsque l'*Enchanteur* sortit enfin de cale sèche à Las Palmas, Hubbard croisa longuement autour des îles Canaries à la recherche de l'or qu'il y avait lui-même enterré au cours de ses vies antérieures. « Il dessinait des cartes et nous envoyait à terre creuser des trous pour retrouver le trésor, se souvient Virginia. Je ne m'étais pas tant amusée depuis longtemps. » Ces activités devant, bien entendu, s'entourer du plus grand secret, Hubbard mit au point un système de codes élaborés applicables aux communications de la Sea Org et inonda Saint Hill de directives en ce sens.

En avril 1967, l'*Avon River* arriva à son tour dans le port de Las Palmas au terme d'une traversée que son skipper, le capitaine John Jones, décrira par la suite comme « la plus ahurissante de ma vie ». Le chef mécanicien et lui étaient les seuls marins professionnels à bord : « Mon équipage se composait de vingt scientologues, incapables de distinguer un chalutier d'un autobus », racontera-t-il à un reporter du *Daily Mirror* à son retour en Angleterre. Le capitaine Jones aurait pourtant dû se méfier en signant son engagement, car il y était spécifié qu'il devrait se conformer aux règlements édictés dans l'*Org Book*, manuel de navigation rédigé par le Fondateur et considéré, par conséquent, comme une Bible infaillible. « A part les feux de position et la radio, je n'avais le droit de me servir d'aucun équipement électrique, pas même du radar. On me disait que tout était dans l'*Org Book* et que je devais m'y conformer à la lettre. »

Conformément à ces directives, l'*Avon River* percuta la jetée en quittant le port de Hull; puis, à peine sorti de l'estuaire de la Humber, le navigateur scientologue, fidèle aux instructions de l'*Org Book*, avoua au capitaine qu'il était complètement perdu. Là-dessus, le scientologue le plus élevé en grade se prétendit seul habilité à donner des ordres, de sorte qu'à l'escale technique de Falmouth le capitaine et le chef mécanicien menacèrent de débarquer. Il fallut de longs échanges de coups de téléphone avec Saint Hill pour que que le capitaine reçoive des excuses et le scientologue l'ordre de regagner sa base, moyennant quoi l'*Avon River* poursuivit sa route jusqu'à Las Palmas où il occupa la cale sèche libérée par l'*Enchanteur*.

Sa remise en état devait être exécutée par des membres de la Sea Org, parmi lesquels Amos Jessup, étudiant en philosophie et fils d'un rédacteur en chef du magazine *Life*. Venu à Saint Hill en 1966 pour tenter d'arracher son jeune frère à la Scientologie, c'était lui, au contraire, qui avait été converti : « Quand j'ai appris que LRH cherchait du personnel pour un navire de communications, je me suis immédiatement porté volontaire... A Las Palmas, personne à terre ne devait savoir que nous étions sciento- logues, il fallait dire que nous allions effectuer des recherches archéologiques pour la Hubbard Exploratio- nal Co... Le chalutier était dans un état de crasse et de vétusté épouvantable. Nous l'avons sablé, repeint... nous avons installé des couchettes dans les cales ainsi que d'autres aménagements prévus par LRH. »

Hubbard venait tous les deux jours surveiller ses ouvriers amateurs, qui n'allaient jamais assez vite ni ne travaillaient assez bien pour son goût. De nouveaux ren- forts arrivaient sans cesse, ce qui n'empêchait pas les erreurs et les retards de s'accumuler en provoquant les « coups de gueule » redoutables et redoutés du Maître, qui distribuait aux coupables les punitions appropriées. Mal- gré sa « démission » de la présidence de l'Église de scien- tologie, Hubbard continuait en effet de lancer un flot ininterrompu d'édits et de règles disciplinaires. Il trouva même le temps d'enregistrer une bande magnétique dans laquelle il avertissait ses fidèles d'un complot mondial contre la Scientologie. C'était Mary Sue, toujours vigilante, qui en avait détecté la source dans une cabale de banquiers et de patrons de presse assez puissants pour manipuler des chefs d'État, parmi lesquels le Premier ministre britannique Harold Wilson...

Tandis que Hubbard fulminait contre les conjurations internationales et l'inexpérience des novices chargés de remettre à flot l'*Avon River*, d'heureuses nouvelles lui parvinrent d'une équipe en « mission » en Grande-Bretagne. (La moindre tâche exécutée sur ordre de Hubbard était toujours pompeusement qualifiée de « mission »). Depuis plusieurs mois, deux hommes de confiance écumaient les ports européens à la recherche d'un gros navire, un paquebot de croisière par exemple, susceptible de devenir le vaisseau amiral de la Sea Org. En septembre 1967, ils informèrent Hubbard qu'ils avaient déniché l'oiseau rare à Aberdeen : le *Royal Scotsman*, construit en 1936 et jaugeant 3 280 tonneaux, naviguait récemment encore sur la mer d'Irlande comme transport de bétail. Il était en bon état malgré son âge et l'achat pourrait se négocier aux alentours de 60 000 livres. Pour Hubbard, l'argent n'avait jamais compté – le centre de Saint Hill encaissait à lui seul 40 000 livres par semaine. Il instruisit donc ses émissaires d'engager les pourparlers et de faire le nécessaire sitôt l'achat conclu pour que le *Royal Scotsman* rejoigne les autres unités de la flotte à Las Palmas, où l'*Avon River* était toujours en cale sèche.

Impatient de nature, le Commodore bouillait devant la lenteur des travaux de l'*Avon River*, malgré la bonne volonté de ses trente-cinq ouvriers improvisés qui s'escrimaient sur le vieux rafiot de l'aube au crépuscule. Lorsque survint enfin le jour du lancement, l'opération fut loin d'être triomphale : alors même que le chalutier, tout frais repeint en blanc, glissait sur ses voies, on s'aperçut que rien n'avait été prévu pour le retenir, de sorte qu'il flotta à l'aventure jusqu'à ce qu'un bateau puisse le pousser vers une bouée d'amarrage. Pour comble d'indignité, on vit alors apparaître l'*Enchanteur* en remorque, qui était tombé en panne pendant une expédition à la recherche des trésors enfouis par le Commodore au cours de ses vies antérieures. Finalement, les deux bateaux furent en état de prendre la mer deux jours plus tard et mirent le cap sur Gibraltar.

Quant au *Royal Scotsman*, il était bloqué à Southampton par le Board of Trade, organisme responsable des navires immatriculés dans le Royaume-Uni. Le 7 novembre, l'homme de loi de la Scientologie, qui sollicitait le changement de classification du navire en « yacht de plaisance », n'avait pu obtenir l'autorisation d'appareiller pour Gibraltar faute de mise en conformité préalable avec les normes de la Convention internationale de sécurité en mer. Changeant aussitôt son fusil d'épaule, la Sea Org demanda la classification du *Royal Scotsman* en baleinier, volte-face trop subite pour ne pas éveiller les soupçons des autorités qui interdirent au navire de sortir du port sans avoir auparavant satisfait à la réglementation en vigueur. Informé à Gibraltar de ce fâcheux contretemps, Hubbard fustigea la stupidité des gens censés le servir et tonna contre les lois iniques qui lui interdisaient de faire ce qu'il voulait de son propre navire. Puis, sa fureur apaisée, il décida que la seule solution serait de se rendre en Angleterre avec un équipage trié sur le volet, de prendre possession du *Royal Scotsman* et de lever l'ancre en faisant la nique aux fonctionnaires obtus du Board of Trade.

Quelques jours plus tard, une étrange escouade de marins d'opérette débarqua du vol de Gibraltar à l'aéroport de Gatwick. Vêtus de bleu et coiffés de coquets bérets à pompons, ils étaient menés par un homme corpulent au teint rouge, le chef couronné d'une casquette de yachtman d'un modèle inconnu. Brandissant avec autorité un document couvert de cachets et de paraphes, l'homme à la casquette déclara au douanier de Sa Majesté qu'il commandait l'équipage chargé de convoyer un navire appartenant à la Hubbard Explorational Company Ltd. Le douanier jeta un bref coup d'œil au papier et demanda distraitement : « C'est le même Hubbard que celui d'East Grinstead ? – Bien sûr ! répondit l'homme corpulent. M. Hubbard est explorateur. » Amos Jessup, qui se tenait juste derrière Hubbard, ne put qu'admirer son sang-froid.

Là-dessus, la troupe s'engouffra dans un minibus qui la conduisit directement sur un quai de Southampton, au pied du *Royal Scotsman*. « Nous avons regardé cet énorme bateau avec effarement, se souvient Jessup. Il faisait au moins trois étages de haut et plus de cent mètres de long. J'avais été nommé maître d'équipage sans avoir aucune idée de ce que cela voulait dire... Une fois à bord, LRH nous a fait asseoir sur l'escalier entre le pont A et le pont B et nous a dit : " Ne craignez rien. J'ai mené des navires plus grands que celui-ci, ce n'est pas plus difficile que de conduire une Cadillac, vous verrez. " Après cela, j'avoue que nous nous sommes sentis un peu mieux. »

Le *Royal Scotsman* fut alors le théâtre d'une activité fébrile. Une noria de camions apporta de Saint Hill des caisses et des classeurs, des taxis amenèrent des dizaines de volontaires munis d'un baluchon et du « contrat d'un milliard d'années » imposé par Hubbard à quiconque voulait servir dans la Sea Org. Mary Sue et les enfants clorent le défilé et s'installèrent dans les cabines du pont supérieur réservées à la famille. Diana avait maintenant quinze ans, Quentin treize, Suzette douze et le petit Arthur tout juste neuf. Ils avaient à bord quelques compagnons du même âge qui allaient bénéficier des lumières d'un précepteur.

Mais les membres de l'équipage n'étaient pas tous volontaires. Tel était le cas de John McMaster, tombé en disgrâce depuis peu. Sacré par Hubbard « pape de l'Église de scientologie », il avait répandu la bonne parole de par le monde en attirant de si larges rassemblements que sa popularité et son influence grandissantes au sein du mouvement lui valurent la vindicte de Hubbard. Lors d'un passage à Saint Hill entre deux tournées, il avait été démis de ses titres, rétrogradé et condamné à repartir de zéro.

Il évoquera plus tard ses souvenirs avec amertume en se référant à Hubbard sous le sobriquet de « Gros Lard » : « J'ai reçu l'ordre de me présenter à Saint Hill un dimanche matin avec toutes mes affaires. J'ai dû monter à l'arrière d'un camion-plateau chargé de caisses sans que je sache où il allait. A Southampton, j'étais littéralement paralysé par le froid – on était en novembre, ne l'oubliez pas. Quand je suis monté sur la dunette, Gros Lard est apparu : "Ah! Vous avez quand même daigné venir ? " "Vous le voyez bien ", ai-je répondu. " Si vous restez avec nous, je viens vous serrer la main. " Se rendant alors compte que j'étais glacé, il s'est mis à brailler qu'on m'emmène immédiatement dans une cabine chauffée, où j'ai passé trois heures à me dégeler avant d'apprendre que je serai aide de cuisine. J'étais déjà trop habitué à la folie de Hubbard pour me laisser abattre par cette nouvelle brimade. »

Hubbard engagea trois marins professionnels, dont un chef mécanicien, pour épauler son équipage d'amateurs et chargea Hana Eltringham, infirmière sud-africaine promue « officier d'éthique », de faire immatriculer d'urgence le *Royal Scotsman* en Sierra Leone afin de tourner l'interdiction du Board of Trade. Hana passa d'abord par Las Palmas chercher un avocat espagnol ayant déjà travaillé pour la Scientologie et se rendit avec lui à Freetown, la capitale, où il ne leur fallut que trente-six heures pour accomplir les démarches nécessaires. Le 28 novembre, munie des nouveaux papiers du bâtiment et du drapeau qu'elle avait pris la précaution d'acheter, Hana était de retour à Gatwick et regagnait Southampton en taxi.

« J'ai immédiatement porté les papiers à LRH, qui était ravi de me voir revenue aussi vite. Mais pendant qu'il lisait les documents, j'ai senti la terreur me gagner en le voyant froncer les sourcils. " Avez-vous vu cela ? " a-t-il dit en me montrant le nom du navire. Ils avaient oublié le *s*, si bien que le nom était devenu *Royal Scotman*. Je commençais à bredouiller des excuses quand il a éclaté de rire et m'a secoué la main en disant : " Doubles félicitations! Maintenant, le bateau a non seulement un nouveau pavillon mais un nouveau nom. " Et il a donné aux peintres l'ordre d'effacer le *s* sur la coque, les canots et les bouées de sauvetage. »

Le lendemain, le *Royal Scotman* demanda l'autorisation d'appareiller à destination de Brest pour y subir des réparations. Les autorités portuaires de Southampton n'ayant pas le pouvoir de détenir un navire battant pavillon étranger, le vaisseau-amiral de la Sea Org leva l'ancre pour une croisière inaugurale riche en péripéties : « Il y avait une forte tempête en Manche, se souvient Hana Eltringham. Nos moteurs ne tournaient pas rond... Un générateur a lâché à mi-chemin entre Southampton et Brest... Nous approchions de l'entrée de la rade quand nous avons été pris par un courant violent qui nous poussait vers les rochers. Malgré les stabilisateurs, le bateau roulait de plus en plus fort, gîtait jusqu'à vingt-cinq degrés et se redressait à grand-peine... Hubbard hurlait au navigateur : " Changez de cap! Sortez-nous de là! " J'étais terrifiée et, de la manière dont il criait en se cramponnant à la main courante, je suis sûre que LRH l'était lui aussi... Une fois éloignés de la côte, Hubbard nous a annoncé qu'il décidait de ne pas aller à Brest et de continuer notre route vers le sud...

« Le lendemain, nous avons échappé de justesse à une autre catastrophe, poursuit Hana Eltringham. La nuit tombait quand nous sommes arrivés à l'entrée du détroit de Gibraltar par le couloir de navigation nord. La mer grossissait et la tempête a éclaté en un clin d'œil... La pression dans les canalisations hydrauliques a brutalement chuté, la commande du gouvernail sur la passerelle ne fonctionnait plus et le navire a commencé à dériver vers la côte marocaine. Après avoir allumé les signaux de détresse, nous nous sommes escrimés à brancher la commande de secours sur la dunette... Pendant ce temps, Hubbard appelait Gibraltar à la radio en demandant qu'on envoie un remorqueur. Ils ont refusé! Sous prétexte que nous n'avions pas respecté notre plan de navigation [en allant à Brest] ils disaient que nous n'aurions accès à aucun port britannique. LRH avait beau supplier, dire qu'il y avait des femmes et des enfants à bord, ils n'ont rien voulu savoir. J'étais bouleversée... Finalement, nous avons réussi à brancher le gouvernail de secours... Je me cramponnais à la roue, le visage ruisselant de larmes, en me demandant ce que nous allions devenir. S'entendre refuser du secours par un port anglais me paraissait une telle énormité que j'en éprouvais mille fois plus de sympathie pour le Vieux... Personne ne voulait de nous ni de cet homme brillant et des trésors qu'il offrait à l'humanité! »

Repoussé de Gibraltar, le *Royal Scotman* poursuivit sa route jusqu'à Monaco, où Hubbard espérait être mieux reçu car l'eau douce et les provisions commençaient à manquer. Le navire étant trop gros pour entrer dans le port, les autorités monégasques acceptèrent de le ravitailler par vedettes et d'envoyer des mécaniciens réparer le gouvernail. Le *Royal Scotman* reprit ensuite la mer en direction de la Sardaigne et accosta à Cagliari, sa première escale depuis Southampton.

Le navire à peine amarré, Hubbard reçut un câble qui provoqua une nouvelle crise de rage : pris dans une violente tempête au nord des Baléares, l'*Avon River* avait subi des avaries considérables. Le visage agité de tics, un doigt vengeur pointé sur la carte, Hubbard hurlait : « Qu'est-ce qu'ils faisaient là ? Qu'est-ce qu'ils faisaient là ? » John O'Keefe, l'infortuné scientologue bombardé commandant de l'*Avon River*, s'était embrouillé dans ses ordres au point de se trouver à des dizaines de milles au nord de son itinéraire prévu alors qu'il aurait dû passer au large des Baléares par le sud pour rejoindre le *Royal Scotman* en Sardaigne. Hubbard bouillait encore quand l'*Avon River* entra dans le port de Cagliari. Il refusa de parler à O'Keefe et nomma un comité qui le jugea coupable de manquement grave à son devoir, le dégrada et le condamna à travailler aux machines. O'Keefe, qui avait cru faire de son mieux pour sauver le bâtiment et l'équipage, en resta accablé.

Cette succession d'incidents assombrit les festivités de Noël, après lesquelles le Commodore décida de retraverser la Méditerranée jusqu'à Valence, en Espagne – voyage de huit cents kilomètres qui s'effectua cette fois sans encombre. Lorsque les deux navires furent amarrés côte à côte dans le port de Valence, O'Keefe osa revoir son amie Hana Eltringham. « Son état m'a bouleversée, se souvient-elle. Il avait maigri de dix kilos, les joues creuses, les yeux cernés comme un squelette... Il m'a dit qu'il envisageait de partir et j'y ai pensé moi aussi. Pour la première fois, je me suis interrogée sur ce qui se passait... mais, au bout d'une semaine de réflexion, je n'ai pas pu me décider à tout lâcher. Je me disais que j'étais membre de la Sea Org, que je devais lutter pour gagner ma liberté, que rien n'était facile et qu'il fallait apprendre à surmonter les obstacles. J'ai vécu des moments critiques, mais j'ai réussi à réprimer mon envie d'échapper à cette folie ambiante. »

Stanley Churcher, l'un des trois marins professionnels du *Royal Scotman*, n'eut pas de tels scrupules de conscience. Embarqué à Southampton, ses compagnons de bord lui sortaient par les yeux en arrivant à Valence. Puni d'une « condition douteuse » pour « désobéissance aux ordres, encouragement à la désertion et à la mutinerie et tentative de subornation du chef mécanicien », il déclara en termes non équivoques aux officiers scientologues ce qu'il pensait de « leur charabia » et fut renvoyé séance tenante. De retour en Angleterre, il s'empressa d'aller raconter son histoire à *People*, magazine à scandale parmi les plus croustillants du Royaume-Uni, qui en fit ses choux gras et la publia sous la manchette « Ohé du bateau ! La croisière en folie », avec des photos du *Royal Scotman* et du « Commodore » Hubbard, patron de la « secte du décervelage » que Churcher accablait de son mépris. « Il y avait sept officiers, dont quatre femmes, qui se pavanaient en uniformes couverts de galons et de dorures mais qui n'y connaissaient rien à la navigation... Hubbard arborait quatre casquettes de modèles différents. Quant à sa femme, elle s'amusait à jouer au marin... Tous les jours, ils tenaient des mystérieux conciliabules auxquels nous n'avions pas le droit d'assister. Comme j'étais curieux de savoir ce qui se passait, je leur ai proposé de leur apprendre la navigation et ils étaient tellement contents qu'ils m'ont offert un cours de Scientologie gratuit. Ils m'ont fait passer un test avec une sorte de détecteur de mensonge qu'ils appellent un électromètre et une femme a commencé à me poser des tas de questions personnelles, y compris sur ma vie sexuelle! Il y avait dans les élèves une femme de soixante-dix-sept ans qui m'a dit que quand elle mourrait, M. Hubbard lui donnerait un nouveau corps. Allez comprendre! »

Chapitre 17

A la poursuite des vies antérieures

« NOTRE AGENT RAPPORTE QUE HUBBARD OPÈRE UNIVERSITÉ FLOTTANTE MORALITÉ DOUTEUSE, NON ACCRÉDITÉE PAR UNIVERSITÉ U.S. ET DONNANT MAUVAISE IMAGE ÉTATS-UNIS À L'ÉTRANGER... ÉTABLISSEMENT FLOTTANT FAIT PROBABLEMENT PARTIE DE SECTE DE CHARLATANS. » (Échange de câbles CIA, juin-juillet 1968.)

Peu après l'arrivée du *Royal Scotman* à Valence, un groupe de scientologues débarqua de Saint Hill par avion. Parmi eux se trouvait une jeune New-Yorkaise, Mary Maren :

« Pendant que je suivais le cours de Saint Hill, j'ai vu revenir des membres du " projet maritime "... squelettiques et épuisés... J'ai appris plus tard qu'ils avaient nettoyé les cales du navire pleines de bouse de vache mais je ne le savais pas encore quand j'ai pris l'avion : je n'étais jamais allée en Espagne et l'aventure m'excitait... On m'a affecté une cabine minuscule mais tout semblait impeccable à bord et l'atmosphère était sympathique... LRH nous réunissait le soir sur le pont et nous parlait de ses aventures passées. Il avait été, entre autres, coureur automobile dans la civilisation Marcab, qui existait plusieurs millions d'années auparavant sur une autre planète... ressemblant à la Terre des années cinquante, sauf qu'ils savaient voyager dans l'espace... Quand il était pilote de course, LRH s'appelait Dragon Vert et avait établi des records de vitesse avant de se tuer dans un accident. Il s'était ensuite réincarné sous le nom de Diable Rouge et avait battu les records... Et puis, il s'est rendu compte qu'il ne faisait que battre ses propres records et cela ne l'amusait plus... »

Hubbard s'adressait à des scientologues confirmés, qui croyaient dur comme fer aux vies antérieures et prenaient très au sérieux ses histoires les plus invraisemblables. Aucun de ceux qui l'écoutaient discourir sur le pont du *Royal Scotman* par ces chaudes nuits d'Espagne ne doutait un seul instant qu'il ait été coureur automobile marcabien...

Sa manie d'enterrer des trésors était un des éléments récurrents de ses vies passées sur Terre, de même que sa frustration de ne pas les retrouver dans sa vie présente. L'espoir lui revenant depuis qu'il disposait de plusieurs bateaux et d'un personnel abondant, il recruta en février 1968 des volontaires pour une « mission spéciale » à bord de l'*Avon River*. Sous les regards envieux des exclus penchés à la rambarde du *Royal Scotman*, le Commodore les soumit à un entraînement intensif au cours des semaines suivantes. Chronomètre en main, il leur faisait exécuter d'innombrables exercices, allant du sauvetage d'un homme tombé à la mer à des alertes au feu et à la manière de repousser un abordage – la Méditerranée, disait-il, grouillait de pirates et ils ne devaient pas paniquer en cas d'attaque...

Au début de mars, l'*Avon River* mit le cap sur la Sicile et jeta l'ancre près du cap Carbonara. Là, Hubbard informa ses fidèles de la nature de leur « mission », dont ils ignoraient encore tout : pour la première fois, il disposait dans une de ses incarnations des ressources en hommes et en matériel lui permettant de réaliser une ambition caressée des siècles durant. Les immenses fortunes amassées au cours de ses vies antérieures étant enterrées en certains lieux tels que celui-ci, ils allaient les localiser et les récupérer, avec ou sans l'accord des autorités locales.

Deux mille ans auparavant, lorsqu'il était amiral d'une escadre de galères, il y avait un temple sur la côte devant laquelle ils étaient ancrés, le temple de Tenet dont la grande prêtresse, une femme charmante ajouta-t-il avec un sourire complice, « aimait réchauffer le cœur des marins ». Scindés en plusieurs groupes, ils descendraient à terre le lendemain matin afin de retrouver les ruines du temple et l'entrée du caveau secret où était enfoui un trésor considérable de vaisselle en or massif. « Nous étions électrisés à l'idée de cette aventure, se souvient Amos Jessup, l'un des premiers à s'être porté volontaire pour embarquer sur l'*Avon River*. Que ce soit réel ou imaginaire, si Ron y attachait de l'importance j'aurais fait n'importe quoi pour lui. »

Les explorateurs eurent d'abord du mal à localiser les ruines, jusqu'à ce que Hubbard s'avise que ses souvenirs se basaient sur des documents de navigation anciens alors qu'il s'était référé à des cartes modernes pour définir le site. Une fois ce problème résolu, le temple fut retrouvé d'autant plus aisément... qu'il était signalisé par des panneaux – sans que nul n'osât suggérer qu'il aurait suffi de consulter un guide touristique. Le fait que le temple soit connu et répertorié ne facilita cependant pas la tâche des scientologues, qui ne pouvaient balayer le secteur au détecteur de métal, encore moins creuser des trous, sans éveiller la méfiance des autochtones. Bien qu'un des groupes ait affirmé avoir repéré quelque chose ressemblant à une ouverture secrète et qu'un balayage discret au détecteur ait révélé la présence de métal, Hubbard préféra reprendre la mer après avoir soigneusement noté les coordonnées.

L'*Avon River* cingla ensuite vers la Tunisie, riche en vestiges de l'antique Carthage. Hubbard y avait connu un prêtre carthaginois avec qui il avait enfoui de l'or et des pierres précieuses sous un temple qu'il se faisait fort de retrouver. Une fois dans le port de Bizerte, le Commodore confectionna en terre glaise une maquette du site présumé de ce temple et instruisit ses émissaires d'explorer la côte jusqu'à ce qu'ils aient repéré une topographie similaire. Quelques jours plus tard, les chercheurs revinrent à bord en annonçant qu'ils avaient retrouvé l'endroit mais que l'érosion l'avait dégradé au point que l'entrée du tunnel secret était inaccessible. Hubbard se rendit à son tour sur les lieux et confirma, non sans regrets, l'exactitude de leur observation.

Si les équipiers du Commodore n'avaient encore mis la main sur aucun des trésors annoncés, leurs « découvertes » les poussaient à persévérer. De Bizerte, l'*Avon River* procéda donc vers La Goulette, l'avant-port de Tunis, où la mauvaise qualité du matériel de plongée fit échouer une tentative d'exploration des ruines d'une cité engloutie. Hubbard se souvint alors d'un autre temple dont il fabriqua la maquette, mais on constata que le site était occupé par un bâtiment officiel et on dut en rester là.

Rien ne pouvant décourager nos explorateurs, l'*Avon River* mit le cap sur la Sicile et fit escale dans le petit port de pêche de Castellamare, sur la côte nord. Le Commodore rassembla l'équipage sur le pont, montra une vieille tour de guet perchée sur un promontoire et décida que, pour plus de sûreté, les fouilles auraient lieu dans l'obscurité. Partis au crépuscule, les chercheurs d'or revinrent quelques heures plus tard, surexcités, en annonçant que l'aiguille du détecteur de métal s'était affolée près de la base de la tour. Une équipe munie de pelles et de pioches partit la nuit suivante à la conquête du trésor mais revint bredouille, les fondations rocheuses s'étant révélées trop coriaces pour leurs outils. Déçu, Hubbard décréta qu'il était inutile de perdre davantage de temps; il suffirait plus tard de retrouver le propriétaire du terrain et de lui acheter la ruine afin de procéder à loisir aux excavations.

L'*Avon River* traversa ensuite le détroit de Messine en direction de la Calabre, où Hubbard avait été percepteur du temps de l'empire romain. Fonctionnaire peu scrupuleux qui détournait les deniers publics (on ne se refait pas...), il avait abrité son magot des pillards en le dissimulant dans des grottes de la côte aménagées en sanctuaires. Pendant que deux équipes exploraient les secteurs indiqués, l'*Avon River* faisait la navette le long de la côte que des guetteurs scrutaient à la jumelle. Les recherches restant infructueuses, Hubbard conclut avec dépit que l'érosion avait sans doute détruit une partie des falaises et que la mer avait emporté les sanctuaires avec ses trésors.

Mais le moral restait au beau fixe dans l'attente du couronnement de la mission : la visite d'une station spatiale secrète en Corse. Hubbard avait montré à quelques privilégiés des notes confidentielles où étaient consignées la description et la localisation exactes de la station dans les montagnes au nord de l'île. Elle occupait une immense caverne où l'on pénétrait en pressant d'une certaine manière une certaine empreinte de main (nul ne doutait qu'il ne s'agît de celle du Commodore) contre un certain endroit d'un certain rocher, ce qui faisait pivoter une dalle masquant l'entrée de la caverne et, du même coup, activait la station. Celle-ci abritait un vaisseau interplanétaire et une flottille de véhicules légers, tous construits dans un alliage inoxydable inconnu des Terriens, ainsi que l'équipement nécessaire à leur fonctionnement, y compris le carburant et les provisions pour un voyage de plusieurs dizaines d'années-lumière.

La légitime curiosité de l'équipage resta malheureusement inassouvie car, vers la fin avril, Mary Sue demanda par radio le retour urgent du Commodore à Valence pour cause de « flap » (euphémisme employé pour décrire un conflit entre scientologues et « Wogs », c'est à dire non-scientologues). Hubbard prit donc le chemin du retour, au cours duquel les coursives de l'*Avon River* bruissèrent des suppositions les plus folles sur ce qui aurait dû se produire dans la station spatiale corse. Un consensus se dégagea autour de l'hypothèse que le Commodore entendait quitter la Terre à bord du vaisseau intersidéral afin de poursuivre son œuvre sur une planète plus accueillante. La Sea Org, disait-on avec espoir, n'était peut-être qu'un premier pas vers la création d'une « Space Org »...

Ces nobles considérations durent cependant être mises de côté car, dans sa traversée de la Méditerranée, l'*Avon River* essuya une série de fortes tempêtes, dont se ressentit l'humeur du Commodore qui ne décoléra pas. Sa fureur redoubla en apprenant à Valence que le « flap » était provoqué par le capitaine du *Royal Scotman*, qui refusait d'obtempérer aux demandes réitérées des autorités portuaires de déplacer le navire à un môle de l'avant-port : la situation s'était aggravée au point que les Espagnols menaçaient de remorquer le bâtiment au large et de lui interdire de rentrer au port. Hubbard envoya des émissaires arrondir les angles et fit amarrer le *Royal Scotman* à l'emplacement désigné. Quelques jours plus tard, pour comble d'infortune, l'ancre du *Royal Scotman* dérapa alors qu'une tempête se levait. Hubbard parvint à rétablir la situation avant que les amarres ne se rompent et que le navire ne soit drossé contre les rochers, mais le gouvernail avait été endommagé en heurtant le môle.

Écumant de rage, le Commodore ordonna aussitôt une « enquête d'éthique » pour démasquer le ou les responsables. En attendant, il infligea une « condition de handicap » à tout le navire et bombarda Mary Sue capitaine, avec ordre de faire réparer les avaries puis de croiser le long de la côte espagnole aussi longtemps qu'il le faudrait pour parfaire l'entraînement de l'équipage et remettre le *Royal Scotman* dans un état digne de la Sea Org. Jusque là, elle avait interdiction absolue de toucher terre.

C'est ainsi qu'au cours des semaines suivantes, les pêcheurs de la région eurent droit au spectacle inoubliable d'un paquebot faisant des huits au large des côtes, avec un manchon de toile grise autour de la cheminée. S'ils avaient été admis à bord, ils auraient été encore plus étonnés de voir que tous les membres de l'équipage, y compris une femme en tenue de capitaine, arboraient un chiffon gris noué autour du bras gauche. Les mauvaises langues prétendirent même que Vixie, le chien de Mary Sue, était lui aussi obligé de porter un linge gris à son collier...

Resté à bord de l'*Avon River*, Hubbard appareilla à destination d'Alicante, où les élèves débarqués du *Royal Scotman* étaient provisoirement hébergés dans une « base à terre », c'est à dire à l'hôtel. Il fut fort dépité de ne pouvoir leur rendre la visite projetée en découvrant à la dernière minute que l'*Avon River* était trop gros pour entrer dans le port. Après avoir hésité sur la conduite à tenir et consulté les cartes, il décida d'aller à Marseille. Comme d'habitude, nul n'osa lui demander pourquoi il fallait traverser une bonne partie de la Méditerranée alors que les machines de l'ancien chalutier, éprouvées par les récentes tempêtes, inspiraient de sérieuses inquiétudes.

A Marseille, tandis que l'*Avon River* subissait les réparations indispensables, Hubbard loua une villa où il fit aussitôt installer un télex afin de rester en contact avec Saint Hill. Il apprit ainsi que de virulentes campagnes de la presse britannique dressaient l'opinion publique contre la Scientologie et qu'on s'attendait à de nouveaux débats la concernant à la Chambre des Communes.

Au début de juin, Mary Sue informa le Commodore par radio que le *Royal Scotman* était prêt pour un retour en grâce. Magnanime, son époux l'autorisa à venir se soumettre à son inspection, à l'issue de laquelle il déciderait ou non de lever la sanction. Repeint en blanc de l'étrave à la poupe, ses cuivres astiqués et son équipage en uniformes neufs aligné sur le pont, le *Royal Scotman* avait fière allure quand il fit peu après son entrée dans le port de Marseille. Hubbard restaura en grande pompe le navire dans ses privilèges, réintégra sa cabine et fit mettre le cap sur Melilla au Maroc espagnol, à huit cents milles marins de Marseille, sans que nul ne sache pourquoi.

L'heureuse humeur du Commodore ne dura cependant pas : la grève générale qui paralysait la France avait interrompu les réparations de l'*Avon River*, immobilisé à Marseille. Un flot de messages-radio comminatoires de Hubbard décida Hana Eltringham, qui avait entre-temps pris le commandement du chalutier, à forcer le blocus avec ses moteurs à demi réparés. Après maintes péripéties et des arrêts d'urgence à Barcelone et à Valence pour remettre les machines à peu près en état, elle reçut l'ordre de rejoindre le *Royal Scotman* à Bizerte, où Hubbard plaça incontinent l'*Avon River* en « condition de handicap » sans même vouloir écouter les explications, pourtant tout à fait légitimes, de l'infortunée Hana.

Environné de traîtres et d'incapables, Hubbard se devait d'instaurer de nouvelles punitions contre les membres fautifs de la Sea Org. Selon son caprice du moment, les coupables se voyaient condamnés à être incarcérés dans les puits des chaînes d'ancres et nourris dans des seaux comme des animaux, ou à décaper la peinture des ballasts pendant vingt-quatre ou quarante-huit heures d'affilée, sans une pause. Une variante de ces sanctions infamantes se présenta à point nommé lorsqu'un jeune Hollandais, Otto Roos, eut le malheur de laisser tomber à l'eau une amarre au cours d'une manœuvre. Congestionné par la fureur, Hubbard ordonna de jeter le coupable par-dessus bord.

Nul, au grand jamais, ne songeant à discuter les ordres du Commodore, les deux membres d'équipage les plus proches empoignèrent donc le Hollandais et le balancèrent au-dessus du bastingage. Il y eut un grand plouf, suivi du silence horrifié des témoins de la scène qui, ne voyant pas reparaître leur camarade, se demandaient s'il ne s'était pas assommé contre la coque. Heureusement, Roos était bon nageur ; quand il remonta sur le pont par l'échelle de coupée déployée sur l'autre bord, il fut tout surpris de voir l'équipage anxieusement penché à la rambarde du côté où il était tombé.

« Il était impensable d'émettre le moindre doute ou la moindre objection sur ce que disait et faisait Hubbard, se souvient David Mayo, un Néo-Zélandais membre de la Sea Org depuis le début. On ne pouvait se fier à personne : une simple moue dubitative risquait de lui être rapportée... Pour la plupart d'entre nous, la seule idée d'être chassé de la Scientologie était insoutenable au point qu'on refusait de l'envisager... Nous ne voulions même pas penser trop fort au comportement [de Hubbard]... irrationnel la plupart du temps, car l'admettre en son for intérieur était une " pensée déshonorante " qu'on n'avait pas le droit de s'accorder. Les " enquêtes de sécurité " comportaient la question : " Avez-vous jamais eu des pensées hostiles envers LRH ? " et vous vous exposiez à de graves ennuis en répondant oui. On se forçait donc à ne plus penser du tout. »

Le 25 juillet 1968, alors que Hubbard était à Bizerte, le gouvernement britannique prit enfin des mesures contre la Scientologie. Kenneth Robinson, ministre de la Santé, informa la Chambre des Communes que l'entrée du Royaume-Uni serait dorénavant interdite aux étudiants en Scientologie. « Après examen des témoignages à sa disposition, déclara-t-il, le gouvernement a acquis la conviction que la Scientologie est socialement nuisible. Elle divise les familles et impute à ses adversaires des mobiles sordides et déshonorants. Ses principes et pratiques despotiques font planer une menace sur la personnalité et la santé morale des individus assez crédules pour y avoir adhéré ; ses méthodes peuvent mettre gravement en péril la santé physique de ceux qui s'y soumettent. » Quelques jours plus tard, le Home Secretary, ministre de l'Intérieur, annonça que L. Ron Hubbard était désormais classé « étranger indésirable » et n'aurait par conséquent pas le droit de revenir en Grande-Bretagne. Hubbard envoya aussitôt à Saint Hill un télex dans lequel il déclarait que « l'Angleterre, jadis lumière et espoir du monde, est devenue un État policier qui ne peut plus nous inspirer confiance ».

Ces événements incitèrent Fleet Street à redoubler de zèle pour interviewer l'insaisissable M. Hubbard. Le *Daily Mail*, qui avait récemment pris un malin plaisir à publier ses numéros de comptes bancaires en Suisse, fut le premier à retrouver sa trace à Bizerte. Affectant une indifférence désinvolte aux décisions du gouvernement de Sa Majesté, Hubbard invita à bord les émissaires du *Daily Mail* et répondit deux heures durant à leurs questions. Il affirma ne plus diriger la Scientologie, voyager uniquement pour sa santé et n'avoir aucune inquiétude quant à l'accueil qui lui serait réservé à son retour en Angleterre : « Mon seul nom inspire confiance, je suis *persona grata* partout où je vais... Il en a toujours été ainsi et il en sera toujours ainsi. »

Hubbard pouvait se vanter d'avoir réussi un tour de force : le journal ne trouva rien de plus désobligeant à dire sur son compte que le fait qu'il fumait des Kool à la chaîne et était « agité de tics nerveux ». Il fit montre de la même assurance avec l'équipe de télévision arrivée le lendemain ; lorsque le présentateur lui demanda de but en blanc : « Vous êtes-vous jamais dit que vous étiez peut-être complètement fou ? – Bien sûr ! répondit-il avec un sourire désarmant. Le seul homme au monde qui ne se croie pas fou est un fou. » Il expliqua ensuite aux téléspectateurs de la BBC qu'il devait moins sa fortune à la Scientologie qu'à son œuvre d'écrivain de science-fiction (« Quinze millions de mots publiés, sans parler de mes nombreux films à succès, fit-il observer, ce n'est pas rien ! ») et qu'il explorait la Méditerranée afin d'étudier les civilisations de l'Antiquité et d'essayer de déterminer les causes de leur déclin.

L'équipe de la BBC à peine partie, Hubbard décida qu'il avait mieux à faire que de rester à Bizerte amuser les médias à ses dépens. Le *Royal Scotman* leva donc l'ancre précipitamment tandis que les retardataires, abandonnés sur le quai, le regardaient s'éloigner en s'interrogeant avec inquiétude sur ce que leur coûterait le voyage de retour.

L'arrivée du *Royal Scotman* à Corfou deux jours plus tard passa quasiment inaperçue. L'île de Corfou était une escale habituelle des navires de croisière qui y accostaient et en partaient journellement. A l'exception, peut-être, de son pavillon sierra-léonais, le *Royal Scotman* n'offrait rien de particulier au regard et la rumeur qu'il s'agissait d'une de ces écoles flottantes alors à la mode suffit à rassasier la curiosité blasée des badauds.

Hubbard délégua des émissaires au capitaine du port, Marius Kalogeras, pour lui dire qu'ils représentaient une organisation internationale, l'Operation and Transport Corporation Ltd ou OTC. Avec deux autres bâtiments devant prochainement rejoindre leur navire-école, ils comptaient séjourner quelque temps à Corfou où les étudiants suivraient des cours à bord. La logistique et l'approvisionnement des trois navires représenteraient des sommes importantes pour l'économie de l'île, sans compter ce que les étudiants ne manqueraient pas de dépenser à terre.

Le capitaine Kalogeras reçut le message cinq sur cinq : il affecta à l'OTC les meilleurs emplacements d'un secteur rénové du port et promit son entière coopération. Cet accueil chaleureux inspira au Commodore des sentiments si affectueux pour le peuple grec en général et celui de Corfou en particulier qu'il accorda à l'un des quotidiens locaux une interview sur le récent coup d'État des Colonels. A l'obséquiosité du journaliste, Hubbard répondit par un louable effort de séduction :

Question : Monsieur Hubbard, l'éminente personnalité internationale que vous êtes a sans doute suivi l'évolution de la situation politique en Grèce. Que pensez-vous de l'œuvre de l'actuel gouvernement national ?

Réponse : Le gouvernement est le miroir du peuple. Partout où mes étudiants et moi-même allons [depuis notre arrivée], les gens nous disent à quel point ils se sentent en sécurité. La décision d'établir ici le siège de notre compagnie prouve notre confiance dans la Grèce.

Q. : J'ai entendu dire, Monsieur Hubbard, que vous aviez lu la Constitution grecque d'un bout à l'autre. Si c'est exact, quelle opinion en avez-vous ?

R. : Je l'ai lue, en effet, et avec le plus grand intérêt. Je suis frappé par la place qu'elle réserve aux droits de l'homme. J'ai étudié de nombreuses Constitutions, y compris les lois orales régissant les tribus primitives. La vôtre s'inspire de façon brillante de la grande tradition démocratique de la Grèce. De toutes les Constitutions modernes, elle me paraît de loin la meilleure.

La dictature des colonels championne de la démocratie et des droits de l'homme, voilà qui ne correspondait guère à l'opinion internationale! Le journaliste s'abstint pourtant de le faire observer à Hubbard...

Lorsque l'*Avon River* rejoignit le navire-amiral à Corfou, Hubbard était si épris de la Grèce qu'il décida de rebaptiser sa flotte en l'honneur de ses hôtes. C'est ainsi que le *Royal Scotman* allait devenir l'*Apollo*, l'*Avon River* l'*Athena* et l'*Enchanteur*, qui cabotait ici et là en Méditerranée et tombait sans cesse en panne, le *Diana*.

A la fin août, les premiers étudiants en provenance de Saint Hill arrivèrent à Corfou, lestés pour la plupart de fortes sommes d'argent sorties clandestinement d'Angleterre. (Le gouvernement britannique avait récemment réglementé les exportations de devises, au grand dam de la Sea Org qui payait ses factures en argent liquide.) « On m'avait confié 3 000 livres en gros billets que j'avais cachés dans mes bottes », se souvient Mary Maren. Cette forme de fraude correspondait tout à fait à l'état d'esprit de la Sea Org, qui affichait le plus profond mépris pour les mesquineries du monde des « Wogs ». Ainsi, le commissaire de l'*Avon River* s'était spécialisé dans la fabrication des faux documents exigés par l'insatiable voracité des organismes maritimes. Pour la plus grande joie des scientologues, ses tampons officiels plus vrais que nature, sculptés dans des pommes de terre, étaient acceptés les yeux fermés.

Les cours de Corfou étaient réservés aux scientologues confirmés désireux d'accéder au statut d'OT de Niveau VIII, le plus élevé qu'on puisse alors atteindre. Si tout scientologue digne de ce nom aspirait à cet honneur, aucun n'était cependant préparé au régime tyrannique qui prévalait désormais au sein de la Sea Org. Affublés d'une salopette verte, d'une ceinture et de sandales en cuir marron, les étudiants étaient soumis à de constantes humiliations. « On nous répétait que nous valions moins que des punaises et que nous n'étions même pas dignes d'auditer le chien de Mary Sue, se souvient Mary Maren. La journée de travail commençait à 6 heures du matin et se terminait à 11 heures du soir, après une conférence d'une heure et demie donnée par Hubbard dans la salle à manger du pont B. Nous tremblions de peur de nous endormir au point que nous nous pincions les uns les autres. Le régime était d'une dureté inhumaine. Nous vivions dans une terreur continuelle. »

Bientôt convaincu qu'il se produisait trop d'erreurs dans les séances d'*auditing,* Hubbard annonça un soir que les responsables seraient jetés par-dessus bord. Chacun rit de cette bonne plaisanterie. Le lendemain matin, au rassemblement général sur le pont, on appela deux noms. Les deux étudiants qui s'avancèrent sans méfiance se firent balancer sans autre forme de procès par-dessus le bastingage, sous les regards horrifiés de leurs camarades. Hubbard, Mary Sue et leur fille aînée Diana, en grand uniforme de la Sea Org, observaient la scène du haut du pont promenade. Quand les punis, suffoquants et dégoulinants, remontèrent sur le pont par l'échelle de coupée, ils furent obligés de saluer militairement et de demander l'autorisation de revenir à bord.

Ce rituel devint ensuite quotidien et les noms des punis étaient inscrits tous les soirs au tableau d'affichage. « Le " chapelain " bredouillait une sorte d'incantation où il était question de nous purifier de nos péchés et les pauvres bougres étaient jetés à l'eau, se souvient Ken Urquhart. Nous l'acceptions sans protester parce que nous avions une foi aveugle dans tout ce que faisait Ron pour sauver l'humanité. » Pour Hana Eltringham, « c'était barbare et inhumain. Il y avait parmi les élèves des femmes d'un certain âge, comme Julia Salmon, la directrice de l'Org de Los Angeles, qui avait cinquante-six ans et une santé fragile. Elle a été jetée à l'eau comme les autres. La malheureuse est tombée en sanglotant et en hurlant de frayeur. LRH y prenait un plaisir évident. Je l'ai même entendu plaisanter. »

La jeune Diana Hubbard se délectait à ordonner les « immersions ». « Capitaine de corvette » à seize ans, elle arborait un uniforme composé d'une minijupe et d'une casquette rejetée en arrière pour ne pas déranger sa longue chevelure auburn. Seule des quatre jeunes Hubbard à être officier de la Sea Org, elle inspirait une antipathie quasi générale. A quatorze ans, passionné par l'aviation, son frère Quentin ne manifestait guère d'intérêt pour son rôle d'auditeur. On le voyait souvent courir sur le pont, les bras tendus, en imitant des vrombissements de moteur. Quant à Suzette et Arthur, respectivement âgés de treize et neuf ans, ils paraissaient s'accommoder de leur étrange existence et profitaient sans vergogne du prestige de leur patronyme.

Un « navire-école » qui jette ses élèves par-dessus bord tous les matins ne pouvait manquer d'attirer l'attention. Les dockers de Corfou, d'abord stupéfaits, prirent bientôt la chose pour une vaste plaisanterie et profitaient en riant du spectacle gratuit. Mais ils n'étaient pas les seuls à s'intéresser à ces étonnantes pratiques. Intrigué, le maire de Corfou demanda au major John Forte, vice-consul honoraire de Grande-Bretagne, ce qu'il savait de ces gens bizarres. Officier en retraite ayant élu domicile dans l'île, Forte en savait beaucoup : il avait signalé l'arrivée du *Royal Scotman* au Foreign Office qui l'avait chargé de remettre à Hubbard la missive officielle l'informant qu'il était déclaré *persona non grata* en Angleterre.

« J'ai été accueilli, rapporte le major, par un jeune garçon d'une douzaine d'années qui me demanda l'objet de ma visite. Quand je lui ai dit que je voulais voir le capitaine, il a répondu le plus sérieusement du monde : " C'est moi ". J'ai appris ainsi que les enfants devaient jouer chacun à leur tour le rôle des officiers et qu'on leur apprenait à croire qu'ils l'étaient réellement... On m'a entraîné dans les entrailles du navire où le " subrécargue ", une mégère digne d'avoir été garde-chiourme dans une maison de correction à la Dickens, m'a promis de transmettre la lettre à Hubbard, prétendûment en mer à bord de l'*Avon River*. Un mois plus tard, la lettre – grossièrement décachetée et refermée – m'est revenue avec une note disant que Hubbard n'était pas rentré et qu'on ignorait où il se trouvait. » En réalité, Hubbard n'avait jamais quitté le bord où il se tenait coi.

Entre-temps, les commerçants locaux récoltaient sans se faire prier la manne de 50 000 dollars que la Sea Org dépensait en moyenne chaque mois. Le 16 novembre, ils manifestèrent leur gratitude en invitant Hubbard à une réception donnée en son honneur et lui firent une vibrante ovation. Enchanté, il rendit la politesse en les conviant au baptême de ses navires. Diana Hubbard, sa casquette pour une fois posée droite, brisa une bouteille de champagne sur l'étrave du *Royal Scotman*. Après avoir dévoilé le nouveau nom *Apollo* peint en lettres d'or, son père la rejoignit sur l'estrade et prononça un petit speech où il remerciait avec émotion les citoyens de Corfou de leur chaleureux accueil.

Malgré ces déploiements de cordialité, les problèmes restaient entiers. Le gouvernement grec se renseignait sur la Scientologie par l'intermédiaire de son ambassade à Londres tandis que les services de sécurité enquêtaient sur place auprès du capitaine du port, qui répondit que les scientologues étaient des gens inoffensifs et ne troublaient pas l'ordre public. « J'en ai bien vu quelques-uns se jeter à l'eau, admit-il, mais il paraît que cela fait partie de leur entraînement. » De son côté, le major Forte se disait assailli de plaintes sur l'« asile » indûment accordé par Corfou aux scientologues; un journal local, le *Telegrafos*, s'en fit l'écho par un article virulent où il était même question de « magie noire ».

En janvier 1969, redoutant des mesures à l'encontre d'aussi bons clients, l'union des commerçants envoya au Premier ministre Papadopoulos une pétition en faveur de l'« École de philosophie du Professeur Hubbard » et demanda son maintien à Corfou. Dans le même temps, Hubbard promettait de répandre ses largesses sur l'île en publiant un « Panorama social et économique de Corfou », dans lequel il brossait un ambitieux programme de construction d'hôtels, de routes, d'usines, d'écoles, d'un nouveau port de commerce, de trois terrains de golf, de sept ports de plaisance ainsi que d'une université de philosophie financée par l'OTC. Un journal local, l'*Ephimeris* en reprit les grandes lignes sous le titre : « CORFOU

CONNAÎTRA ENFIN DES JOURS MEILLEURS. » Devant ces déclarations intempestives, le vice-Premier ministre Patakos déclara dans un communiqué que les scientologues n'avaient « reçu aucune autorisation de s'établir sur le sol grec ». Hubbard riposta en annonçant l'ouverture à Corfou de l'École de la Scientologie « sous deux ou trois semaines ».

Désormais persuadé que Hubbard manœuvrait pour faire main basse sur l'île et y installer le quartier général mondial de la Scientologie, le major Forte mena activement campagne afin de faire échouer ses projets. Convaincu de son côté qu'il était victime d'une sombre machination du gouvernement britannique et que Forte agissait à l'instigation de l'Intelligence Service, Hubbard l'accusa d'être à la source de calomnies selon lesquelles les scientologues pratiquaient la magie noire à bord de l'*Apollo*, empoisonnaient les puits et jetaient des sorts au bétail. En réalité, les décisions se prenaient à un tout autre niveau que celui d'un obscur vice-consul honoraire : le ministre des Affaires étrangères grec avait déjà officiellement demandé aux gouvernements britannique et australien un rapport sur les activités de la Scientologie dans leurs pays respectifs. On imagine sans peine la teneur de leurs réponses.

Le 6 mars, la VIe Flotte américaine, mouillée au large de Corfou, apporta aux adversaires de Hubbard un soutien inattendu en débarquant un détachement de *Marines*, qui prit position sur le quai autour des navires de la Sea Org afin d'interdire tout contact entre les scientologues et le personnel de la US Navy. « J'avais l'impression, se souvient Forte, qu'il s'agissait d'une opération soigneusement montée dans le but de faire prendre conscience aux autorités grecques de la gravité du danger que constituait la secte. » Si cette hypothèse est peu probable, il n'en demeure pas moins que le maire de Corfou signifia à Hubbard moins de quinze jours plus tard l'ordre de quitter sous vingt-quatre heures les eaux territoriales grecques. « Le vieux a failli en avoir une crise cardiaque », se souvient Kathy Cariotaki, membre de la Sea Org qui se trouvait près de lui à ce moment-là.

C'est ainsi que le 19 mars 1969, dans le port de Corfou bouclé par la police, l'*Apollo* leva l'ancre à 5 heures de l'après-midi et disparut à l'horizon.

Venu sur le quai assister à l'événement, le major Forte reconnut à côté de lui l'un des coureurs de jupons les plus notoires de l'île. A ses paroles ironiquement compatissantes sur le départ de tant de jolies filles, l'homme répondit d'un air ulcéré : « En fait, je suis bien content qu'elles s'en aillent. Ces garces n'étaient que des allumeuses! Chaque fois qu'on arrivait aux choses sérieuses, elles répondaient avec ensemble qu'elles n'avaient le droit de faire l'amour qu'avec des scientologues. »

Voilà, se dit Forte en éclatant de rire, un des dogmes les plus inattendus de l'Église de scientologie.

Chapitre 18

Les messagers de Dieu

« Il n'est pas impossible que le Commodore Hubbard et sa femme... soient des philanthropes et/ou des excentriques, sinon leur opération cache quelque chose de louche. Nous ignorons quoi au juste, mais diverses hypothèses courent à Casablanca allant de la contrebande au trafic de drogue et à une secte de fanatiques. » (Câble du consul général des États-Unis à Casablanca au Département d'État à Washington, 26 septembre 1969.)

L'*Apollo* avait indiqué aux autorités portuaires de Corfou qu'il se rendait à Venise. A peine hors de vue du littoral grec, Hubbard fit virer de bord et piqua sur la Sardaigne où l'*Apollo* se réapprovisionna en vivres et en carburant avant de poursuivre sa route à l'ouest et de franchir le détroit de Gibraltar.

Au cours des trois années suivantes, l'*Apollo* allait errer dans l'Atlantique oriental au gré des caprices du Commodore, sans relâcher nulle part plus de six semaines d'affilée. Il s'aventura à l'est jusqu'aux Açores et poussa une pointe au sud jusqu'à Dakar; le reste du temps, il se borna à sillonner de long en large un secteur délimité par Casablanca, Madère, Lisbonne et les Canaries, sans autre but apparent que de rester en mouvement. « LRH nous disait que trop de gens lui en voulaient pour que nous puissions nous arrêter », se souvient Ken Urquhart, promu à l'époque « communicateur » personnel de Hubbard. « S'ils le rattrapaient, ils l'empêcheraient de poursuivre ses travaux, c'en serait fini de la Scientologie et le monde serait plongé dans le chaos économique et social, voire un holocauste nucléaire. »

Perdus en conjectures sur les intentions de Hubbard, les agents de renseignement américains envisageaient dans leurs rapports à Washington toutes sortes d'activités illégales, allant de la traite des Blanches au trafic de drogue. En septembre 1969, dans un compte rendu de visite à bord de l'*Apollo*, le consul des États-Unis à Casablanca déplora « l'imprécision volontaire des réponses » à ses questions les plus simples. Une brochure expliquant que les étudiants apprenaient « l'art de la navigation » ne l'éclaira pas davantage. L'*Apollo* battant pavillon panaméen depuis son changement de nom, le consul de Panama tenta sa chance de son côté, sans plus de succès. Il nota que le navire « en mauvais état et mal entretenu » mettait « la vie de l'équipage en danger » quand il naviguait, mais ses demandes réitérées de rencontrer Hubbard restèrent vaines.

De son navire-amiral, le Commodore lançait à ses disciples des communiqués dans lesquels il agitait le spectre de force hostiles dressées contre la Scientologie et développait son thème favori d'une conspiration internationale ourdie par les communistes. Son obsession se fixa peu après sur un mystérieux organisme baptisé le Mémorial Tenyaka, auquel il consacra le 2 novembre 1969 trente et une pages de divagations. Mary Sue et lui « venaient de découvrir » que la Fédération mondiale de psychiatrie était à la solde des services secrets anglais et américains : « Ces salauds mériteraient d'être exécutés à l'électrochoc. Et je ne plaisante pas : ces mêmes individus... rencontrent les Russes tous les ans. » Le Commodore « découvrira » ensuite que le Mémorial Tenyaka était dirigé par un mouvement nazi clandestin cherchant à dominer le monde.

Parés des titres de Commodore, Commodore-adjoint, Gardien et Contrôleur, Hubbard et Mary Sue aimaient pimenter leurs écrits du jargon des services secrets. Les puissantes fonctions de Gardien, service d'espionnage et police secrète de la Scientologie, étaient dévolues à Mary Sue. Un « Ordre du Gardien » daté du 16 décembre 1969 mettait en garde contre l'infiltration de l'Église par l'« ennemi », dont il fallait démasquer les agents doubles « par tous les moyens ». La hantise de la sécurité était telle que chaque scientologue embarquant sur le navire-amiral était soumis à un *briefing* élaboré : il travaillait pour l'OTC, société commerciale sans lien avec la Scientologie ; l'usage du vocabulaire de l'Org était prohibé à terre et nul n'avait jamais entendu parler de L. Ron Hubbard. Tout le courrier personnel était remis non cacheté à un « officier d'éthique » qui vérifiait sa conformité avec les règlements de sécurité, les lettres étant ensuite envoyées en bloc à Copenhague pour être postées. Afin de déjouer la curiosité des ennemis tentés de fouiller les poubelles, tous les papiers étaient comprimés en ballots et jetés à la mer. Dans les rares occasions où des « Wogs » étaient admis à bord, l'équipage devait dissimuler le matériel scientologue (imprimés, électromètres, etc.) et tourner les portraits de Hubbard contre le mur.

L'évocation continuelle des forces hostiles créait une mentalité d'assiégés chez les passagers de l'*Apollo* et semblait justifier la rudesse de leurs conditions de vie à bord. Endoctrinés à pratiquer sans discuter le dévouement, la vigilance et le sacrifice, ils vouaient à la Sea Org une loyauté fanatique, aveugle à la raison et à la logique les plus élémentaires. Chacun savait que le tissu de mensonges de sa « couverture » à terre était regrettable, mais tous en admettaient la nécessité pour que la Scientologie mène à bien sa mission de sauver le monde.

Autre regrettable nécessité, celle d'empêcher les défections : les passeports avaient beau être enfermés dans un coffre, les tentatives d'évasion n'étaient pas rares. Quand cela se produisait, un commando de la Sea Org était dépêché vers le consulat du déserteur afin, si possible, de l'intercepter avant qu'il ne se fasse délivrer un nouveau passeport. Dans le cas contraire, on s'efforçait de discréditer le fugitif auprès de son consul en l'accusant de vol, de mutinerie ou autres méfaits.

En dépit de ces atteintes aux libertés individuelles, la vie à bord s'était quelque peu adoucie depuis que l'*Apollo* avait quitté la Méditerranée. Les « immersions » avaient cessé et le Commodore se montrait d'humeur moins colérique. Les embellies étaient néanmoins à la merci d'un incident ou d'une erreur; celui qui indisposait un officiel du port, ou qui laissait échapper un mot de trop dans une conversation à terre avec un « Wog », s'exposait aux plus graves sanctions.

Entre eux, les membres de la Sea Org n'essayaient même plus de maintenir le mythe que Hubbard ne dirigeait plus la Scientologie. Les divers centres dans le monde transmettaient à Hubbard des rapports détaillés sur leurs statistiques et, surtout, leur chiffre d'affaires. Les fidèles de la Sea Org, payés dix dollars par semaine, croyaient Hubbard sur parole quand il leur disait gagner moins qu'eux. En réalité, il touchait de son Église une moyenne de 15 000 dollars par semaine, sans compter les sommes considérables « écrémées » sur les filiales et mises à l'abri dans des comptes en Suisse et au Liechtenstein : lorsqu'un de ces comptes dut être fermé en 1970, Hubbard se fit rapporter un million de dollars en argent liquide.

Mike Goldstein, diplômé d'anthropologie de l'université du Colorado, perdit ses illusions sur la perfection censée régner à bord de « Flag », le navire-amiral, quand il en fut nommé chef-comptable : « J'ai trouvé les finances dans un désordre incroyable. Il y avait de l'argent en vrac dans des tiroirs et plus d'un million de dollars dans le coffre mais pas même l'amorce d'une comptabilité. Nous devions tout payer cash en jonglant avec les devises – l'escudo portugais, la peseta espagnole, le dirhan marocain. Si quelqu'un avait besoin d'argent pour quoi que ce soit, il n'avait qu'à se servir... Le navire formait un monde à part. »

A ce monde de sa création, Hubbard ajouta bientôt un corps d'élite, les « Messagers du Commodore », composé d'adolescents recrutés parmi les enfants des scientologues. Ils avaient à l'origine pour fonctions, anodines en apparence, de relayer les instructions orales du Commodore à l'équipage et aux élèves. Fillettes à peine pubères pour la plupart, ces Messagères n'allaient pas tarder à abuser du pouvoir que leur conférait ce statut d'alter ego de Hubbard. Dans leurs coquets uniformes bleu-marine galonnés d'or, elles devaient répéter ses messages en l'imitant servilement; ainsi, s'il était de mauvaise humeur, elles devaient jeter au visage du destinataire les mêmes insultes et sur le même ton. Nul n'osait contredire une Messagère ni désobéir à ses ordres. Investies de l'autorité du Commodore, elles devinrent de véritables petits monstres unanimement redoutées.

A partir de 1970, les Messagères se mirent jour et nuit au service de Hubbard. Quand il dormait, deux d'entre elles montaient la garde à la porte de sa cabine en attendant le signal de son réveil et deux autres passaient la journée devant la porte de son bureau. Elles l'escortaient dans ses promenades sur le pont, l'une portant ses Kool, l'autre un cendrier. Elles enregistraient dans un journal les activités quotidiennes du Commodore et ses messages transcrits mot à mot. Soucieuses de se montrer dignes de cet insigne honneur, elles rivalisaient d'ardeur pour plaire au Commodore, en lui allumant ses cigarettes, par exemple, ou en époussetant ses feuilles de papier, avec d'autant plus de zèle que ces initiatives leur valaient bons points et récompenses.

Doreen Smith, jolie blondinette de douze ans, arriva aux Açores en septembre 1970 pour embarquer sur l'*Apollo*. Née dans une famille de scientologues, rêvant depuis toujours d'approcher le Commodore, elle dut commencer par faire ses preuves en lavant la vaisselle avant de passer son examen d'entrée devant un jury de Messagères de quatorze ans. Ce fut le plus beau jour de sa vie : « Je devenais enfin ce dont j'avais toujours rêvé. LRH était le héros de mon enfance... »

Nul à bord, Mary Sue moins que tout autre, n'ignorait que le Commodore préférait son escadron de jeunes et jolies Messagères à ses propres enfants. Diana, l'aînée, en était la moins affectée. Membre de l'état-major à dix-huit ans et fiancée à un officier de la Sea Org, sa réputation de froideur autoritaire était en partie compensée par sa beauté et son prestige qui lui valaient le sobriquet de « Princesse Diana ». Comme ses frères et sœur, elle n'avait reçu aucune éducation digne de ce nom depuis leur départ d'Angleterre en 1967; si elle tenait sa place sur la passerelle et dirigeait les manœuvres sans erreurs notables, elle était incapable de lire autre chose que des romans à l'eau de rose et ses collègues faisaient discrètement des gorges chaudes de ses constants pataquès.

Son frère Quentin, qui atteignit ses dix-sept ans en janvier 1971, était profondément inadapté et malheureux. Il n'aspirait qu'à devenir aviateur et implorait en vain son père de prendre des leçons de pilotage. Timide, introverti, on le soupçonnait d'homosexualité latente – ce qu'aucun scientologue n'aurait osé dire tout haut, tant Hubbard professait d'horreur et de mépris pour les homosexuels.

Suzette et Arthur semblaient moins déstabilisés que leur frère par le sacrifice de leur enfance aux lubies de leurs parents. A quinze ans, gaie, sans complexes et dépourvue de l'ambition de sa sœur aînée, Suzette se pliait de bon gré aux règles du bord et prenait sans protester ses tours de corvées. Arthur, en revanche, était rebelle à toute discipline; à douze ans, assuré de l'impunité, il n'aimait rien tant que de semer la terreur dans le navire et de se livrer à des plaisanteries d'un goût douteux, comme de jeter des seaux d'eau dans les cabinets occupés. Mais son exubérance cachait mal ses blessures secrètes. Doreen Smith et lui ayant exactement le même âge devinrent bientôt les meilleurs amis du monde : « Il me confiait parfois qu'il aurait voulu que son père s'occupe davantage de lui, se souvient Doreen. Au fond, nous regrettions tous, je crois, de ne pas mener des existences plus normales. »

Quant à Mary Sue, ses titres et sa position mêmes ne la mettaient pas à l'abri des scènes et des réprimandes que lui faisait le Commodore quand elle osait porter la main sur une Messagère ou simplement se rebiffer contre leur effronterie.

Hubbard affronta à cette époque un problème familial inattendu en apprenant que sa fille Alexis cherchait à entrer en contact avec lui. A vingt et un ans, Alexis vivait à Maui, dans les îles Hawaii, avec sa mère et son beau-père, Miles Hollister. Si Sara lui parlait rarement de Hubbard, dont le souvenir la terrorisait encore, Alexis en savait assez sur son compte pour voir en lui un personnage romanesque qu'elle était curieuse de rencontrer. De passage en Angleterre en 1970, elle avait été déçue de ne pas le trouver à Saint Hill. Un an plus tard, profitant de ses vacances scolaires, elle lui écrivit à l'Org de Los Angeles. Fou de rage, Hubbard envoya aussitôt des instructions spéciales.

Quand Alexis regagna son université à la fin des vacances, un envoyé de L. Ron Hubbard demanda à la voir. Partagée entre l'effarement et l'horreur, elle entendit alors l'inconnu lui lire une déclaration dans laquelle Hubbard prétendait que Jack Parsons était son vrai père et qu'il avait recueilli Sara « enceinte et sans ressources » par pure bonté d'âme. Plus tard, alors qu'il habitait Palm Springs, il avait trouvé la petite Alexis abandonnée à sa porte et s'était chargée d'elle par compassion au cours de ses voyages. Sara, affirmait-il, avait été une espionne nazie pendant la Seconde Guerre mondiale ; quant au procès de divorce, ce n'était qu'une machination montée de toutes pièces par Sara pour s'emparer de la Scientologie : « Ils [Sara et Miles Hollister] s'en sont servi pour obtenir dans les journaux une énorme publicité totalement mensongère... et ont engagé le plus coûteux avocat des États-Unis pour tenter de m'extorquer la Fondation de Los Angeles... Ce procès était une absurdité : nous ne pouvions pas divorcer puisque nous n'étions pas légalement mariés. »

Sa lecture terminée, l'émissaire demanda à Alexis si elle avait des questions à poser. Elle demanda à voir elle-même la déclaration, que l'autre refusa de lui montrer. Au prix d'un effort surhumain pour garder contenance, Alexis répondit que ce qu'elle avait entendu ne nécessitait pas de plus amples explications et pria l'individu de partir. Elle ne fit par la suite aucune autre tentative pour revoir son père.

A peu près au même moment, une autre jeune femme allait causer au Commodore des ennuis plus sérieux. Agée de vingt-trois ans, originaire du Colorado, Susan Meister avait embarqué sur l'*Apollo* en février 1971. Avec l'enthousiasme des néophytes, elle écrivait souvent à ses parents pour les inciter à se convertir à la Scientologie. « Je sors d'une séance d'*auditing,* écrivait-elle le 5 mai, et je ne me suis jamais sentie aussi bien... C'est à la Scientologie que je le dois. Vite, vite, faites comme moi ! C'est un trésor plus précieux que l'or. » Le 15 juin, en revanche, l'obsession du Commodore semblait avoir déteint sur elle : « Je ne peux pas vous dire où nous sommes. Nos ennemis... veulent nous empêcher de restaurer la liberté des habitants de cette planète. S'ils savaient où nous sommes, ils nous détruiraient. »

Dix jours plus tard, alors que l'*Apollo* faisait escale dans le port marocain de Safi, Susan Meister s'enferma dans une cabine munie d'une pistolet de calibre .22 et se tira une balle dans la tempe. Elle fut retrouvée vêtue de la robe que sa mère lui avait envoyée pour son anniversaire, une lettre annonçant son suicide par terre à ses pieds.

La police locale bâcla l'enquête mais la mort d'une citoyenne des États-Unis ne pouvait manquer d'attirer sur l'*Apollo* l'attention des autorités consulaires américaines, ce que Hubbard s'efforçait d'éviter à tout prix. Fidèle aux principes maintes fois édictés par Hubbard, la Sea Org passa immédiatement à l'attaque. Douce et réservée selon ses camarades, Susan Meister fut dépeinte comme une droguée et une déséquilibrée, ayant déjà plusieurs tentatives de suicide à son actif. On insinua aussi que des photographies compromettantes avaient été retrouvées dans ses affaires.

La campagne de calomnies s'étendit bientôt à William Galbraith, vice-consul des États-Unis à Casablanca, venu à Safi enquêter sur l'affaire. Le 13 juillet, deux membres de la Sea Org, Peter Warren et John Chiarisi, l'invitèrent à déjeuner dans un restaurant de la ville avant de l'emmener à bord. Warren et Charisi signèrent ensuite des dépositions sous serment accusant Galbraith de menaces et de chantage : « Il nous a dit que si le navire devenait gênant pour les États-Unis, Nixon ordonnerait à la CIA de le saboter ou de le couler. » Galbraith était également censé avoir déclaré que l'Église de scientologie était « un ramassis de cinglés » et que l'*Apollo* servait de bordel, de tripot clandestin et de repaire de trafiquants de drogue. Le lendemain, Norman Starkey, capitaine de l'*Apollo*, envoya des copies légalisées de ces déclarations à la Commission sénatoriale des Affaires étrangères, avec une lettre affirmant que Galbraith avait menacé d'« assassiner les 380 personnes à bord, y compris les femmes et les enfants ». Des copies du tout furent envoyées à l'Attorney General John Mitchell, ministre de la Justice, au Service secret et au président Nixon lui-même, sur qui n'avait pas encore déferlé le raz de marée du Watergate.

Arrivé quelques jours plus tard, le père de Susan Meister n'aboutit à rien avec les autorités locales, plus préoccupées d'une récente tentative de coup d'État que de la mort d'une Américaine sans importance. En désespoir de cause, ne parvenant même pas à savoir où se trouvait le corps de sa fille, Meister en appela à Hubbard. Après que Warren lui eut fait visiter l'*Apollo* au pas de course, il s'entendit répondre que le Commodore refusait de le recevoir.

Meister n'était pas au bout de ses peines. A son retour aux États-Unis, il apprit avec stupeur que Susan avait été enterrée au Maroc avant même qu'il y soit arrivé. Et lorsqu'il voulut faire rapatrier le corps de sa fille, la Scientologie lui joua un dernier mauvais tour, aussi macabre qu'ignoble : informés par une lettre anonyme qu'une épidémie de choléra au Maroc avait déjà fait plusieurs centaines de victimes, les services d'hygiène du Colorado refusaient leur autorisation : « La fille d'un certain George Meister est décédée au Maroc, précisait le Corbeau. On parle d'un accident mais il s'agit plus vraisemblablement du choléra. »

Au début de 1972, Hubbard fut subitement victime d'une maladie inexplicable et rebelle au diagnostic. Le médecin du bord, Jim Dincalci, reçut du Commodore à la fin janvier un mot affolé : « Jim, je crois que c'est la fin. »

Bombardé « officier de santé » pour avoir été six mois infirmier avant d'entrer en Scientologie, Dincalci ne sut que faire. Depuis son arrivée à bord de l'*Apollo* en 1970, il ne s'était jamais remis du choc de découvrir que Hubbard pouvait tomber malade comme un simple mortel alors que, selon la Dianétique, les pouvoirs mentaux guérissaient toutes les maladies. Il occupait ses fonctions depuis une semaine quand Hubbard s'était plaint de se sentir mal et Dincalci avait été scandalisé qu'on fasse appel à un médecin. Celui-ci avait prescrit des antibiotiques et des analgésiques que Dincalci, persuadé que LRH n'en aurait pas besoin, ne s'était pas donné la peine de se procurer : « Je croyais qu'un Thétan Opérant de son niveau maîtrisait parfaitement son corps et dominait ses douleurs. Mais quand Ron a su que je ne lui avais pas rapporté les analgésiques, il a piqué une crise de rage et m'a agoni d'injures. »

Craignant de commettre une nouvelle erreur, Dincalci consulta Otto Roos, l'un des « techniciens » les plus élevés en grade, sur la maladie du Commodore. Roos estima que le problème pouvait provenir d'un incident passé n'ayant pas été convenablement audité et que la seule manière de s'en assurer consistait à éplucher les transcriptions des séances d'*auditing* de Ron. Hubbard ayant chaleureusement approuvé la décision, Roos fit venir de Saint Hill et de toutes les Orgs des États-Unis où Hubbard avait été audité des centaines de dossiers, dont certains remontaient à 1948, qu'il entreprit d'étudier avec soin. Il fut alors extrêmement troublé d'y découvrir un nombre important de « discrédits », c'est-à-dire de passages où l'électromètre indiquait que Hubbard avait quelque chose à cacher.

Roos était toujours plongé dans ses lectures à la fin mars quand une Messagère vint lui dire que le Commodore voulait voir ses transcriptions. Roos refusa avec la dernière énergie : selon une des règles les plus inviolables de la Scientologie, nul n'avait sous aucun prétexte le droit de prendre connaissance de son propre dossier. Cinq minutes plus tard, deux costauds firent irruption dans sa cabine et s'emparèrent des classeurs. Convoqué peu après chez Hubbard, Roos ne put que constater sa guérison miraculeuse : à peine le Hollandais eut-il franchi la porte que le Commodore se rua sur lui et le bourra de coups de poing et de coups de pied en hurlant un chapelet d'insultes incompréhensibles. Assise derrière le bureau, Mary Sue observait la scène en silence. Sa crise un peu calmée, Hubbard se tourna vers elle et lui demanda si, en tant qu'auditeur, elle avait jamais remarqué qu'il eut des « discrédits ». « Non, jamais », répondit-elle le plus sérieusement du monde. Roos, qui voyait les dossiers ouverts sur les passages compromettants, jugea prudent de ne rien dire. Hubbard lui assena alors une longue mercuriale, l'accusa d'avoir clabaudé partout sur son compte pour le ridiculiser et, malgré ses dénégations, le condamna aux arrêts de rigueur dans sa cabine. Au cours des heures suivantes, Mary Sue vint le voir à plusieurs reprises en s'efforçant de le convaincre que ces « discrédits » étaient dus à des techniques démodées ou mal interprétées. Quant à Diana, elle se contenta d'apparaître sur le pas de la porte et de lui hurler : « Je vous hais ! »

Pendant ce mélodrame, l'*Apollo* était à Tanger. Mary Sue y surveillait l'aménagement d'une confortable maison, la villa Laura, où les Hubbard comptaient résider tandis que le navire subirait à Lisbonne un indispensable passage en cale sèche. Hubbard rêvait toujours d'un pays amical où implanter la Scientologie et le Maroc, où il faisait régulièrement escale depuis son départ de la Méditerranée, lui inspirait une convoitise croissante. Hassan II traversait à ce moment-là une crise grave ; si la Scientologie l'aidait à démasquer les traîtres de son entourage, le roi ne pourrait manquer de lui exprimer concrètement sa gratitude.

Quelques mois auparavant, la Sea Org avait installé une « base terrestre » près de Tanger, dans un immeuble de bureaux sur la route de l'aéroport. L'enseigne, annonçant en anglais, en français et en arabe la présence de l'« Operation and Transport Corporation, Ltd, International Business Management », attira l'attention de Howard D. Jones, consul général des États-Unis à Tanger, dont l'intérêt redoubla avec la rencontre d'une jeune Américaine qui lui avoua non sans réticence travailler pour l'OTC : « Notre société est panaméenne, c'est tout ce que je puis vous en dire. »

Sa curiosité piquée au vif, le consul ne tarda pas à faire le rapprochement entre l'OTC, le mystérieux *Apollo* et L. Ron Hubbard, fondateur de la Scientologie. Il n'alla cependant guère plus loin, comme en témoigne son câble du 26 avril 1972 à Washington : « On ne sait presque rien de l'OTC et ses dirigeants sont peu bavards sur ses activités. Les scientologues à bord de l'*Apollo* font sans doute ce que leurs collègues font ailleurs... Les rumeurs qui courent en ville sur un trafic de drogue ou la traite des Blanches nous laissent toutefois sceptiques. » Le consul avait raison, car il ne se passait pas grand-chose à bord du navire qui pût inquiéter Washington. C'est à terre, en revanche, que survenaient les choses intéressantes.

L'OTC s'efforçait en effet d'infiltrer l'administration marocaine. Elle avait enregistré un premier succès en décrochant un contrat pour la formation d'agents administratifs des Postes mais le projet tourna court : déconcertés par les techniques de la Scientologie et craignant d'être dépassés par leurs collègues soumis à une formation classique, les élèves désertèrent le stage au bout d'un mois. Amos Jessup, qui parlait français, conduisit l'assaut suivant – rien de moins que sur l'armée marocaine. Warren et lui avaient lié connaissance avec un colonel, vivement impressionné par les performances de l'électromètre, qui leur avait promis d'en parler à un général censé être un ami intime du ministre de la Défense et le bras droit du roi. Las! Impliqué dans un coup d'État, le général se suicida. Les manœuvres auprès de la police secrète semblaient plus prometteuses, l'OTC ayant réussi à organiser des cours pour apprendre aux policiers et aux agents de renseignements à détecter les « individus politiquement subversifs » à l'aide de l'électromètre.

Pendant ce temps, en fidèle épouse toujours sur la brèche, Mary Sue se chargeait de régler un des problèmes dont son mari était assailli, en l'occurrence les frasques de son fils aîné, Nibs. Depuis sa désertion de 1959, la fortune le boudait. Errant d'un job à l'autre sans pouvoir nourrir convenablement sa femme et ses six enfants, rempli d'amertume d'avoir été définitivement rejeté par la Scientologie, Nibs était devenu un des plus virulents critiques de son père et de l'Église. En apprenant que cette dernière était en litige avec l'Internal Revenue Service, le fisc américain, il s'était porté volontaire pour témoigner contre elle. En septembre 1972, Mary Sue lança donc une campagne destinée à neutraliser le traître : elle fit éplucher ses dossiers dans toutes les Orgs par lesquelles il était passé, avec ordre d'y rechercher les éléments compromettants.

L'Église ne révéla jamais ce qu'elle avait ainsi découvert sur le fils de son fondateur. On sait seulement que le 7 novembre, en présence d'un haut dignitaire de l'Église, Nibs enregistra une cassette vidéo dans laquelle il se rétractait de toutes les accusations portées contre son père et de ses témoignages auprès de l'IRS. « J'agissais par esprit de vengeance à une époque où j'étais soumis à des stress dans ma vie personnelle et affective... J'aime trop sincèrement mon père pour vouloir lui nuire... Je n'ai jamais eu connaissance d'activités répréhensibles de la part de membres de la Sea Org et de l'Église de scientologie. »

A la villa Laura, Hubbard n'eut guère le temps de réfléchir à cette déclaration spontanée d'amour filial car le destin, une fois de plus, faisait sombrer ses plus beaux projets. Le programme de formation des policiers marocains tournait à la débandade sous l'effet des luttes intestines entre les fidèles du roi et leurs opposants, aussi effrayés les uns que les autres par les révélations éventuelles de l'électromètre. « C'était complètement dingue, se souvient Amos Jessup. On ne savait même plus qui était de quel bord. » La Sea Org aurait peut-être pris le temps de démêler cet écheveau si, au même moment, de fort mauvaises nouvelles n'étaient arrivées de Paris : la branche française de l'Église de scientologie allait être inculpée de diverses activités frauduleuses et le Parquet envisageait de demander au Maroc l'extradition de Hubbard.

Le Commodore décida qu'il était temps de prendre le large. Le ferry pour Lisbonne devant quitter Tanger dans quarante-huit heures, Hubbard ordonna au personnel de l'OTC d'y embarquer avec tout le matériel récupérable et tous les papiers qui n'auraient pu être détruits à temps. Pendant les deux jours suivants, une noria de camions, de voitures et même de motocyclettes fit donc la navette entre la « base terrienne » de l'OTC et le port de Tanger.

Quand le ferry-boat de Lisbonne leva l'ancre le 3 décembre 1972, l'Église de scientologie ne laissait derrière elle au Maroc qu'une montagne de cendres, des nuages de rumeurs et une poignée d'agents consulaires américains en proie à une profonde perplexité.

Chapitre 19

La traversée de l'Atlantique

« INFORMATIONS DISPONIBLES SUR ACTIVITÉS SCIENTOLOGIE A L'ÉTRANGER INDIQUENT... FONDATEUR L. RON HUBBARD EXPULSÉ DE PLUSIEURS PAYS POUR ACTIVITÉS ET COMPORTEMENT SUSPECTS STOP PROPRIÉTAIRE DE NAVIRES DONT APPARITIONS DANS DIVERSES PARTIES DU MONDE ENTRAÎNENT QUESTIONS DES GOUVERNEMENTS CONCERNANT ÉQUIPAGE ET MISSION DESDITS NAVIRES STOP NE SAVONS PRESQUE RIEN. »
(Câble de la CIA, 16 octobre 1975.)

Hubbard ne se joignit pas à l'exode de ses ouailles par le ferry mais prit le vol direct pour Lisbonne, où des membres de la Sea Org le conduisirent à l'hôtel Sheraton. Pendant qu'à Paris, Lisbonne et New York ses avocats se consultaient afin d'évaluer ses risques d'extradition à la demande de la justice française, le Commodore rongeait son frein. En temps normal, il lui aurait suffi de gagner les eaux internationales à bord de son navire-amiral pour se mettre à l'abri des poursuites judiciaires, mais l'*Apollo* étant en cale sèche ne lui offrait plus d'asile.

Ken Urquhart, Jim Dincalci et Paul Preston, un ancien « béret vert » récemment nommé garde du corps, se tenaient auprès lui dans sa suite du Sheraton. « Il était extrêmement nerveux et inquiet sur la suite des événements, se souvient Dincalci. Je le voyais prêt à s'effondrer... Au bout de deux ou trois heures, il a reçu un coup de téléphone de la capitainerie du port et nous a dit en raccrochant : " C'est vraiment sérieux. Il faut que je parte tout de suite ". »

Pendant qu'Urquhart allait acheter des billets pour le premier vol à destination des États-Unis et chercher de l'argent liquide, il fut convenu que Preston voyagerait avec Hubbard et que Dincalci les « couvrirait », afin de pouvoir alerter le navire-amiral en cas de problème. Urquhart revint peu après muni de trois billets Lisbonne-Chicago et suggéra de descendre à l'escale de New York au cas où un « comité d'accueil » attendrait à Chicago. Il apportait aussi une mallette bourrée de devises variées d'une valeur de 100 000 dollars – escudos, marks, francs, livres, dollars, dirhans – en s'excusant de n'avoir pu faire mieux.

Dans l'avion, Dincalci prit place quelques rangs derrière Hubbard et Preston. A l'aéroport J.F. Kennedy de New York, il resta également derrière eux dans la file d'attente à la douane – et réprima un cri d'horreur quand un douanier ouvrit la mallette de Hubbard et le pria aussitôt de le suivre. « Il est reparu un quart d'heure plus tard, livide, après avoir dû leur donner des tas d'explications. A la sortie, dans le taxi, je lui ai demandé où nous allions mais il... était secoué au point de ne plus pouvoir parler. En arrivant dans Manhattan, il a montré un hôtel au hasard en disant : " Descendons ici ". »

Après que les trois hommes se furent enregistrés sous des faux noms, Dincalci demanda s'il devait regagner le bateau à Lisbonne. Hébété, Hubbard ne comprit même pas de quoi il parlait. Le lendemain, il le chargea de chercher un appartement à louer et il ne fut plus question de son retour éventuel à bord de l'*Apollo*.

Dincalci trouva sans peine un appartement à Queens, dans un immeuble de bon standing d'un quartier tranquille desservi par le métro. Pendant les premières semaines, Hubbard s'y claquemura sans rien faire d'autre que regarder la télévision, absorbant n'importe quoi, des *soap operas* aux concerts de rock. L'Amérique qu'il retrouvait après dix ans d'absence était méconnaissable, surtout vue à travers un écran de télévision. Il découvrait un pays obsédé par les sordides déballages du Watergate, hanté par son incompréhensible défaite au Viêt-nam et secoué par des crises, dont la moindre était une crise de confiance. Le Commodore de la Sea Org ne savait rien, ou presque, de la crise des Noirs et des ghettos urbains, de celle de la drogue ou de l'énergie, sans parler d'événements gravés dans la conscience collective sous des noms de lieux tels que Kent State ou Chappaquidick.

Tandis que Hubbard restait enfermé sous la garde de Preston, Dincalci se rendait tous les jours au siège des Nations unies faire des recherches sur les législations internationales sur l'extradition. Quelques jours avant Noël 1972, il rassura Hubbard : les États-Unis n'extradaient pas leurs citoyens. Soulagé, Hubbard fit aussitôt des projets de voyage et parlait de célébrer l'événement quand un message codé du « Bureau du Gardien » en Californie l'avisa que tout danger n'était pas écarté et qu'il ferait mieux de ne pas se montrer quelque temps encore. Ce fut un triste Noël.

Les trois hommes organisèrent leur vie clandestine. Dincalci sortait le matin faire les courses, sans oublier les romans et magazines populaires que Hubbard dévorait à un rythme accéléré. Après le dîner, Hubbard parlait jusque tard dans la nuit. « Il sautait tout le temps d'un sujet à l'autre, se souvient Dincalci. Un moment, il disait qu'un ange était venu lui confier cette partie de l'univers, celui d'après il me parlait de la caméra qu'il voulait que je lui achète le lendemain... Au XVIᵉ siècle, il était écrivain en Italie et c'était lui l'auteur du *Prince* : " Ce salaud de Machiavel me l'a volé ", disait-il. Il parlait aussi de son enfance... et il en voulait à ses parents : " Ils prétendent que je ne suis pas diplômé de l'université George Washington, mais ce n'est pas vrai, je le suis! "... »

En février 1973, toujours obsédé de sécurité, Hubbard

exigea un logement plus anonyme. Dincalci trouva à louer, dans un quartier assez mal famé de Queens, l'étage d'une maison appartenant à des émigrés cubains qui habitaient le rez-de-chaussée. Peu après y avoir emménagé, Hubbard voulut sortir prendre l'air. Dincalci vit avec appréhension la manière dont il s'accoutrait afin de passer inaperçu dans la rue : « Il ne s'était pas fait couper les cheveux depuis des mois, il était habillé comme un clochard et son chapeau à larges bords lui donnait l'allure d'un clown. S'il s'était présenté dans cette tenue à la porte d'une Org, il se serait fait éjecter. » Après avoir passé des mois dans la chaleur des radiateurs, il fut transi par le froid glacial de février et, pour comble d'opprobre, une bande de gamins se moqua de lui, mésaventure qui le dissuada de renouveler l'expérience.

Son refroidissement déclencha une série de maux divers que Dincalci, affligé d'un patient irritable, mécontent de tout et hostile à la médecine, s'efforça de soigner de son mieux. Finalement, un allergiste lui prescrivit des piqûres qui parurent le soulager. A mesure qu'il recouvrait la santé, Hubbard reprit intérêt aux affaires de la Scientologie et se remit avec un regain d'enthousiasme à écrire bulletins et communiqués. A soixante-deux ans, il commençait aussi à penser à son image devant la postérité.

Profitant des dispositions de la récente loi, dite de « Liberté de l'information », pour fouiner dans les dossiers des agences gouvernementales, l'Église de scientologie avait acquis la preuve qu'elles détenaient sur elle-même et son fondateur d'abondants renseignements, peu flatteurs pour la plupart. Jamais encombré de scrupules, Hubbard conçut un plan aussi simple qu'audacieux destiné à améliorer son image et celle de son Église aux yeux des futurs scientologues : il suffisait, décida-t-il, d'infiltrer les agences en question et de subtiliser les dossiers concernés afin soit d'éliminer les informations défavorables, soit de les modifier dans le sens voulu. Pour un homme ayant fondé une Église et une flotte privée, la mission n'avait rien d'impossible. Il lança donc l'opération sous le nom de code Blanche-Neige, appellation qui allait occuper une place importante dans les échanges de messages entre le « Bureau du Gardien » à Los Angeles et la cachette du Commodore à Queens.

En septembre 1973, le « Bureau du Gardien » l'avisa que les risques d'extradition étant désormais presque nuls, il pouvait regagner son navire-amiral et, par la même occasion, rejoindre sa famille. Le lendemain même, Hubbard et Preston prirent l'avion pour Lisbonne en laissant à Dincalci le soin de ramasser leurs affaires et de boucler l'appartement.

Personne à bord ne savait ce qu'avait fait Hubbard au cours des dix mois précédents ni n'avait été prévenu de son retour. Son arrivée surprise fut, bien entendu, prétexte à de grandes réjouissances. « Il avait meilleure mine que jamais, se souvient Hana Eltringham. Il avait perdu du poids et rayonnait de joie d'être revenu parmi nous. » S'il éprouvait le même bonheur d'être près de sa femme et de ses enfants, nul n'en observa les signes. En revanche, il réunit tout le monde sur le pont pour expliquer qu'il avait fait la tournée des Orgs aux États-Unis et fit rire son auditoire en racontant qu'on ne l'avait pas reconnu dans certaines d'entre elles. Preston savait que c'était un mensonge mais s'abstint prudemment de le dire : passant une seule fois en voiture devant l'Org de New York, Hubbard s'était borné à remarquer que l'enseigne aurait dû être plus visible.

L'*Apollo* avait subi un radoub complet, y compris une isolation totale du « laboratoire » du Commodore. Une équipe armée de brosses à dents avait épousseté les conduits de ventilation afin qu'il ne souffre plus de son allergie bien connue à la poussière. Satisfait, Hubbard ordonna aussitôt d'appareiller. L'*Apollo* longea les côtes de la péninsule ibérique vers le nord, fit escale à Porto et à La Corogne et redescendit vers le sud en s'arrêtant à Setubal et à Cadix avant de mettre le cap sur Ténérife au début de décembre. Hubbard voulant y passer quelque temps afin de prendre des photos, ses véhicules furent descendus à quai. Il possédait un break Ford, un cabriolet Pontiac et une Land Rover mais se servait plus volontiers de sa puissante Harley-Davidson.

Un après-midi, dans un virage d'une route de montagne, Hubbard dérapa sur des gravillons et tomba en écrasant dans sa chute les appareils photographiques qu'il portait en bandoulière. Malgré ses douleurs, il parvint à remonter sur sa machine, regagna le port et gravit tant bien que mal la passerelle de l'*Apollo*, le pantalon en lambeaux et ses appareils en miettes toujours pendus au cou. Immédiatement convoqué, Dincalci, qui avait repris ses fonctions de médecin du bord, se savait incompétent pour soigner des fractures ou, plus grave, des contusions internes. Il recommanda donc de transporter le Commodore à l'hôpital pour y subir des examens radiologiques détaillés.

Hubbard finit par consentir à recevoir un médecin qui prescrivit un puissant analgésique à raison de deux comprimés à la fois. Toujours convaincu qu'un Thétan Opérant n'avait pas besoin d'un remède aussi banal, Dincalci lui en donna un seul. Fou de rage, Hubbard l'accabla d'injures et de reproches en l'accusant de vouloir le tuer : « Après avoir vécu plus d'un an près de lui, je me sentais comme son fils, raconte Dincalci. Imaginez ce qu'on éprouve quand votre père vous accuse de vouloir le tuer... J'étais atterré. »

Dépouillé séance tenante de sa dignité d'officier de santé, Dincalci alla gratter la peinture des ballasts tandis que les soins du Commodore étaient dorénavant confiés à Kima Douglas, une Sud-Africaine ayant été deux ans infirmère à... la maternité d'un hôpital de Bulawayo. « Il avait un bras et plusieurs côtes cassés, se souvient-elle, et le corps couvert d'hématomes. Nous lui avons mis des attelles au bras et bandé le thorax. Comme il ne pouvait pas s'étendre, il dormait assis dans un fauteuil... et passait son temps à hurler, à tempêter... Il était absolument odieux avec tout le monde. Sa femme en pleurait... Il refusait énergiquement de voir un médecin. Il les traitait tous d'incapables... En réalité, il avait une peur panique des médecins et c'était nous qui en subissions les conséquences. »

Kima ne pouvait s'empêcher de comparer ses premières impression de Hubbard, qui l'avait accueillie à
bord en déployant son charme et ses sourires, avec le vieil
homme geignard et acariâtre qui refusait de manger,
jetait ses assiettes contre les murs et se plaignait de tout.
Encore ne subissait-elle les brimades du Commodore que
tous les deux jours, quand elle venait changer ses panse-
ments. Les soins journaliers incombaient aux Messagères,
pour qui ce devint bientôt un calvaire : « Jusqu'à son
accident de moto, se souvient Jill Goodman, il était charmant et sympathique. Après, il est devenu un emmerdeur
de la pire espèce... On ne savait jamais à quoi s'attendre
quand on entrait chez lui. »

« Il n'a pas bougé de ce maudit fauteuil de velours
rouge pendant trois mois, renchérit Doreen Smith. Il dormait par tranches de trois quarts d'heure, le reste du
temps il braillait sans arrêt. Nous ne savions jamais comment le satisfaire, nous en perdions le sommeil. J'étais la
seule, disait-il, à savoir disposer ses coussins, une autre
son tabouret, une troisième ceci, une quatrième cela, de
sorte que chaque fois qu'il ouvrait les yeux nous devions
courir le dorloter pendant qu'il nous couvrait d'injures
ordurières. Les plus aguerries en pleuraient... Ce fauteuil
rouge était devenu pour nous le symbole de ce qu'il y a de
pire dans la nature humaine. Nous aurions voulu le
réduire en miettes et le jeter par-dessus bord. »

Tandis que Hubbard écumait et jurait dans son fauteuil
rouge en imputant les mobiles les plus sinistres aux
erreurs les plus vénielles, il édicta une nouvelle règle qui
allait rendre les conditions de vie à bord de l'*Apollo* dignes
de l'univers concentrationnaire de George Orwell. Persuadé que chacun sabotait ses instructions, il institua une
section disciplinaire baptisée « Rehabilitation Project
Force », ou RPF. Chaque personne soupçonnée de ne pas
exécuter ses ordres avec assez de diligence ou de bonne
volonté était condamnée à un stage plus ou moins long à
la RPF, qui prit bientôt d'imposantes proportions. Ses
pensionnaires, vêtus de salopettes noires, n'avaient pas le
droit de se mêler aux autres et couchaient dans une cale

sans air et sans lumière sur des matelas crasseux destinés à être jetés. Ils dormaient sept heures par nuit, ne bénéficiaient d'aucune pause pendant la journée et mangeaient les restes de l'équipage.

« La situation s'est nettement dégradée à partir de moment-là, se souvient Gerry Armstrong, alors promu second de l'*Apollo*. Hubbard devenait de plus en plus paranoïaque et violent. Il se croyait entouré de gens malveillants qu'il condamnait à la RPF pour un oui ou pour un non... Si une odeur lui déplaisait, l'ingénieur chargé de la ventilation était condamné. Si le cuistot brûlait un toast, RPF. Si une Messagère se plaignait de n'importe qui, RPF... Depuis son accident de moto, il n'était plus le même. On l'entendait hurler et délirer à longueur de journée. Il accusait les cuisiniers de l'empoisonner... A l'époque, personne n'osait encore se dire que l'empereur était nu. Il exerçait un tel contrôle sur nos pensées les plus intimes que ne pouvions pas même envisager de tout plaquer sans croire que c'était nous qui étions anormaux. »

Au soulagement général, le Commodore parut remis de son accident pour son soixante-troisième anniversaire en mars 1974 et l'*Apollo* reprit ses errances, dans un triangle délimité par le Portugal, Madère et les Canaries. Mais il s'était produit entre-temps un bouleversement dans la hiérarchie : après le Commodore et sa femme, les personnes les plus influentes étaient désormais des fillettes en débardeurs et mini-shorts, nouvel uniforme des fidèles Messagères.

Pendant que Hubbard exhalait bruyamment sa douleur, les Messagères avaient en effet assumé à son service nombre de nouvelles tâches. Elles lui lavaient la tête et le coiffaient, elles l'aidaient à s'habiller et à se déshabiller, elles lui tartinaient le visage d'onguents qui, croyait-il, préservaient sa jeunesse. Une fois guéri, les Messagères continuèrent à le dorloter et à se rendre indispensables. Toutes blondes, jolies et bâties comme des majorettes, elles avaient conçu, avec la bénédiction du Commodore, ce nouvel uniforme destiné à mettre leurs attraits en

valeur. Mais si les membres masculins de l'équipage rivalisaient d'ardeur pour tenter de déflorer ces troublantes
Lolitas, Hubbard ne leur manifestait aucun intérêt
sexuel. « Il n'a jamais rien essayé avec nous, se souvient
Tanya Burden, embarquée sur l'*Apollo* à quatorze ans. Il
ne couchait même plus avec Mary Sue et, pour nous, il
était devenu impuissant. A mon avis, il s'excitait en nous
regardant, sans plus. »

« Je lui ai demandé une fois pourquoi il s'entourait
d'adolescentes, raconte Doreen Smith. Il m'a répondu
que l'idée lui venait des nazis. Hitler était peut-être fou,
disait-il, mais il était un génie à sa manière et la Jeunesse
hitlérienne une de ses plus brillantes initiatives. Pour lui,
les jeunes étaient des ardoises vierges sur lesquelles on
pouvait écrire ce qu'on voulait... Il préférait les filles
parce qu'il considérait en général les femmes plus loyales
et plus fidèles que les hommes. »

Plus les Messagères flattaient ses caprices, plus Hubbard les considérait comme les seules personnes de son
entourage dignes de sa confiance. Le soir, après le rituel
de son coucher, il leur racontait interminablement ses
aventures qu'elles écoutaient fascinées, assises à ses pieds.
De tels privilèges ne pouvaient toutefois leur faire aucun
bien : « Nous étions devenues de malfaisantes petites
garces, intouchables et toutes-puissantes, admet Jill
Goodman. Il n'était pas rare de voir une gamine de quatorze ans se ruer sur un officier en criant : " Tu vas faire
un tour de RPF, sale connard ! Ça t'apprendra à foutre le
bordel ! " » Il était impensable de répliquer, c'eût été aussi
grave que de tenir tête à Hubbard. « [Elles] étaient ivres de
leur pouvoir au point de devenir vicieuses et malhonnêtes, affirme la sœur d'Amos Jessup. Elles formaient
une caste dangereuse. »

En mai 1974, Hubbard fit une démarche si étrange
qu'on peut y voir la preuve qu'il perdait déjà la faculté de
distinguer la réalité de la fiction : il réclama à la US Navy
les décorations qu'il prétendait avoir gagnées pendant la
guerre ! Le plus sérieusement du monde, son bureau de

liaison de New York joignit à l'appui de sa requête les extraits de sa « biographie » relatant ses faits d'armes. Le 18 juin, le ministère envoya les quatre médailles commémoratives attribuées à l'ex-lieutenant Hubbard, comme à plusieurs dizaines de milliers d'autres, en précisant que « les dossiers en notre possession ne permettent pas d'établir à quel titre M. Hubbard aurait eu droit aux décorations dont vous donnez la liste ». Jamais en peine pour résoudre à son avantage des problèmes aussi mineurs, Hubbard distribua promptement une photographie en couleurs de ses vingt et une décorations en ajoutant qu'il en avait en réalité gagné vingt-huit et que la collection n'était incomplète que parce que les sept manquantes lui avaient été décernées en secret...

Cet été-là, le Commodore délaissa sa propre gloire pour se consacrer à celle de son navire-amiral : l'idée lui était venue d'améliorer les relations publiques de l'*Apollo* en offrant des concerts et des spectacles de danse gratuits aux habitants des ports où il faisait escale. Se considérant expert en matière de rock and roll et de danse contemporaine pour avoir passé des heures devant la télévision dans sa retraite de Queens, il mit son idée à exécution en créant son propre orchestre, l'Apollo Stars, constitué de volontaires sélectionnés parmi les membres de l'équipage, qu'il dirigeait avec l'assurance d'un vétéran du show-business.

Ken Urquhart, sans contredit le seul à bord pourvu de solides connaissances musicales, refusa énergiquement de se laisser entraîner dans l'aventure : « Je n'aimais que Mozart, je ne supportais pas l'horrible cacophonie qu'ils faisaient tous les jours sur le pont. » Mike Goldstein, l'ex-anthropologue reconverti dans la comptabilité, avait tenu la batterie dans un groupe de rock quand il était étudiant et se porta volontaire afin d'échapper à la RPF : « Je m'en suis mordu les doigts, avoua-t-il. L'orchestre était si mauvais que je n'avais jamais eu aussi honte de ma vie. »

Quentin Hubbard, alors âgé de vingt ans, commença à répéter avec la troupe de danse et y prit goût au point de commettre l'erreur de dire à son père qu'il aimerait devenir danseur. «J'ai d'autres projets pour toi!» répliqua Hubbard d'un ton sans réplique et Quentin fut interdit de danse. Peu après, alors que le bateau relâchait à Madère, Quentin tenta de se suicider en avalant un tube de somnifères. Son amie Doreen Smith le découvrit à temps dans sa cabine et alerta le Commodore qui le fit vomir, l'envoya à l'infirmerie et lui infligea une longue condamnation à la RPF aussitôt qu'il serait en état de se tenir debout. Hubbard était dans une telle fureur que Mary Sue, connue pour sa sollicitude envers ses enfants et responsable du bien-être de l'équipage – elle s'était signalée en obtenant pour les couples mariés, en «stage» à la RPF, la permission de passer ensemble une nuit par semaine –, fut incapable d'intervenir.

Les efforts déployés par les Apollo Stars et leurs danseurs pour se concilier les bonnes grâces des populations ibériques ne furent pas couronnés de succès. La conjoncture, à vrai dire, n'était guère favorable : au Portugal, le récent coup d'État militaire et la «révolution des Œillets», qui battait son plein, rendaient les Portugais méfiants envers des navires étrangers arrivant dans leurs ports sans raisons apparentes. L'*Apollo* avait également réussi à indisposer les autorités maritimes espagnoles en pénétrant par erreur dans une base navale militaire. Quant à la «couverture» du navire, elle ne trompait plus personne. Les autorités portuaires, auxquelles on voulait faire croire que l'*Apollo* appartenait à une opulente société internationale, ne voyaient qu'un rafiot à la coque zébrée de rouille, aux rambardes festonnées de lessive et monté par un équipage de jeunes, visiblement ignares en matière de navigation, accoutrés d'uniformes dépareillés ou vêtus de haillons. Rien d'étonnant, par conséquent, à ce que ses allées et venues éveillent des soupçons croissants et suscite des rumeurs selon lesquelles l'*Apollo* appartenait en fait à... la CIA.

Ces rumeurs prirent corps au point que Jim Dincalci, débarqué à Funchal avec mission d'ouvrir un bureau à terre, ne tarda pas à s'alarmer : «Tout le monde à Madère disait que le bateau était un navire espion de la CIA. Je m'étais fait des amis dans l'île, j'avais même des contacts avec les cellules communistes locales... par lesquelles j'ai appris qu'ils comptaient attaquer l'*Apollo* la prochaine fois qu'il viendrait. J'ai immédiatement averti LRH par télex en lui recommandant d'éviter Madère jusqu'à ce que les choses se calment. Jugez de ma stupeur en voyant un beau jour le navire entrer dans le port. »

Le lundi 7 octobre, l'*Apollo* s'amarra en effet à son emplacement habituel et annonça qu'un « festival rock » des Apollo Stars aurait lieu le week-end suivant. Le mercredi 9, alors que Mary Sue et une partie de l'équipage étaient à terre, des groupes de jeunes se formèrent sur le quai en criant des propos hostiles rythmés par « C-I-A! C-I-A! » au nez des scientologues alignés à la rambarde. La foule grossissait, pierres et bouteilles vides pleuvaient sur le pont quand Hubbard apparut muni d'un porte-voix et se mit à crier : « Communistes! Communistes! » L'équipage relançait les projectiles sur les manifestants, Hubbard les photographiait ostensiblement au flash. La confusion la plus totale régna bientôt à bord, où les uns s'armaient de gourdins pour aller en découdre pendant que d'autres mettaient les pompes en marche et braquaient des tuyaux à incendie sur la foule. Erreur funeste : à peine les jets d'eau eurent-ils fusé que la fureur se déchaîna. Sur le quai, deux voitures et des motos appartenant aux membres de l'équipage furent jetées à la mer; quelques instants plus tard, des manifestants détachèrent les amarres de l'*Apollo* qui commença à dériver.

C'est alors que la police fit enfin son apparition et parvint non sans mal à disperser la foule. Des policiers armés montèrent à bord assurer la protection de l'équipage, un pilote guida l'*Apollo* vers un ancrage à l'écart, une vedette rapatria Mary Sue et les autres restés à terre. La police ayant demandé au Commodore les rouleaux de films pris pendant l'émeute, Hubbard se fit un devoir de remettre deux bobines vierges, sorties d'appareils dont il ne s'était pas servi. La nuit venue, le pont était à peu près débarrassé des pierres, éclats de verre et autres débris.

Ulcéré de voir la population de Madère dédaigner le concert généreusement offert par les Apollo Stars, Hubbard leva l'ancre le lendemain après avoir avisé les autorités portuaires de Funchal qu'il se dirigeait vers les îles du Cap Vert, à quelque 1 500 milles au sud. L'*Apollo* piqua en effet droit au sud ; puis, une fois que Madère eut disparu à l'horizon, il vira de bord et mit le cap à l'ouest – ce qui incita l'équipage, maintenu par principe dans l'ignorance, à supposer que le Commodore se décidait à regagner l'Amérique.

Par un temps splendide et une mer d'huile, l'*Apollo* effectua sans incident la traversée de l'Atlantique. Arrivé le 16 octobre à Saint-George, aux Bermudes, pour se ravitailler en carburant, Hubbard annonça que leur destination finale était Charleston. L'équipage l'acclama ; Américains pour la plupart, certains n'avaient pas revu leur patrie depuis des années. Ils avaient eu tort de se réjouir trop vite : à 8 milles de Charleston, un message codé du « Bureau du Gardien » avisa le Commodore que le FBI l'y attendait de pied ferme.

Sa première réaction fut d'aborder et de se payer d'audace ; affolée à l'idée que son mari puisse être arrêté, Mary Sue s'y opposa et une violente altercation s'ensuivit : « Tout le monde les a entendus crier pendant deux heures, se souvient Hana Eltringham. Mary Sue disait qu'ils lui colleraient au moins quinze chefs d'inculpation, que c'en serait fini de lui et qu'elle s'y refusait catégoriquement. » Pour une fois, Mary Sue l'emporta : après avoir informé Charleston qu'il poursuivait sa route au nord pour prendre livraison de pièces de rechange à Halifax en Nouvelle-Écosse, Hubbard vira de bord et redescendit plein sud vers les Caraïbes.

Deux jours plus tard, l'*Apollo* accosta à Freeport, aux Bahamas, tandis que le FBI montait la garde à Halifax. Il ne fallut pas longtemps aux Incorruptibles pour deviner ce qui s'était passé et retrouver le navire, qu'ils dépistèrent inlassablement d'île en île au cours des douze mois suivants. Si personne à Washington ne comprenait ce que Hubbard avait derrière la tête, cela n'avait rien d'étonnant car le Commodore n'en savait lui-même pas davantage.

En fait, il semble qu'il se soit accordé des vacances. Il s'était fait confectionner des uniformes en soie blanche et avait doté ses fidèles Messagères de tenues blanches fort seyantes, complétées par des lunettes réfléchissantes leur donnant une sinistre allure de mutantes ou de robots tueurs. Aux escales, les Apollo Stars descendaient à terre se produire devant des publics d'oisifs indifférents, qui se demandaient d'où sortaient ces amateurs accumulant fausses notes et contretemps. Le Commodore s'adonna de nouveau à la photographie et chercha à se faire bien voir des personnalités locales en leur tirant le portrait. A Curaçao, par exemple, il photographia successivement le Premier ministre et son adversaire politique ; il se rendit également dans un couvent où il fixa les religieuses sur la pellicule. Il leur envoya ensuite leurs portraits agrandis avec, en guise de remerciement, un chèque de 1 000 dollars « pour leurs œuvres ».

Il pouvait se permettre de telles largesses, comme Kima Douglas allait bientôt le constater : « Pendant que nous étions aux Bahamas, nous avons appris je ne sais comment que la Suisse allait changer son régime fiscal d'une manière susceptible d'affecter l'argent que nous avions là-bas. Le vieux en a perdu la tête. En l'entendant hurler, je suis accourue et je l'ai trouvé qui arpentait sa cabine en criant à tue-tête : " Vous ne savez pas ce qu'ils nous font ? Nous allons tout perdre, tout perdre ! " » Après qu'elle l'eut calmé, Kima suggéra qu'il suffirait de déplacer l'argent. Trois heures plus tard, elle était avec deux autres scientologues dans un avion à destination de Zurich, munie d'une procuration de Hubbard les autorisant à transférer les fonds au Liechtenstein.

A la banque de Zurich, on les emmena dans la salle des coffres où Kima, qui croyait ne plus pouvoir s'étonner de rien sur la Scientologie, fut littéralement frappée de stupeur : « Nous avons vu une pile d'un mètre cinquante de haut sur plus d'un mètre de large, des dollars, des marks, des francs suisses, rien que des gros billets. C'était ahurissant ! Je ne pouvais même pas deviner les sommes que cela représentait, je savais simplement que nous étions incapables de tout transporter en une fois. » Il leur fallut en effet quinze jours pour effectuer le transfert et relever les numéros de série de chaque liasse. De retour aux Bahamas, sa mission accomplie, Kima dut décrire au Commodore la taille exacte de chaque pile de billets : « Il était enchanté. Il croyait avoir battu les Suisses à leur propre jeu. »

Au printemps de 1975, l'*Apollo* était à Saint-Vincent lorsqu'un visiteur inattendu arriva de Bremerton, dans l'État de Washington : à quatre-vingt-huit ans, Harry Ross Hubbard avait décidé de faire la paix avec ce fils perdu de vue depuis de longues années. Quand son taxi apparut sur le quai, Hubbard descendit à sa rencontre. C'était la première fois qu'on voyait le Commodore quitter son navire pour accueillir quiconque.

L'équipage avait reçu l'ordre de dissimuler toute trace de Scientologie à bord, mais le plus ancien capitaine de corvette de la US Navy était trop vieux et trop dépaysé pour prêter attention à ce qu'il voyait. Il fit quelques promenades dans les coursives, passa des heures à bavarder avec son fils, se déclara satisfait de la bière fraîche mise à sa disposition et des deux ou trois expéditions de pêche au gros organisées en son honneur. De retour à Bremerton, il dit à la famille avoir fait « un excellent voyage » et mourut paisiblement quelques semaines plus tard.

Depuis son arrivée dans la mer des Caraïbes, l'*Apollo* traînait un sillage de soupçons. Des Bahamas aux Antilles françaises et néerlandaises, des Iles sous le Vent à la Barbade, les rumeurs d'activités clandestines ou de trafics illicites le poursuivaient avec la ténacité d'un nuage de mouettes affamées derrière un chalutier. A Trinidad, un hebdomadaire exhuma ses liens présumés avec la CIA et insinua que certains membres de l'équipage auraient trempé dans l'assassinat de Sharon Tate à Los Angeles. Cette universelle suspicion ne pouvait qu'accréditer à bord la thèse du complot international contre la Scientologie : le capitaine de l'*Apollo* alla jusqu'à accuser le secrétaire d'État Henry Kissinger, « un des gros bonnets de SMERSH » *(sic)*, de faire pression sur les pays en menaçant de leur supprimer l'aide des États-Unis s'ils recevaient le navire en escale. Pour un scientologue, de telles âneries paraissaient tout à fait logiques.

Des cours avaient toujours lieu à bord pour quelques scientologues avancés. C'est ainsi qu'embarqua en juin 1975 Paula Kemp, la fidèle amie des Hubbard aux jours fastes de Saint Hill Manor. Elle fut atterrée de retrouver le Commodore vieilli et physiquement diminué : « Quand j'ai couru vers lui, la main tendue, en disant " Bonjour, Ron ! ", il m'a regardée comme s'il ne savait pas qui j'étais. Croyant d'abord qu'il devenait dur d'oreille, j'ai recommencé plus fort mais il ne m'a toujours pas reconnue. J'ai compris ensuite qu'il ne m'avait sans doute même pas vue à cause de sa myopie. Par vanité, il n'avait jamais voulu porter de lunettes. »

Peu de temps après, pendant une escale à Curaçao, le Commodore eut une attaque cérébrale bénigne. Transporté d'urgence à l'hôpital, il y resta trois semaines – avec, bien entendu, une garde permanente de Messagères à la porte de sa chambre – et passa sa convalescence dans un bungalow du Hilton local.

C'est de là qu'il expédia en mission secrète aux États-Unis un homme de confiance, Mark Shecter, porteur d'une valise pleine d'argent qu'il devait remettre à un autre scientologue, Frankie Freedman, qui avait trouvé un motel entier à louer en Foride, à Daytona Beach.

Seule, une poignée d'initiés savait que la Sea Org avait fini de sillonner les mers.

Chapitre 20

Le grand débarquement

« Je crois ne jamais devoir regretter d'avoir publié mes découvertes. J'avais pour seule ambition de servir les hommes et de leur transmettre mes connaissances... Je n'ai jamais cherché querelle à personne. » (Premier communiqué de presse donné depuis cinq ans par L. Ron Hubbard, lu en public par Diana Hubbard à Québec le 28 avril 1976, pour le lancement d'une nouvelle édition de *La Dianétique*.)

Ancien croupier à Las Vegas et scientologue depuis dix ans, Frankie Freedman était un de ceux qui savaient que la Sea Org ne naviguerait plus. Sous le couvert d'une société immobilière fictive, la Southern Land Sales & Development Co., il écumait la Caroline du Sud, la Georgie et la Floride à la recherche de locaux pouvant servir de relais jusqu'à l'établissement d'une base permanente. En août 1975, il trouva à Daytona Beach, en Floride, un motel désaffecté, le Neptune. Il exhiba au propriétaire sa fausse carte de visite, proposa de louer l'ensemble pour trois mois, tomba d'accord sur un loyer de 50 000 dollars et, le surlendemain, Mark Shecter apporta l'argent de

Curaçao. Pendant ce temps, Hubbard convoquait le fidèle Jim Dincalci, revenu en grâce, et lui disait : « Nous quittons le navire. Prenez de l'argent, allez à Daytona Beach et trouvez-moi un appartement proche du motel Neptune. Faites pour le mieux. » Touché de cette marque de confiance, Dincalci s'exécuta.

A bord de l'*Apollo*, on savait désormais que le Commodore se préparait à rentrer aux États-Unis. Les officiers de la Sea Org organisaient déjà le retour à terre de l'équipage par petits groupes, *via* les aéroports de Miami, Washington et New York, de manière à ne pas attirer l'attention des agences fédérales. Ceux qui n'étaient pas citoyens américains devaient se présenter en simples touristes. Quant au navire, il serait convoyé à Freetown, aux Bahamas, par un équipage minimum qui resterait à bord jusqu'à ce qu'il soit revendu.

Hubbard, Mary Sue et Kima Douglas quittèrent Curaçao par avion pour Orlando, puis gagnèrent en voiture Daytona Beach. Dincalci leur avait loué deux suites dans un hôtel sur le front de mer, à deux cents mètres du Neptune où les membres de la Sea Org s'installèrent les jours suivants – sans être censés savoir que le Commodore était déjà là : « Personne n'était dupe, se souvient David Mayo. Nous avions ordre de ne pas nous approcher de son hôtel, même pour aller boire un verre au bar, car le secteur était infesté d'ennemis – aucun de nous n'y croyait, bien sûr, c'était trop gros... Il venait tous les jours au motel dans une Cadillac dorée que nous avions vue démarrer de l'hôtel deux minutes plus tôt, mais il partait dans la direction opposée et feignait d'arriver d'ailleurs, comme s'il venait de très loin. »

A Daytona, Hubbard retrouva sa belle humeur avec sa bonne santé. « Il avait vraiment l'air heureux, se souvient Dincalci. Il mangeait mieux et jurait moins. C'était sans doute la première fois depuis longtemps qu'il avait de quoi s'occuper, des choses à faire, des gens à voir. Par exemple, il a lui-même acheté des voitures pour l'Org et il prenait un plaisir évident à marchander. »

Si les allées et venues du Neptune passaient de moins

en moins inaperçues des vacanciers, les scientologues ne restèrent pas assez longtemps pour se faire trop remarquer : en octobre, Freedman avait découvert l'endroit idéal pour l'établissement de la base permanente.

Paisible villégiature au charme suranné proche de St. Petersburg, Clearwater ne brillait guère par son animation. Un tiers de ses cent mille habitants avait plus de soixante-cinq ans et la sieste restait la distraction favorite des autochtones. Clearwater subissait cependant la décrépitude de la plupart des villes américaines dans les années soixante-soixante-dix. Les résidents du centre émigraient vers les banlieues, les boutiques disparaissaient au profit de centres commerciaux et les touristes préféraient les grands hôtels modernes du front de mer. Le centre-ville devenait une coquille vide dont la grandeur fanée du Fort Harrison Hotel, qui en faisait jadis l'orgueil, donnait le triste exemple. Avec son vaste hall aux lustres de cristal, sa piscine vide et ses chambres désertes, nul ne s'étonnait que ce symbole d'un faste révolu ait été mis en vente sans trouver preneur.

Son acquisition en octobre 1975 par la Southern Land Sales & Development Corporation n'éveilla pas de curiosité particulière. Seul, l'homme de loi des vendeurs admit avoir procédé à « la plus surprenante transaction de [sa] carrière » : le représentant de la Southern Land versa le prix d'achat de 2 300 000 dollars en argent liquide, sans même donner le numéro de téléphone de son siège social. Quelques jours plus tard, la même société acquit pour 55 000 dollars le bâtiment de l'ancienne banque à côté de l'hôtel. Quand deux journaux locaux, le *Clearwater Sun* et le *St Petersburg Times*, cherchèrent à se renseigner sur ces opulents promoteurs immobiliers, leur surprise fut grande de ne trouver nulle part de trace de la société. Peu de temps après, l'apparition d'un homme en salopette verte annonçant qu'une organisation religieuse, United Churches of Florida, louait les deux bâtiments afin d'y organiser des séminaires œcuméniques, ne suffit pas à dissiper le mystère car l'existence officielle des United

Churches of Florida était tout aussi inconnue. Leur curiosité piquée au vif, les journalistes poursuivirent leur enquête; elle allait bientôt être couronnée de succès.

Encouragé par les rapports de ses émissaires, Hubbard était convaincu que Clearwater serait une base idéale d'où la Scientologie pourrait croître et prospérer. Il envisagea un moment de se loger au dernier étage du Fort Harrison, qui communiquait avec les garages souterrains par un ascenseur privé, mais il décida en fin de compte qu'il serait plus sûr de rester à l'écart. Freedman lui trouva quatre appartements vacants dans un ensemble résidentiel de Dunedin, à quelques kilomètres de Clearwater, où Hubbard et Mary Sue emménagèrent le 5 décembre 1975 avec leur entourage habituel de Messagères et d'assistants. Bien entendu, ce lieu-ci comme les autres devait être tenu secret. Le Commodore avait de bonnes raisons de vouloir rester dans la clandestinité et de maintenir à l'usage du public la fiction selon laquelle il n'exerçait plus de responsabilités dans l'Église de scientologie. Malgré sa folie, il conservait à soixante-quatre ans assez de lucidité pour craindre le risque d'être envoyé en prison.

L'Opération Blanche-Neige, imaginée par lui trois ans plus tôt dans le dessein de « blanchir » les dossiers officiels, obtenait des résultats inespérés. Au début de 1975, les scientologues étaient infiltrés à l'Internal Revenue Service, à la US Coast Guard et à la Drug Enforcement Agency. Dès le mois de mai, Gerald Wolfe, taupe scientologue dans les services de l'IRS à Washington sous le nom de code « Silver », avait réussi à dérober ou photocopier plus de trente mille pages de documents concernant les Hubbard et la Scientologie.

La responsabilité hiérarchique de l'opération incombait à Mary Sue, qui occupait le poste de contrôleur; ses agents se glissaient avec une incroyable facilité dans les services fédéraux pour y perpétrer leurs méfaits. Ils s'exposaient toutefois, et leurs supérieurs avec eux, à des risques considérables s'ils se faisaient prendre en flagrant délit. Or, Hubbard se souciait peu de savoir sur qui retomberait le blâme du moment que ce ne serait pas sur lui :

peu avant son installation à Dunedin, il avait autorisé l'infiltration des Parquets fédéraux de Washington et de Los Angeles par des agents spécifiquement chargés de donner l'alerte aux premiers signes de poursuites judiciaires intentées contre lui. S'estimant ainsi protégé, il entreprit d'infiltrer lui-même la société de Clearwater.

Se posant en photographe désireux de promouvoir le tourisme grâce à ses paysages, il n'oublia pas de proposer ses talents de portraitiste aux personnalités locales, à commencer par le maire de Clearwater, Gabriel Cazares. Ce dernier avait cependant d'autres soucis en tête que de se faire tirer le portrait. Comme nombre de ses administrés, il s'inquiétait du soudain afflux dans sa bonne ville de jeunes peu communicatifs, vêtus de tenues ressemblant fort à des uniformes et occupés à rénover sous étroite surveillance l'hôtel Fort Harrison et l'ancienne banque. « La présence ostensible de gardes armés de matraques et de bombes de *mace* au service des United Churches of Florida, déclara le maire, me plonge dans une vive perplexité. Je comprends mal pourquoi une organisation religieuse aurait besoin de s'entourer d'autant de mesures de sécurité. »

La clairvoyance du maire de Clearwater lui valut d'occuper aussitôt une place de choix sur la liste des « ennemis » de la Scientologie. Quant à sa perplexité, elle se serait muée en réelle inquiétude s'il avait eu vent d'une directive de décembre, organisant la prise de contrôle de « positions clés dans le secteur de Clearwater ». L'opération mettait en œuvre les tactiques typiquement hubbardiennes d'exhumation de secrets compromettants sur les principales personnalités, ainsi rendues dociles aux menaces de chantage.

En janvier 1976, le « Bureau du Gardien » découvrit que les journaux locaux étaient sur la piste des United Churches of Florida et s'approchaient dangereusement de la vérité. « Silver » rapporta qu'une journaliste du *St Petersburg Times* se renseignait auprès de l'IRS sur le statut fiscal de l'Église de scientologie ; une scientologue infiltrée au *Clearwater Sun* révéla qu'un reporter avait établi le lien entre les United Churches of Florida et la Scientologie en vérifiant les numéros d'immatriculation des voitures. Il était temps de faire tomber les masques.

Le 28 janvier, un certain « Révérend » Arthur J. Maren, imposant personnage à la barbe biblique arrivé tout droit de Los Angeles, annonça dans une conférence de presse que l'Église de scientologie, véritable propriétaire de l'hôtel Fort Harrison et de l'ancienne banque de Clearwater, était jusqu'alors restée à l'arrière-plan dans l'unique souci de ne pas faire de l'ombre à sa filiale, United Churches of Florida. Le 5 février, cinq cents citoyens de Clearwater furent invités à une « journée portes ouvertes » à l'hôtel Fort Harrison dont ils purent admirer la rénovation. Maren y prit la parole pour leur assurer qu'ils n'avaient rien à craindre de la Scientologie : « Les scientologues sont gens honnêtes, sobres et respectueux des lois, affirma-t-il, animés de sentiments altruistes et du désir de contribuer à la vie de la cité. » En témoignage de son altruisme, l'Église de scientologie intenta le lendemain contre le maire Gabriel Cazares des poursuites en diffamation et violation des droits civiques de l'Église, avec un million de dollars de dommages-intérêts à la clef.

Pendant ce temps, Hubbard n'avait pas d'inquiétudes sur sa propre sécurité, sa résidence n'étant connue que d'une poignée de fidèles au-dessus de tout soupçon. Une fois encore, le destin allait lui être contraire. Il ne pouvait s'en prendre qu'à lui-même. Sa nouvelle vie à terre exigeant une nouvelle garde-robe, il n'eut pas la patience de faire appel à son tailleur habituel de Savile Row à Londres et se rendit à Tarpon Springs, petite ville proche de Dunedin. Le hasard voulut que le tailleur soit amateur de science-fiction ; tout en prenant les mesures de son nouveau client, il amena tout naturellement la conversation sur ce sujet et Hubbard laissa échapper sa véritable identité. Enchanté de serrer la main du grand L. Ron Hubbard qu'il admirait depuis des années, le tailleur parla de la rencontre le soir-même à sa femme. En province, les nouvelles vont vite : une semaine ne s'était pas écoulée qu'un journaliste sonnait à la porte du Commodore.

Hubbard perdit la tête : « Nous partons ! » cria-t-il à Kima Douglas, alors promue chef de la « section ménagère ». Accoutumée à ses crises, Kima suggéra d'emmener son mari, Mike, en guise de chauffeur. « Je ne l'avais jamais vu affolé à ce point, se souvient-elle. Nous avons à peine eu le temps de fourrer quelques affaires dans un sac de voyage. » Hubbard laissant en permanence cinq valises pleines dans le coffre de sa Cadillac en or massif, ils prirent la fuite au coucher du soleil, Mike Douglas au volant, Kima à côté de lui et Hubbard couché sur la banquette arrière pour ne pas être vu.

Kima Douglas n'oubliera jamais ce voyage entrecoupé de crises de nerfs, d'arrêts dans des motels sous de faux noms, de détours pour échapper aux voitures de police dont Hubbard était persuadé qu'elles étaient à sa poursuite. Au bout de quatre jours de ce régime, et après avoir abandonné la Cadillac dorée trop reconnaissable, les fugitifs atterrirent à Washington où Kima loua une confortable maison dans un quartier tranquille de Georgetown. Peu de temps après, Hubbard retrouva son sang-froid, les communications furent rétablies, l'entourage reparut et Mary Sue transmit par télex des rapports journaliers où il était souvent question de l'Opération Blanche-Neige – qui se déroulait dans les bâtiments officiels se dressant à quelques centaines de mètres de l'endroit où Hubbard vivait incognito...

Rassuré par l'animation des rues de Georgetown, Hubbard recommença à sortir se promener – après avoir pris la précaution de se laisser pousser la barbe et de se vêtir de hardes achetées à l'Armée du Salut. « Le plus bizarre, se souvient Alan Vos, un des fidèles logés dans la maison de Georgetown, c'est que sa hantise de la poussière et de la propreté avait complètement disparu... Il aimait s'asseoir aux terrasses de cafés de Connecticut Avenue... et cela l'amusait beaucoup de se faire donner des prospectus par des scientologues qui passaient. Un jour, il a suggéré à une femme d'aller à l'Org, à deux rues de là. J'ai su plus tard que quand on lui avait demandé qui l'envoyait, elle a montré la photo de LRH au mur et à répondu que c'était " cet homme-là ". Ils ont enquêté sur la malheureuse en croyant qu'elle était un agent provocateur... A Washington, LRH avait l'air heureux de voir des gens, de se mêler à la foule, d'aller au cinéma. Sur le navire, il avait perdu le contact avec le monde extérieur. Un moment, il a envisagé d'installer ici son quartier général... mais Mary Sue l'en a dissuadé sous prétexte que c'était trop dangereux. C'est comme cela qu'elle le menait, je crois, en jouant sur ses phobies. »

Quand il ne se promenait pas dans les rues, Hubbard passait de longues heures à la Bibliothèque du Congrès, où il lisait des ouvrages sur l'occultisme et la magie noire. Il poursuivait aussi de sa vindicte le maire de Clearwater, sur le compte duquel la Scientologie s'efforçait en vain de dénicher de quoi le compromettre. C'est ainsi qu'ayant appris que Gabriel Cazares venait à Washington pour un congrès d'élus municipaux, le «Bureau du Gardien» tenta de l'impliquer dans un faux accident de la circulation avec délit de fuite. La prétendue victime, Michael Meisner, allait bientôt faire parler de lui dans un autre contexte.

Cheville ouvrière de l'Opération Blanche-Neige, Meisner était le « traitant » des agents infiltrés dans les ministères et administrations de Washington; il avait personnellement participé à des cambriolages au ministère de la Justice et photocopié de milliers de dossiers confidentiels. Le 11 juin 1976, le FBI le surprit en compagnie de « Silver » dans le bâtiment de la Cour fédérale, où les deux hommes attendaient que les femmes de ménage aient terminé leur travail dans un bureau qu'ils s'apprêtaient à cambrioler. Ils s'en sortirent de justesse en exhibant des faux papiers et en expliquant leur présence par des recherches de jurisprudence aux archives, mais l'alerte avait été chaude. Informé de l'incident par un télex de Mary Sue, Hubbard sentit le danger imminent et, une fois de plus, sa première réaction fut d'y échapper en prenant la fuite.

Le lendemain matin, enregistrés sous des faux noms,

Kima Douglas et son « père » montèrent à bord d'un vol direct à destination de Los Angeles. Une limousine les conduisit de l'aéroport à Culver City, où Gerry Armstrong avait déjà loué quatre appartements contigus dans un immeuble d'Overland Avenue, pendant que les occupants de la maison de Georgetown chargeaient en hâte remorques et camionnettes en prévision de la longue traversée des États-Unis d'est en ouest.

Artère anonyme typique de l'Amérique suburbaine où alternent ensembles résidentiels, centres commerciaux, stations services et baraques de hamburgers, Overland Avenue était le genre de lieu où les gens se côtoient des mois sans connaître leurs voisins. Armstrong avait fait installer un télex et le matériel de codage, de sorte que les communications reprirent sans tarder entre le refuge du Commodore et le « Bureau du Gardien », respectivement appelés Alpha et Bêta.

C'est ainsi qu'Alpha fut informé que Gerald Wolfe, l'agent « Silver », avait été arrêté à son bureau de l'IRS et qu'un mandat d'arrêt était lancé contre Michael Meisner, présumé en fuite. Ce dernier point n'étonna personne car Meisner était déjà confié aux soins diligents de Bêta, qui lui faisait subir un changement d'aspect et le munissait de faux papiers. Selon les consignes de Mary Sue, il devait ensuite « se perdre dans la foule d'une grande ville ».

Mary Sue rejoignit son mari peu après, moins pour l'entretenir de la situation que de ses préoccupations familiales. Elle tenta de le persuader qu'ils pourraient reprendre une vie de famille normale dans la sécurité d'un ranch quelque part en Californie du Sud. En réalité, il était trop tard : soumise au stress continuel de leur vie errante, la famille s'était déjà désagrégée. Le ménage de Diana battait de l'aile; Quentin, censé travailler à l'Org de Clearwater, pratiquait l'absentéisme systématique; Suzette ne fréquentait que des « Wogs » et Arthur avait laissé tomber ses études au California Institute of the Arts où Jim Dincalci avait réussi à le faire admettre. Daignant admettre que Mary Sue n'avait pas tout à fait tort d'aspirer à retrouver quelque stabilité, Hubbard chargea des émissaires de dénicher l'oiseau rare, car la propriété devait être assez vaste pour loger non seulement sa famille mais aussi son entourage – le Commodore ne pouvant envisager de vivre sans ses courtisans et son escadron de jeunes Messagères à sa dévotion.

La « mission » explorant la région de Palm Springs signala bientôt une affaire intéressante à La Quinta, au pied des montagnes de San Jacinto, dont le vendeur demandait 1 300 000 dollars. Une casquette enfoncée sur ses longs cheveux ayant enfin viré du roux au gris, Hubbard s'y rendit dans sa nouvelle voiture, un cabriolet Cadillac Eldorado rouge vif. Dans cet équipage manquant singulièrement de discrétion, il fonça à La Quinta, franchit en coup de vent le portail de l'Olive Tree Ranch, fit une tournée d'inspection express, se déclara satisfait et regagna Los Angeles dans l'heure.

Située à une vingtaine de minutes de Palm Springs, La Quinta était une bourgade écrasée de soleil en plein désert et l'Olive Tree Ranch, par esprit de contradiction, n'était planté que de dattiers et d'agrumes sans un seul olivier. La propriété comprenait une spacieuse hacienda blanche coiffée de tuiles rouges s'étalant autour d'un patio, une piscine pourvue en son milieu d'une île ornée d'un unique palmier et deux petites maisons annexes. L'acte de vente à peine signé, une équipe disciplinaire détachée de la RPF de Los Angeles vint procéder aux travaux de rénovation. Aucun lien visible ne devant exister entre le ranch et l'Église de scientologie, tous ceux qui y vivaient ou y travaillaient étaient pourvus de noms de code ; l'emploi du vocabulaire et la possession de brochures scientologues y étaient strictement prohibés.

Installés au début d'octobre 1976, les Hubbard semblèrent d'abord profiter paisiblement de la tranquillité ambiante et les Messagères constataient avec soulagement que le Commodore était détendu et de bonne humeur. Une fois encore, cette embellie ne pouvait durer.

Le mercredi 17 novembre, en venant prendre son tour de garde, Doreen Smith entendit depuis la cour Hubbard hurler à pleins poumons : « Sale con de gamin ! Tu vois ce qu'il m'a fait ! Sale con de gamin !... » En s'approchant, elle entendit les gémissements quasi inhumains de Mary Sue se mêler aux rugissements du Commodore. Dans le vestibule, la Messagère qu'elle venait relever lui dit en sanglotant : « Quentin s'est suicidé. »

Le 28 octobre à 8 h 32, Quentin avait été découvert affalé sur le volant d'une Pontiac blanche, garée le long de la clôture de l'aéroport de Las Vegas, au bout de la piste nord. Les vitres étaient fermées et un tube d'aspirateur reliait le tuyau d'échappement au déflecteur rendu étanche par des tampons de papier. Le moteur tournait encore.

Le premier policier arrivé sur les lieux força les portières et constata que le jeune homme était inconscient mais encore en vie. Il n'était muni d'aucun papier d'identité et les plaques d'immatriculation avaient été enlevées de la voiture, dans laquelle on ne trouva qu'un poste de radio à transistors Grundig, un sac de voyage noir contenant quelques vêtements et une bouteille de tequila entamée. « Sujet sale et mal vêtu, probablement un vagabond ayant couché un certain temps dans son véhicule, nota le policier dans son rapport. Il s'agit d'un individu de race blanche de sexe masculin, âgé d'une vingtaine d'années. Transporté au Southern Nevada Memorial Hospital. » Quentin Hubbard fut admis à l'hôpital sous l'identité de John Doe, attribuée aux inconnus. Pour tout signalement, l'hôpital nota qu'il avait la moustache et les cheveux roux. Il mourut le 12 novembre à 21 h 15 sans avoir repris connaissance. La police inscrivit la cause du décès sous la rubrique « suicide présumé ».

Le lundi 15 novembre, afin d'établir l'identité de John Doe, le bureau du coroner de Las Vegas fit examiner la voiture mise en fourrière, ce qui permit d'en relever le numéro de série et d'y découvrir un certificat de contrôle antipollution délivré par la police routière de Floride. Aussitôt consulté, le service des cartes grises de Floride répondit par télex que le véhicule était immatriculé au nom de Quentin Hubbard domicilié à Clearwater. Le signalement du défunt et de sa voiture furent retransmis à la police de Clearwater pour confirmation.

Le même jour à 20 h 40, un homme se présentant sous le nom de Dick Weigand téléphona de l'aéroport de Los Angeles au bureau du coroner en disant qu'il prenait l'avion pour Las Vegas et pensait pouvoir identifier l'inconnu. L'assistant coroner accepta de le rencontrer à 22 heures dans les locaux du médecin légiste, où le corps était conservé. En arrivant, Weigand annonça qu'il avait été contacté par une certaine Kathy O'Gorman, domiciliée à la même adresse que Quentin Hubbard; il déclara ensuite n'avoir rencontré Quentin Hubbard que deux ou trois fois et ne pouvait, en conséquence, être tout à fait certain de le reconnaître. Il regarda le corps quelques instants, regretta de ne pouvoir confirmer l'identification et conseilla de s'adresser à Kathy O'Gorman dont, par ailleurs, il ignorait le numéro de téléphone. Sur ce, Weigand disparut dans la nuit – et se hâta de téléphoner au « Bureau du Gardien » qu'il s'agissait bel et bien de Quentin.

Le mardi matin, un policier de Clearwater informa Las Vegas par téléphone que l'adresse indiquée était celle de l'Église de scientologie dont la responsable des relations publiques, Kathy O'Gorman, refusait de communiquer aucun renseignement sur Quentin Hubbard. Il ajouta que la police locale avait déjà eu de « nombreux problèmes » avec l'Église dont le fondateur, L. Ron Hubbard, était censé résider sur un yacht ancré quelque part dans la baie.

Entre-temps, le « Bureau du Gardien » agissait avec célérité pour régler la situation. Son représentant à Las Vegas, Ed Walters, était chef de table au casino du Sands et opérait clandestinement pour la Scientologie depuis près de huit ans : « Quand ils ont appris que Quentin était ici, ils m'ont chargé de récupérer tous ses dossiers médicaux parce qu'ils contenaient la preuve qu'il avait eu des rapports homosexuels juste avant son suicide et qu'il ne fallait à aucun prix que la chose s'ébruite. Une scientologue qui travaillait à l'hôpital les a subtilisés sans problème et je les ai immédiatement fait parvenir au Gardien. »

Quand Mary Sue apprit la nouvelle le mercredi, elle hurla dix minutes de suite sans reprendre haleine : « C'était épouvantable, se souvient Kima Douglas. Le vieux ne pleurait pas ni ne manifestait de chagrin. Il était littéralement fou de rage que Quentin "lui" ait fait cela... »

Le jeudi 18 novembre au matin, se présentant comme directeur des relations publiques de l'Église de scientologie, Arthur Maren arriva au bureau du Coroner de Las Vegas et déclara qu'il pouvait identifier le corps. A 11 h 25, il confirma que le défunt était bien Geoffrey Quentin Hubbard, âgé de vingt-deux ans. Ses parents, ajouta-t-il, faisaient un voyage autour du monde et étaient absents des États-Unis. Les jours suivants, Maren revint à plusieurs reprises fournir au Coroner des renseignements destinés, en fait, à couper court à l'enquête. Il parvint même à obtenir que le rapport officiel fasse état d'une « mort accidentelle ». Le lundi 22 novembre, une jeune femme appelée Mary Rezzonico, porteuse d'un pouvoir signé de L. Ron Hubbard et de Mary Sue Hubbard – signé, précisa-t-elle, au large des côtes irlandaises –, vint prendre livraison de la dépouille de leur fils et de ses effets personnels. Quentin fut incinéré le lendemain.

« Je savais qu'il avait des tendances homosexuelles, se souvient Ed Walters, mais c'était un brave gosse, un faible, un tendre. Il voulait depuis longtemps abandonner la Scientologie, mais on ne la lâche pas si facilement. On est immédiatement traité en ennemi. Il savait que son père s'en prenait violemment à tous ceux qui le trahissaient et que le « Bureau du Gardien » le poursuivrait sans répit. Pour quelqu'un comme lui, né dans la Scientologie, le monde extérieur plein de « Wogs » et de gens méchants est terrifiant. Il n'a pas su comment s'en sortir. » « C'était un pauvre garçon profondément malheureux, renchérit Kima Douglas. Un enfant qui perdait pied et savait ne jamais pouvoir se mesurer à son père. »

Le drame allait connaître un dénouement macabre.

Quentin ayant choisi de mourir près d'une piste d'aéroport, en regardant décoller et atterrir ces avions qu'il avait en vain rêvé de piloter, il fut décidé que ses cendres seraient répandues d'un avion dans les eaux du Pacifique. Pour cette mission, on fit appel à un scientologue de Palo Alto, Frank Gerbode, qui possédait son propre avion : « Je devais survoler le Pacifique avec deux autres personnes chargées de répandre les cendres de Quentin, se souvient Gerbode. Je ne m'attendais pas à ce que ce soit aussi horrible : le vent et le souffle de l'hélice ont rabattu presque toutes les cendres à l'intérieur. Pendant des mois, j'ai retiré des petits morceaux de Quentin Hubbard du capitonnage des sièges... »

Chapitre 21

Silence, on tourne!

« Le crime des accusés est d'une gravité sans précédent. Pas un bâtiment public, pas un bureau, pas un dossier n'était à l'abri de leurs agissements. Pas un individu, pas une organisation qui n'ait été exposé à leurs méprisables intrigues. En guise d'outils de travail, ils usaient d'émetteurs secrets, de codes, de fausses clés, de faux papiers... N'oublions pas que leur fondateur et complice, L. Ron Hubbard, a écrit : " La vérité est ce qui est vrai pour vous ", de sorte qu'ils s'estimaient en droit, avec la bénédiction de leur fondateur, de mentir et se parjurer sans scrupule du moment qu'ils le faisaient dans l'intérêt de la Scientologie. » (Réquisitoire du ministère public au procès de Mary Sue Hubbard et de ses coinculpés, octobre 1978.)

Rien ne fut plus comme avant à l'Olive Tree Ranch après la mort de Quentin. La bonne humeur du Commodore s'évanouit aussi vite qu'elle était apparue et il redevint le tyran vociférant et mal embouché, entouré d'incapables et assiégé d'ennemis, que chacun redoutait. Avec ses cheveux hirsutes, son regard halluciné et sa bouche

317

écumante, il avait réellement l'air d'un fou – mais personne n'aurait osé le dire, encore moins le *penser* : une oscillation un peu forte de l'aiguille de l'électromètre, censée trahir une pensée désobligeante envers lui, suffisait à envoyer le coupable faire un long séjour dans une RPF, dont toutes les Orgs étaient désormais pourvues.

Pendant ce temps, la pauvre Mary Sue se débattait de son mieux dans les décombres de l'Opération Blanche-Neige. Son plus grave problème venait de Michael Meisner, qui perdait patience dans une clandestinité dont il ne voyait pas la fin et critiquait le peu d'empressement de ses supérieurs à le sortir du pétrin où ils l'avaient fourré. Ayant menacé de « déserter » au bout de huit mois de ce régime, il fut immédiatement placé sous bonne garde et, de fugitif, se retrouva prisonnier.

Le 20 juin 1977, incarcéré dans une « planque » de Glendale, il parvint à fausser compagnie à ses cerbères et téléphona au FBI en disant qu'il voulait se constituer prisonnier. Deux jours plus tard, le « Bureau du Gardien » reçut une lettre de lui, postée à San Francisco, annonçant qu'il se cachait le temps de réfléchir. Aussitôt informée, Mary Sue estima qu'il était inutile de le rechercher et qu'il vaudrait mieux « trouver le moyen de le neutraliser s'il décidait de trahir ». Il était déjà trop tard : au même moment, Meisner était à Washington en train de décrire en détail aux agents du FBI, muets d'ahurissement, le fonctionnement de l'Opération Blanche-Neige et l'étendue de sa réussite.

Le 8 juillet 1977 à 6 heures du matin, cent trente-quatre agents du FBI armés de barres à mine et de mandats de perquisition firent simultanément irruption dans les locaux de l'Église de scientologie à Washington et à Los Angeles où ils saisirent 48 149 documents. L'examen de leur prise allait dévoiler un stupéfiant réseau d'espionnage qui couvrait le territoire entier des États-Unis, jusqu'aux offices les plus élevés du gouvernement. En apprenant la nouvelle, Hubbard eut sa réaction habituelle : le « Bureau du Gardien » grouillait d'ennemis et de traîtres et il ne pouvait plus se fier qu'à ses Messagères ;

les documents saisis établissant à l'évidence la culpabilité de Mary Sue, il devait sans tarder mettre le plus de distance possible entre sa femme et lui.

Le 15 juillet, un break Dodge franchit le portail de l'Olive Tree Ranch tous feux éteints et s'engagea sur la route de Palm Springs. Étendu sur la banquette arrière, Hubbard se tenait le ventre en gémissant de douleur. Trois autres personnes avaient pris place dans la voiture : deux Messagères, Diane Reisdorf et Claire Rousseau, et l'un des rarissimes Messagers, Pat Brœker. La voiture fit route vers le nord, obliqua à travers la Sierra Nevada, franchit la frontière de l'État et dépassa Reno pour s'arrêter à Sparks, agglomération de maisonnettes mal tenues, de motels et de casinos miteux au bord de la rivière Truckee. Au lever du soleil, les quatre voyageurs s'arrêtèrent dans un motel où ils s'inscrivirent sous de faux noms : Pat et Claire étaient censés être mariés, Diana leur cousine et Hubbard leur « vieil oncle ». Pendant que Hubbard restait dans sa chambre du motel, Pat chercha en ville un logement convenablement discret. Il ne tarda pas à le trouver, paya le loyer en liquide, acheta de quoi soutenir un long siège et les quatre fugitifs s'y installèrent peu après.

Hubbard resta caché à Sparks jusqu'à la fin de 1977. Ses communications directes avec le « Bureau du Gardien » comme avec sa famille étant coupées, il se reposait sur ses trois Messagers pour garder le contact avec l'état-major. Ainsi, lorsque le besoin d'argent se fit sentir, Pat Brœker alla rencontrer un émissaire du « Bureau du Gardien » à l'aéroport de Los Angeles, où ils procédèrent à un échange de valises identiques. Brœker regagna Sparks lesté d'un million de dollars, ultérieurement « blanchis » en petites coupures dans les casinos des environs.

Pour un homme dont le FBI scrutait les activités, Hubbard affichait une étonnante insouciance. Il faisait de longues promenades presque tous les matins et passait ses après-midis à écrire des scénarios de science-fiction ou de films pour le recrutement et l'édification de nouveaux adeptes. La perspective de devenir metteur en scène lui plaisait infiniment; à soixante-six ans, il n'avait jamais tourné que des films d'amateur mais il en fallait davantage que son âge et son manque d'expérience pour le faire reculer.

Peu après Noël 1977, informé à Sparks que ses risques d'inculpation à la suite du raid du FBI étaient faibles, le Commodore décida de regagner La Quinta. Il restait cependant un problème à régler : Mary Sue étant vraisemblablement sous surveillance du FBI, elle devrait quitter le ranch.

Hubbard y revint le 2 janvier 1978 et passa plusieurs heures enfermé avec Mary Sue. Nul ne sut ce qu'ils se dirent à cette occasion, mais Mary Sue partit ce soir-là au volant de sa BMW. Le lendemain, Hubbard envoya Doreen Smith à Los Angeles aider Mary Sue à chercher un logement.

Le retour du Commodore entraîna un renforcement des mesures de sécurité. Des gardes munis de walkies-talkies patrouillaient jour et nuit la propriété. En cas de danger, un bouton spécial du walkie-talkie déclenchait des sirènes dans toute la propriété. Une Dodge Dart, au moteur gonflé et au réservoir toujours plein, était garée derrière la maison pour assurer une fuite précipitée.

Pendant ce temps, abrité derrière cet écran, Hubbard faisait installer une véritable unité de production cinématographique. Il acheta les ranchs voisins et fit construire un studio équipé de projecteurs, de caméras et de tout le matériel technique nécessaire. On le vit bientôt affublé d'un chapeau de cow-boy, de larges bretelles et d'un foulard autour du cou, accessoires lui donnant, croyait-il, une allure « artistique » digne de son nouveau personnage.

La « Ciné Org » fit ses premières armes avec des films simplistes illustrant les bienfaits de la Scientologie dans diverses situations. Hubbard écrivait les scénarios, savait exactement ce qu'il voulait – et écumait de rage en constatant combien il était difficile de transcrire ses idées sur la pellicule. A la tête d'une armée d'amateurs qui se démenaient de leur mieux, il n'était jamais satisfait de rien : quand les acteurs savaient leurs répliques, l'éclairage était mauvais ; si l'éclairage était bon, le son ne l'était

pas; si le son était satisfaisant, les décors étaient fautifs...
L'humeur du Commodore empirait de jour en jour et son
vocabulaire atteignait les sommets de la grossièreté.

En dépit des efforts désespérés de toute l'équipe, ces
films n'avaient aucune chance de remporter la moindre
nomination aux Oscars. Le cœur du problème, comme le
reconnaîtront plus tard Kima Douglas et Gerry Armstrong, bombardé chef décorateur à son corps défendant,
se trouvait dans la nullité crasse des scénarios. Quant au
fidèle Jim Dincalci, désormais convaincu que Hubbard
était sérieusement déséquilibré, il demanda à être relevé
de ses fonctions et se trouva frappé d'ostracisme : « Pendant deux mois, Hubbard a fait comme si je n'existais pas.
Le matin, en arrivant sur le plateau, il disait bonjour à
tout le monde et m'ignorait délibérément. » Dincalci avait
aussi perdu la foi dans les récits que faisait Hubbard de
ses vies antérieures depuis qu'un de ses amis lui avait dit
avoir lu mot à mot dans un livre une histoire racontée la
veille par Hubbard.

Plongé dans ses « créations », Hubbard s'intéressait peu
à ce que devenait Mary Sue – surtout, à vrai dire, parce
que les Messagères censuraient son courrier pour lui éviter des motifs de contrariété. Bien entendu, elles lisaient
l'intégralité des lettres de Mary Sue avant d'en donner à
Hubbard la version expurgée. Dans l'une d'elles, Mary
Sue se plaignait que Ron passât tant de temps avec « ses
gens » et si peu avec elle : « Je comprends que tu t'efforces
de sauver le monde, écrivait-elle, mais moi aussi j'ai
besoin de toi. » La phrase fit bientôt le tour de l'Olive
Tree Ranch.

Mary Sue avait de bonnes raisons de se plaindre de son
sort, car il devenait de jour en jour plus évident qu'elle
serait seule à payer les pots cassés de l'Opération Blanche-
Neige. « Hubbard l'a purement et simplement laissée
tomber, se souvient Ken Urquhart, et il a fait savoir dans
toutes les Orgs qu'il se dissociait d'elle. De tous ses torts,
c'est pour moi le moins excusable – laisser sa femme aller
en prison pour quelque chose dont il était au moins aussi

coupable qu'elle. Après la descente du FBI, j'étais chargé de trafiquer de faux rapports prouvant qu'il n'était au courant de rien alors qu'en réalité il en savait davantage que Mary Sue elle-même. »

Le 15 août 1978, un « grand jury » fédéral de Washington inculpa neuf scientologues de vingt-huit chefs d'accusation, allant du vol de documents officiels et de cambriolage avec effraction à complicité et recel, faux témoignages, entrave à la justice, etc. Mary Sue, qui ouvrait la liste, risquait un total de 175 ans de prison et 40 000 dollars d'amende. Les neuf inculpés comparurent devant une Cour fédérale le 29 août et plaidèrent non coupables.

Quelques jours plus tard, pendant un tournage en extérieur dans le désert, Hubbard eut une congestion. « Il faisait entre 35° C et 40° C à l'ombre, se souvient Kima Douglas, le vieux se démenait, s'époumonnait l'écume aux lèvres et je me disais qu'il ne tiendrait pas longtemps... Quand il est revenu dans sa caravane... son pouls était très irrégulier, sa tension trop élevée... J'ai tout de suite voulu l'emmener à l'hôpital, mais il m'a empoigné le bras en disant : " Cette fois-ci, non ! " » Hubbard fut ramené au ranch dans un état semi-comateux ; un médecin scientologue convoqué d'urgence de Los Angeles ne parvint pas à diagnostiquer ce dont souffrait le Commodore. Hubbard avait toujours dit qu'il tombait malade quand ses ennemis le bombardaient de « mauvaises énergies » – sort auquel devaient s'attendre tous les Sauveurs, ajoutait-il avec un haussement d'épaules fataliste. Seul l'*auditing* permettrait d'exorciser ces énergies mauvaises.

David Mayo, premier « Superviseur de cas » à Clearwater, ignorait ce qu'on attendait de lui quand un télex top secret lui enjoignit l'ordre de sauter dans le premier avion pour Los Angeles, sans même lui laisser le temps de prévenir sa femme. A l'arrivée, un scientologue l'enfourna dans une voiture qui démarra en trombe. Une demi-heure plus tard, on le fit changer de voiture et on lui banda les yeux. A ses demandes réitérées, le chauffeur daigna enfin répondre qu'on l'emmenait auprès de LRH, qui était malade.

L'aspect du Commodore le bouleversa : « Il était très mal en point et parlait avec peine... Denk [le médecin scientologue] m'a dit qu'il était à l'article de la mort et qu'il l'aurait emmené à l'hôpital s'il n'avait craint que le trajet en ambulance ne l'achève... C'était à moi de résoudre le problème et j'ai commencé à l'auditer le lendemain. »

Hubbard récupéra peu à peu, administrant ainsi à tous la preuve de l'efficacité miraculeuse de l'*auditing* – à tous sauf à son auditeur. Car Mayo était profondément troublé par ce qu'il découvrait pendant ces séances quotidiennes : « Il révélait sur lui-même et sur son passé des choses absolument contraires à presque tout ce qu'on nous avait dit... Je me moquais de ce qu'il avait fait pendant la guerre, je n'étais pas devenu scientologue parce qu'il était ou non un héros, mais j'étais angoissé de découvrir que ses véritables intentions étaient à l'inverse de celles qu'il professait. Ainsi, je voyais ses Messagères lui apporter des valises pleines de billets de 100 dollars alors qu'il avait toujours dit et écrit que la Scientologie ne lui avait jamais rapporté un sou... Je ne lui reprochais pas de gagner de l'argent ou d'avoir de la fortune, j'estimais au contraire qu'il méritait la récompense de ses actions extraordinaires. Mais pourquoi fallait-il qu'il mente à ce sujet ?... Et puis, j'ai commencé à prendre conscience qu'il n'agissait nullement pour le bien de l'humanité – peut-être en avait-il eu l'ambition au début mais ce n'était plus du tout le cas. Un jour que nous parlions des cours de l'or ou de quelque chose de ce genre, il m'a dit avec une parfaite conviction qu'il était obsédé par une soif insatiable pour l'argent et le pouvoir. Je ne l'oublierai jamais et je le cite textuellement : " Une soif insatiable pour l'argent et le pouvoir ". »

Remis sur pied vers la mi-octobre, Hubbard reprit aussitôt ses tournages et retrouva, du même coup, ses crises de rage, ses bordées de jurons et ses méthodes de dictateur. « Son incapacité à obtenir des autres ce qu'il voulait était sans doute une des principales causes de sa maladie », se souvient Mayo, contraint de rester au ranch pour devenir acteur. Dans ces conditions, les condamnations à la RPF pleuvaient sur les infortunés cinéastes de la « Ciné Org ».

Le Commodore mit à profit cette main-d'œuvre docile, abondante et peu coûteuse – les condamnés n'avaient en effet droit qu'au salaire de 4 dollars par semaine – pour lui faire exécuter les travaux de rénovation d'une propriété récemment acquise dont il comptait faire sa résidence d'été. Station thermale désaffectée à une soixantaine de kilomètres de La Quinta entre Riverside et Palm Springs, Gilman Hot Springs s'étendait sur une vingtaine d'hectares. On y trouvait un terrain de golf jaunissant, un motel délabré et une collection disparate de bâtiments plus ou moins en ruine, le tout acheté pour 2 700 000 dollars cash par une association portant le nom rassurant de Scottish Highland Quietude Club. Sans y avoir jeté un seul coup d'œil, Hubbard déclara vouloir s'installer dans une des maisons de l'endroit, que les forçats de la RPF s'évertuèrent à retaper de leur mieux. Il s'agissait au moins pour eux d'un honnête labeur, mille fois préférable au stress continuel et à l'hystérie de la Ciné Org qui employait alors plus de cent cinquante personnes.

Comme tant d'entreprises hubbardiennes, la Ciné Org allait sombrer dans une mélange de mélodrame et de farce. Ernie et Adele Hartwell, anciens danseurs de Las Vegas et scientologues néophytes qui s'y étaient engagés dans l'espoir vite déçu d'être lancés dans le show-business, avaient réussi à reprendre leur liberté à la fin de 1978 et étaient retournés à Las Vegas. Ernie Hartwell n'était pas homme à chercher les ennuis, mais il soupçonnait l'Église de vouloir récupérer Adèle et briser ainsi son ménage. Ancien marin, vétéran des coulisses de casinos, il ne mâchait pas ses mots et ne se laissait pas impressionner par des « gamins en uniformes d'opérette », comme il décrivait les scientologues. Il les menaça donc, s'ils s'obstinaient à vouloir convertir son épouse, d'aller raconter au FBI tout ce qu'il savait – peu de choses, à vrai dire, sauf qu'il détenait le secret le mieux gardé de la Scientologie : le lieu exact de la retraite du Commodore. Ed Walters, l'agent ayant déjà réglé avec succès le suicide de Quentin, fut immédiatement chargé de « régler » le problème Hartwell qu'il entraîna au « Bureau du Gardien ». C'est là que les choses se gâtèrent.

Outré de la suffisance des « jeunots » qui menaçaient Hartwell de représailles et le traitaient de menteur, alors qu'il répondait avec une évidente sincérité à leur interrogatoire, Walters téléphona à tous ses amis scientologues, et notamment à Arthur Maren, pour les prier d'intervenir afin de laisser le ménage Hartwell tranquille. Maren se précipita à Las Vegas supplier à son tour Walters de ne plus se mêler de rien. Scandalisé, Walters se rendit compte que Maren, un des plus hauts dignitaires de l'Église, était terrifié par les « gamins en uniformes d'opérette ». Un déclic se fit en lui et, le lendemain, il contacta le FBI.

L'alarme était déjà déclenchée à l'Olive Tree Ranch, où on avait vu un inconnu prendre des photos de la propriété. Fidèle à ses habitudes, Hubbard chercha immédiatement son salut dans la fuite. Le véhicule choisi était, cette fois, un van Dodge aux vitres opacifiées, pourvu d'une couchette, d'une radio CB et d'une chaîne stéréo. Hubbard désigna Kima et Mike Douglas pour l'accompagner. Ils démarrèrent à la nuit tombante, le Commodore couché à l'abri des regards et en proie à son hystérie habituelle : « Dans les montagnes de San Jacinto, se souvient Kima, il a passé son temps à pousser Mike à accélérer tout en se plaignant d'avoir mal au cœur. On négociait déjà les virages à des allures folles, mais il répétait sans arrêt " Plus vite! Plus vite! " »

Les Douglas laissèrent Hubbard dans un motel isolé sur le versant ouest des montagnes et partirent à la recherche d'une nouvelle « base secrète ». Ils finirent par trouver à louer plusieurs appartements adjacents dans un immeuble neuf de Hemet, la petite ville voisine, où Hubbard s'installa à la fin mars 1979 avec un effectif réduit de Messagers.

Paisible bourgade agricole cernée de vergers d'agrumes, Hemet constituait à bien des égards une cachette idéale. On y voyait une banque, une maison de retraite, une église. La nouvelle « base » du Commodore se trouvait juste derrière la clinique d'acupuncture du Dr Lee, à côté d'un supermarché et d'un McDonald's. C'est dans ce cadre bucolique que fut mis en place un incroyable réseau de protection autour d'un homme dont nul n'avait le droit de prononcer le nom. Le lieu n'était connu que sous le code « X »; la « résidence d'été » de Gilman Hot Springs n'était distante que d'une vingtaine de kilomètres mais personne ne pouvait faire le trajet direct : Douglas, l'un des rares autorisé à s'y rendre régulièrement, devait parcourir quelque 150 kilomètres dans chaque sens. L'appartement était équipé d'un système élaboré de sonnettes d'alarme et de clignotants rouges. Quant aux Messagers et collaborateurs résidant sur place, ils devaient bien entendu déclarer tout ignorer d'un certain L. Ron Hubbard et conserver un comportement normal s'il fallait évacuer le Commodore par une porte dérobée en cas d'alerte sérieuse.

Une fois la sécurité en place, Hubbard se détendit et entreprit de profiter de la vie. S'il lui arrivait encore de jeter sa nourriture sur les murs en accusant le cuisinier de vouloir l'empoisonner, son humeur s'était notablement adoucie depuis qu'il ne faisait plus de cinéma. Levé vers midi, il s'auditait lui-même une heure ou deux avant de s'occuper du courrier que les Messagères avaient décidé de lui soumettre. L'après-midi, il enregistrait des conférences et, le soir, il regardait la télévision ou égrenait ses souvenirs devant un auditoire restreint mais attentif.

Au bout de quelques semaines, Hubbard s'enhardit à sortir dans les rues de Hemet, chaque fois sous un déguisement différent qui le faisait remarquer plutôt que de le faire passer inaperçu. Il connaissait si peu l'Amérique contemporaine que les supermarchés et les centres commerciaux lui apparaissaient comme de merveilleuses innovations, où il passait des heures à acheter des babioles en plastique. Mais s'il dépensait peu dans la vie courante, il investissait des sommes énormes en titres, en or et en pierres précieuses. Mike Douglas, promu son « directeur financier », gérait un portefeuille boursier de plusieurs millions de dollars. Les coffres de l'appartement et de la banque locale étaient bourrés de pièces d'or et de diamants.

Pendant l'été 1979, Hubbard s'intéressa de près aux manœuvres des avocats qui s'efforçaient d'éviter à Mary Sue et à ses coinculpés de passer en jugement. Devant ses compagnons de retraite, il ne faisait pas mystère de son intention de se séparer définitivement de sa femme; il affirmait n'avoir jamais été au courant de ce qu'elle faisait et se plaignait amèrement d'être entraîné par sa faute dans des problèmes dont elle était seule responsable. Tout le monde savait pertinemment qu'il mentait mais ne disait rien.

David Mayo fut dépêché à Los Angeles auprès de Mary Sue pour la convaincre d'accepter le divorce. « Elle en a été ulcérée, se souvient-il, au point que j'ai cru qu'elle allait me gifler. J'ai dû y retourner plusieurs fois par la suite pour m'assurer qu'elle ne le dénoncerait pas, car LRH s'inquiétait surtout qu'elle révèle au cours du procès qu'elle ne faisait qu'exécuter ses ordres. Elle l'avait déjà si souvent couvert, elle avait eu tant d'autres occasions de le trahir qu'elle ne comprenait pas qu'il puisse envisager une chose pareille. »

Nullement convaincu de pouvoir faire confiance à sa femme, Hubbard prit le risque de la rencontrer à Gilman Hot Springs. Pendant qu'il s'y rendait avec un luxe de précautions, Kima Douglas alla chercher Mary Sue dans un hôtel de Riverside, où elle avait reçu l'ordre d'attendre, et lui fit parcourir un périple compliqué destiné à la désorienter. La rencontre s'étant déroulée sans témoins, nul ne sut ce que se dirent les époux, que personne ne vit non plus quitter les lieux. On sait seulement que Mary Sue ne trahit pas son mari – elle n'en avait d'ailleurs jamais eu l'intention.

Le procès, d'abord fixé au 24 septembre, fut ajourné d'un commun accord entre les avocats de la défense et ceux du ministère public qui négociaient un compromis.

Celui-ci fut finalement conclu le 8 octobre, au prix d'étranges libertés avec la jurisprudence et les règles de la procédure : afin d'éviter un long procès, les accusés acceptaient de plaider coupable sur un chef d'inculpation chacun selon les réquisitions écrites du ministère public. Le 26 octobre, le juge fédéral Charles R. Richey déclara en conséquence les neuf accusés coupables d'un chef d'inculpation chacun. Mary Sue et deux scientologues furent condamnés à 10 000 dollars d'amende et cinq ans de prison, les autres à la même amende et à des peines de prison allant de un à quatre ans. En signifiant sa sentence à Mary Sue, le juge déclara : « Nous avons aux États-Unis un précieux système de gouvernement... Quiconque se sert de ces lois ou cherche, sous couvert de ces lois, à saper les fondements mêmes du système est inexcusable et ne peut être absous par aucun citoyen responsable. » Tous les condamnés déclarèrent leur intention d'interjeter appel sous prétexte que les preuves obtenues contre eux l'avaient été illégalement.

Les avocats de la Scientologie espéraient aussi que les documents saisis par le FBI resteraient sous scellés. Or, le 23 novembre, la Cour d'appel ordonna la levée des scellés et rendit de ce fait les documents publics – pour la plus grande joie de la presse écrite et audiovisuelle, qui pouvait ainsi démonter les incroyables rouages de l'Opération Blanche-Neige et donner au public un aperçu du monde inquiétant et secret de l'Église de scientologie.

Devant les campagnes de presse qui le couvraient d'opprobre d'un bout à l'autre des États-Unis, Hubbard devint de plus en plus soupçonneux et obsédé de sécurité. Ayant fini par se demander ce qu'ils faisaient à Hemet, Kima et Mike Douglas avaient « déserté » peu auparavant et le départ de ces deux « bras droits », sur lesquels il se reposait depuis si longtemps, attisa sa méfiance envers la loyauté de son entourage. Il ne garda sa confiance qu'à Pat Brœker, qui l'avait accompagné dans sa fuite à Sparks, et à sa femme Annie, elle aussi Messagère. Flattés de se voir promus confidents du Commodore, les Brœker lui vouèrent désormais une fidélité aveugle.

Hubbard n'avait jamais brillé par son sens des réalités; les événements semblent l'avoir plongé plus profondément encore dans le monde de sa fantaisie. C'est ainsi qu'il ordonna de lui chercher une nouvelle maison aux environs de Hemet. Elle devait, se souvient un de ses derniers fidèles, se trouver dans « une zone sans Noirs et sans poussière, être facile à défendre, sans éminences la dominant et bâtie sur le rocher ». Elle devait également être entourée d'un mur élevé « percé de meurtrières ».

A la fin du mois de février 1980, quelques jours avant son soixante-neuvième anniversaire, Hubbard disparut en compagnie d'Annie et de Pat Brœker.

Personne n'allait jamais plus le revoir.

Chapitre 22

Disparu, présumé décédé

« Disons que 99 pour 100 de ce que mon père a écrit sur sa propre vie est faux. » (Ron DeWolfe, anciennement L. Ron Hubbard Junior, mai 1982.)

Pendant près de six ans, nul ne sut où se cachait Ron Hubbard ni même s'il était encore en vie. Aucun des journalistes ni des agents fédéraux lancés à ses trousses ne découvrit jamais le moindre indice. Épouse fidèle et dévouée depuis plus de vingt-cinq ans, Mary Sue ignorait elle-même ce qu'était devenu son mari, leurs enfants n'en savaient pas davantage. Le Commodore semblait bel et bien s'être évanoui.

Après son départ de Hemet, une équipe enleva ses papiers et effets personnels avant de nettoyer l'appartement à l'alcool pour en effacer les empreintes digitales. Tout y passa, murs, poignées de portes, fenêtres, miroirs. Sur ordre exprès de Hubbard, Pat Brœker était revenu superviser l'opération.

Toujours selon les instructions du Commodore, Brœker dirigea ensuite une réorganisation complète de l'Église de scientologie, dans le double dessein d'abriter

Hubbard de ses responsabilités légales et d'assurer que ses revenus versés par l'Église – environ un million de dollars par semaine à l'époque – lui parviennent sans laisser de traces. Brœker était secondé dans cette tâche par son ami David Miscavige, Messager de dix-neuf ans ambitieux et sans scrupules, qui avait appris les techniques du management de la bouche même du Commodore lorsqu'il était cameraman de la Ciné Org. Chétif, asthmatique, Miscavige compensait son peu de présence physique en appliquant scrupuleusement les principes de son Maître, selon lesquels on obtient ce qu'on veut de ses subordonnés par la menace, l'injure et la tyrannie. Sa mince silhouette ne tarda pas à faire régner la terreur, tant à Gilman Hot Springs qu'à Los Angeles où la Scientologie venait d'acheter l'ancien hôpital des Cèdres du Liban pour y transférer son siège.

Cette restructuration, assortie d'une purge digne de la meilleure tradition stalinienne, élimina de nombreux vétérans qui ne pouvaient même pas en appeler à Hubbard dont les Messagers contrôlaient toutes les communications. On disait que Miscavige et les Brœker étaient les seuls à connaître la retraite de Hubbard; le personnel de Gilman Hot Springs estimait toutefois qu'elle ne devait pas être très éloignée, car Pat Brœker mettait rarement plus de quatre ou cinq heures pour faire l'aller et retour.

Tout le temps que durèrent ces bouleversements, nul ne savait avec certitude si les ordres émanaient de Hubbard ou si, en réalité, il avait définitivement transmis ses pouvoirs aux Messagers. Les quelques intimes auxquels il lui arrivait d'écrire ne décelaient dans ses lettres aucun signe qu'il fût occupé à jongler avec la lourde et complexe structure de la Scientologie : « Je m'ennuie, écrivait-il à Doreen Smith en juin 1980. Il va bientôt falloir que je trouve quelque chose d'intéressant à faire pour m'occuper. »

David Mayo, qui reçut lui aussi plusieurs lettres de Hubbard, s'inquiétait sérieusement de son état mental : « Dans le premier paragraphe d'une lettre, il disait à peu près " Vous croyez peut-être que je suis devenu fou mais je vais toujours bien, croyez-moi " et la suite était complètement démente. Il accusait les psychiatres d'être la cause de tous les maux depuis le commencement du monde, et pas seulement sur cette planète... En lisant cela, je me disais, grand Dieu, il est vraiment devenu complètement fou! »

En mai 1981, au plus fort de la purge grâce à laquelle les Messagers consolidaient leur pouvoir, Miscavige décida de chasser Mary Sue de son poste de contrôleur. Il commença par la déstabiliser en répandant le bruit que Hubbard voulait se débarrasser d'elle. Il passa ensuite à l'attaque frontale en lui déclarant qu'elle était un handicap pour l'Église, qu'elle était sûre de perdre son appel et d'aller en prison et que, pour la réputation de l'Église, il fallait la sanctionner. Folle de rage, Mary Sue injuria le jeune insolent et lui jeta même un cendrier à la tête mais Miscavige tint bon, car il savait la position de Mary Sue indéfendable. Ne pouvant plus compter sur le soutien de son mari, il ne lui restait qu'à s'incliner; quant aux lettres où elle se plaignait à Ron de ce traitement indigne, elles ne parvinrent probablement jamais à destination. Miscavige acheva peu après d'éliminer la famille Hubbard de la Scientologie en expulsant Arthur et Suzette de Gilman Hot Springs pour raisons de « sécurité » et compléta l'humiliation en engageant Suzette à son service personnel comme femme de chambre.

La « démission » de Mary Sue ne fut rendue publique qu'en septembre, par un communiqué de presse dans lequel l'Église se justifiait de « mesures disciplinaires rendues nécessaires par l'inculpation de certains de ses membres » et confessait que le « Bureau du Gardien » avait « dépassé les bornes » en s'attaquant au gouvernement fédéral.

En avril 1982, David Mayo reçut une longue lettre du Commodore lui annonçant qu'il touchait au terme de sa vie – dans quelques mois au moins, quelques années tout au plus. Jusqu'à ce qu'il soit en mesure de trouver un nouveau corps, d'atteindre l'âge adulte et de reprendre sa place légitime à la tête de l'Église de scientologie, Hubbard confiait à son ami Mayo le soin de préserver la « pureté de la technologie ». David Mayo est persuadé que Miscavige et ses affidés, ayant interprété ce testament spirituel comme une menace sur leur hégémonie, s'apprêtèrent dès lors à se débarrasser de lui.

Entre-temps, un nouvel « ennemi » était entré dans l'arène. A Clearwater, les autorités locales avaient nommé une commission d'enquête sur la Scientologie, dont le témoin vedette n'était autre que L. Ron Hubbard Junior – qui avait depuis peu obtenu de changer de nom pour prendre celui de Ron DeWolfe afin de se dissocier définitivement de son père. Épaissi mais les joues toujours roses, Nibs déclara à la commission que son père était un menteur, paranoïaque, schizophrène, mégalomane invétéré qui avait inventé la plupart sinon la totalité de ses qualifications et que *La Dianétique* était une œuvre de pure imagination pour laquelle il n'avait fait aucune recherche préalable. Non content de ce coup d'éclat, il accorda au mois de juillet une interview au *News Herald* de Santa Rosa dans laquelle il révélait que Hubbard battait sa femme, se livrait à la magie noire et donnait à sa sœur et à lui du chewing-gum au phénobarbital, le tout enrobé de détails intimes d'une indiscutable véracité.

Ce n'était évidemment pas le genre de publicité dont aurait rêvé l'éditeur St Martin's Press pour le lancement de *Battlefield Earth : A Saga of the Year 3000*, première œuvre de science-fiction publiée par L. Ron Hubbard depuis plus de trente ans. Où qu'il soit terré, en tout cas, le Commodore ne chômait pas, car *Battlefield Earth* – proclamé le livre de science-fiction le plus long jamais écrit – n'était qu'un prélude à *Mission Earth*, œuvre épique de plusieurs millions de signes qui allait être éditée en une dizaine de volumes au cours des quatre années suivantes.

Pour beaucoup d'amateurs, *Battlefield Earth* était loin d'égaler les œuvres précédentes de Hubbard, au point que Forrest Ackerman, son fidèle agent, douta un moment qu'il en soit réellement l'auteur. Mais si Hubbard semblait avoir perdu la main, il n'était pas moins vital pour sa réputation que le livre soit un best-seller. L'Église de scientologie s'engagea donc à acheter 50 000 exemplaires de la première édition et imposa à chaque scientologue aux États-Unis d'en acheter au moins deux ou trois. De ce fait, le livre figura bientôt en bonne place dans les palmarès de ventes. Quant aux scientologues qui commençaient à la même époque à purger leurs peines de prison, ils eurent sans doute assez de loisirs dans leurs cellules pour se repaître de la dernière production de leur fondateur vénéré.

De leur côté, les avocats de Mary Sue avaient soumis à la Cour Suprême une requête en commutation de peine, qui fut rejetée en janvier 1983. Mary Sue fondit en larmes au tribunal, offrit en vain de présenter des « excuses publiques et sincères » mais le juge ne se laissa pas fléchir : « Votre position dirigeante aggrave votre culpabilité », lui dit-il. A l'âge de cinquante et un ans, Mary Sue dut se présenter le lendemain au pénitentiaire fédéral de Lexington, Kentucky, pour y purger sa peine de quatre ans de réclusion.

Pendant ce temps, son beau-fils Nibs saisissait le tribunal de Riverside, en Californie, d'une requête de mise en curatelle des biens de son père, « décédé ou mentalement incompétent », qu'il estimait à cent millions de dollars, chiffre dénotant à quel point nul ne se doutait de la réalité : au cours de la seule année 1982, selon le magazine *Forbes*, le Commodore aurait encaissé de l'Église de scientologie et de ses filiales plus de quarante millions de dollars! Ron DeWolfe accusait en outre les dirigeants de l'Église de piller Hubbard et de lui voler des millions de dollars en pierres précieuses et en argent liquide. Les avocats de Mary Sue contre-attaquèrent aussitôt en accusant Nibs de vouloir s'approprier indûment la fortune paternelle.

Cette escarmouche judiciaire ne manqua pas de soulever dans les médias une vague de rumeurs sur le sort du fondateur de la Scientologie, rumeurs auxquelles l'Église se hâta de mettre fin en exhibant une déclaration signée par le Commodore et authentifiée par ses empreintes digitales sur chaque page. Hubbard traitait son fils de menteur et ajoutait : « Je ne considère pas Ron DeWolfe comme un membre de ma famille... S'il est biologiquement mon fils, son hostilité envers moi est évidente... depuis des années. Je n'ai pas disparu, j'ai décidé de vivre dans la retraite. Je tiens au respect de ma vie privée... que je ne désire pas voir violée par des agissements de cette nature. »

Le tribunal considéra le document comme une preuve valable que Hubbard était toujours en vie et rejeta la requête de Nibs. Mais ce dernier ne s'avoua pas vaincu et, dans sa volonté de noircir la réputation de son père, fit preuve d'une obstination digne de lui. En juin 1983, il réserva au magazine *Penthouse* des révélations encore plus fracassantes : Hubbard pratiquait la magie noire depuis l'âge de seize ans et se prenait pour Satan; il ne cherchait qu'à devenir l'homme le plus puissant du monde; il se livrait au trafic de l'or et de la drogue; il était agent du KGB et avait acheté Saint Hill Manor avec de l'argent soviétique. « La magie noire est au cœur de la Scientologie, affirmait-il, c'en est d'ailleurs la seule partie efficace. » Comme son père, Nibs manquait de subtilité. Avec un peu de modération, son interview aurait été prise au sérieux au lieu d'inciter les lecteurs à se demander lequel, du père ou du fils Hubbard, était le plus dérangé.

En novembre 1983, une lettre de Ron fut distribuée à tous les scientologues dans le monde. Hubbard s'y déclarait enchanté de la manière dont l'Église était dirigée et enfin débarrassée de ses problèmes judiciaires. Il annonçait avoir travaillé depuis deux ans à des recherches qui devaient « ouvrir le ciel jusqu'à des altitudes encore insoupçonnées » et concluait en disant que l'avenir s'annonçait radieux. Il ne prit toutefois pas la peine de faire allusion à la manière dont Mary Sue appréciait sa cellule au pénitentiaire fédéral de Lexington; il ne parlait pas davantage de la bombe à retardement qui menaçait l'Église, sous la forme d'un jeune biographe-archiviste désenchanté du nom de Gerry Armstrong qui avait

« déserté » en emportant des milliers de documents contenant la preuve irréfutable que le fondateur de la Scientologie était un menteur pathologique et un charlatan.

Les avocats, qui tentaient depuis plusieurs mois de forcer Armstrong à les restituer, pensaient avoir gagné une manche en obtenant qu'ils soient placés sous scellés. En mai 1984, l'affaire fut appelée devant le juge Paul Breckenridge de la Cour supérieure de Los Angeles. Après avoir entendu le défilé des témoins venus évoquer leurs sinistres souvenirs, le juge refusa de rendre les documents à la Scientologie : « Cette organisation, à la fois paranoïaque et schizophrène, n'est que le reflet de son fondateur. Les documents soumis à l'appréciation de la Cour tracent le portrait d'un mythomane pathologique à l'égard de son passé et de ses propres actes. Ils démontrent son égoïsme, sa cupidité, son avarice, sa soif de pouvoir, son esprit vindicatif et son agressivité envers tous ceux qu'il considère ses adversaires... Il apparaît en même temps comme un personnage charismatique capable de motiver, d'organiser, de dominer et de manipuler ses adeptes à sa guise. Au cours de ce procès, certains témoins ont utilisé pour le décrire les mots de " génie ", de " personne vénérée "... Il possède à l'évidence une personnalité complexe, dont la complexité même se reflète dans l'Église de scientologie, sa création... Il a choisi de vivre dans une retraite... qui serait estimable si elle ne servait qu'à l'abriter de ses responsabilités tout en ajoutant à sa mystique. »

Le juge se tourna ensuite vers Mary Sue, bénéficiaire d'une libération anticipée au bout d'un an de prison et citée comme témoin : « D'un côté, son cas inspire la compassion... chassée de ses fonctions, abandonnée par son mari, condamnée, incarcérée... D'un autre, on ne peut croire à sa sincérité... quand elle adopte l'attitude trop commode de celle qui ne voit, n'entend et ne sait rien. » L'Église de scientologie fit immédiatement appel de la décision afin de laisser les documents sous scellés et hors de portée, pour un temps du moins, des journalistes qui attendaient avec impatience leur divulgation.

Trois semaines plus tard, un juge londonien renchérissait en qualifiant la Scientologie d'« immorale, socialement odieuse, corrompue et néfaste » et en assimilant le comportement de Hubbard et de ses acolytes aux « divagations et aux exactions de Hitler et de ses séides. »

Justice Latey avait à juger d'un litige opposant un scientologue pratiquant à sa femme, qui avait quitté la secte, pour la garde de leur enfant. En confiant la garde de l'enfant à la mère, le juge ne mâcha pas ses mots pour dire ce qu'il pensait de la Scientologie : « Elle est corrompue parce que fondée sur le mensonge et la tromperie et que son réel objectif se borne à procurer argent et pouvoir à M. Hubbard, sa femme et le sommet de la hiérarchie. Elle est sinistre parce qu'elle applique des méthodes infâmes tant envers ses adhérents qui ne suivent pas aveuglément ses lois qu'envers ceux qui la critiquent ou s'y opposent de l'extérieur. Elle est dangereuse parce qu'elle cherche à capturer les enfants et les personnes impressionnables et les soumet à un lavage de cerveau qui en fait des outils sourds et aveugles au service de la secte, détachés de toute pensée et de toute vie normales comme de tous rapports avec autrui. » Quant aux Hubbard, le juge n'y alla pas non plus par quatre chemins : « M. Hubbard est un charlatan, voire pire, comme le sont sa femme et la clique des dirigeants de la secte. »

Fidèles aux enseignements de Ron Hubbard, les scientologues dans leur quasi-unanimité estimèrent que de telles attaques étaient orchestrées par leurs ennemis. En 1985, quand CBS présenta une enquête sur la Scientologie dans le magazine d'information *60 Minutes*, le commentateur Mike Wallace se fit prendre à partie par le « Révérend » Heber Jentzsch, président de l'Église de scientologie, qui lut à l'antenne une riposte confuse et quasi incompréhensible où il accusait Interpol, sous la direction d'un ancien officier SS, d'inspirer toutes les attaques contre la Scientologie...

Le 19 janvier 1986, les scientologues du monde entier reçurent le « Flag Order » n° 3879, intitulé « La Sea Org et l'Avenir », dans lequel le Commodore déclarait se conférer à lui-même le grade d'amiral. Joint au message, un magazine arborait sa photo en couleurs, le sourire épanoui et l'œil malicieux, sa casquette de la Sea Org crânement perchée sur ses longs cheveux gris.

Ils ignoraient que ce serait le dernier message de L. Ron Hubbard à ses fidèles.

La bourgade de Creston, 270 habitants, chevauche une route poussiéreuse à trente kilomètres au nord de San Luis Obispo en Californie. Dans la grand-rue, déserte la plupart du temps, on trouve un restaurant, une agence immobilière, un bureau de poste flanqué de deux cabines téléphoniques et une bâtisse de bois dont l'enseigne à demi effacée proclame qu'il s'agit du Long Branch General Store. Les jardins des modestes maisonnettes alentour s'ornent en général de carcasses de voitures rongées de rouille, de chevaux dévorés de mouches et d'antennes paraboliques de télévision émergeant des mauvaises herbes. Pour compléter le tableau, il suffit de savoir que O'Donovan Road, parallèle à la grand-rue, s'enorgueillit d'une minuscule bibliothèque, d'une école, d'un temple et de la salle de réunions du club féminin, devant laquelle un panneau d'affichage offre à la convoitise d'hypothétiques acheteurs un cheval, une camionnette-plateau et une berline Chevrolet, toutes deux de 1969 et nécessitant « quelques travaux ». A l'évidence, les bonnes gens de Creston ne semblent pas partager encore les fruits l'opulence que la Californie déploie ailleurs avec ostentation.

Le voyageur qui poursuivrait son chemin sur O'Donovan Road verrait cependant s'épanouir la nature sous les bienfaits de l'argent : vertes collines ourlées de barrières blanches, pimpantes demeures sises à l'écart de la route au milieu de vastes pelouses parsemées de pâquerettes et plantées de chênes noueux. A six kilomètres de l'agglomération, sur la droite, un chemin privé serpentant à travers les collines longe d'abord le Whispering Winds Ranch, dont la tradition locale affirme qu'il appartenait naguère à l'acteur Robert Mitchum. Quatre cents mètres plus loin, près de la grille du ranch, le chemin bifurque vers la gauche pour aboutir plus haut au Camp Emmanuel, Retraite œcuménique. Tout l'endroit donne l'impression d'un paisible petit paradis à l'écart du monde – mieux, d'une cachette idéale.

Au cours de l'été 1983, le ranch avait été acheté par un jeune ménage se présentant sous le nom de Lisa et Mike Mitchell dont l'accent, selon l'agent immobilier de San Luis Obispo ayant conclu la transaction, indiquait qu'ils étaient de New York. Mitchell était entré à l'agence en disant qu'il cherchait un vaste ranch isolé afin d'y monter un élevage de chiens japonais et l'agent lui avait fait visiter Whispering Winds, alors en vente pour 700 000 dollars Mitchell avait examiné les lieux avec le plus grand soin et même pris la peine de monter sous le toit, dont l'isolation le fit d'abord hésiter : « Il faudra que je la change, expliqua-t-il, ma femme est allergique à la laine de verre. » Néanmoins, la propriété lui plut et il décida de l'acheter sans discuter – il venait, dit-il à l'agent, de toucher un héritage de plusieurs millions de dollars. Mitchell tint parole et régla comptant le prix demandé à l'aide de trente chèques de caisse tirés sur plusieurs banques californiennes.

Les Mitchell s'installèrent peu après avec leur vieux père sans chercher à entrer en contact avec leurs voisins. Maxine Kuehl et Shirley Terry, directrices du Camp Emmanuel, échangeaient très rarement quelques mots avec eux. Robert Whaley, cadre commercial new-yorkais à la retraite qui habitait une petite maison non loin du ranch, ne les voyait lui aussi que de loin en loin. Il ne pouvait toutefois s'empêcher de remarquer ce qui se passait chez ses voisins et ce qu'il observait l'intriguait fortement.

Les Mitchell semblaient en effet avoir plus d'argent que de sens commun. Ils firent restaurer de fond en comble l'habitation, vaste demeure de deux étages, non pas une fois mais trois fois. L'étang devant la maison fut recreusé et agrandi. Ils firent construire un véritable champ de courses, avec gradins et tour d'observation pour

les juges, qui ne servit jamais. Ils firent poser des kilomètres de barrières blanches, les unes suivant le contour
de la propriété, les autres en ligne droite à travers champs
et pâturages – une partie fut même démolie et refaite
trois ou quatre fois parce qu'elle n'était pas assez droite.
Des pur-sang, des bisons, des lamas firent leur apparition
dans les pâtures, des cygnes et des oies sur l'étang, mais de
chiens japonais nulle trace. « J'étais effaré de voir ce qu'ils
engloutissaient dans cette propriété sans regarder à la
dépense, se souvient Whaley. Ils n'étaient pas liants mais
nous nous disions deux mots de temps à autre. Une fois,
quand j'ai demandé à Mitchell qui s'occupait des travaux,
il m'a répondu que c'était son père, Jack, qui avait été
ingénieur civil. »

Pendant les travaux, Jack habitait une luxueuse caravane garée près de la maison. On le voyait souvent se promener dans la propriété, coiffé d'un chapeau de paille et
armé d'un appareil photographique. Gros, les cheveux et
la barbe blancs, il ressemblait de loin au Colonel Sanders,
dont le visage souriant servait d'emblème à la fameuse
chaîne de poulet frit. Une fois, Whaley s'enhardit à aller
au ranch emprunter un outil de jardinage et trouva le
vieux Jack en train de bricoler dans l'écurie. Visiblement
mécontent, Jack le fusilla du regard et alla s'enfermer
dans un atelier voisin sans lui dire un mot. Whaley ne s'en
formalisa pas, sa carrière dans les magazines new-yorkais
l'avait habitué aux excentriques. Avant la guerre, directeur commercial d'un groupe d'édition spécialisé dans la
science-fiction, il avait même approché la plupart des
auteurs célèbres. Rien cependant, dans la physionomie du
vieil homme obèse à la barbe blanche, ne lui rappelait ses
anciennes connaissances.

Il avait remarqué une autre bizarrerie chez ses voisins :
les rares visiteurs qu'ils recevaient venaient toujours la
nuit. D'habitude, Whaley ne voyait les phares que d'une
seule voiture dépasser sa maison et tourner dans l'entrée
du ranch – jusqu'au 24 janvier 1986. Pour la première
fois, les allées et venues s'étaient succédé presque toute la
nuit.

Le matin du samedi 25 janvier, le téléphone sonnait déjà avec insistance quand Irène Reis, copropriétaire de la Reis Chapel & Mortuary de San Luis Obispo, ouvrit la porte de son bureau. A l'autre bout du fil, un homme se présentant sous le nom d'Earle Cooley, avocat, lui demanda si son établissement se chargeait aussi des incinérations. Mrs Reis répondit par l'affirmative, en précisant que le four crématoire ne fonctionnait normalement pas le week-end mais qu'on pouvait obtenir une dérogation si nécessaire. Cooley lui demanda alors de faire enlever un corps au Whispering Winds Ranch à Creston. Gene Reis, le mari d'Irène, s'y rendit au volant du corbillard.

Cooley accompagna le défunt à San Luis Obispo et pria Mrs Reis d'organiser immédiatement l'incinération. A l'appui de sa demande, il présenta un certificat de décès signé d'un certain Dr Denk, de Los Angeles, attestant que la mort était due à une hémorragie cérébrale, ainsi qu'un certificat de croyance religieuse interdisant l'autopsie. Ce ne fut qu'en prenant connaissance de ces deux documents que Mrs Reis comprit que le cadavre qui reposait dans sa chapelle était celui de L. Ron Hubbard.

Mrs Reis en savait assez sur son « client » pour vouloir avertir aussitôt le shérif-coroner du comté de San Luis Obispo. Le coroner adjoint Don Hines arriva à la chapelle des Reis quelques instants plus tard. Nul ne s'étant douté jusqu'alors que Hubbard séjournait dans la région, Hines exigea que tout se déroule strictement selon les règles – ce n'était pas tous les jours qu'un « disparu » aussi célèbre reparaissait mort ou vif à San Luis Obispo. Hines déclara donc que l'incinération ne pourrait avoir lieu tant qu'un médecin accrédité n'aurait pas examiné le corps. Il donna également l'ordre de le photographier et de relever ses empreintes digitales afin d'authentifier l'identification. (On saura plus tard que les empreintes correspondaient effectivement à celles figurant dans les dossiers de Hubbard au FBI et au ministère de la Justice.) A 15 h 30, la procédure normale ayant été respectée, Hines donna l'autorisation de procéder à l'incinération. Le lendemain, les cendres de L. Ron Hubbard allaient être dispersées dans le Pacifique du pont d'un petit bateau.

Dans l'après-midi du lundi 27 janvier, mille huit cent scientologues hâtivement rassemblés au Hollywood Palladium apprirent la mort de leur bien-aimé fondateur. David Miscavige leur annonça que Ron s'était élevé à un nouveau niveau de recherche, inconcevable à l'imagination humaine et se situant en dehors de l'incarnation : « Le vendredi 24 janvier à 20 heures, L. Ron Hubbard a abandonné le corps dont il s'était servi pendant les soixante-quatorze ans, dix mois et onze jours de sa vie terrestre. Ce corps qui lui avait permis d'exister dans cet univers cessait de lui être utile et lui devenait même un handicap pour l'œuvre qu'il doit désormais mener à bien. Mais l'être que nous connaissions sous le nom de L. Ron Hubbard existe toujours. Si ce départ vous cause peut-être de la peine, sachez qu'il ne peut la partager parce qu'il a simplement franchi un nouveau pas. LRH a utilisé cette existence et ce corps que nous avons connus pour accomplir ce qu'aucun homme n'avait encore jamais accompli : il nous a révélé les mystères de la vie, il nous a donné les outils nous permettant de nous libérer nous-même et de libérer les hommes, nos frères... »

A une conférence de presse du même jour, Miscavige annonça que Hubbard avait fait la veille de sa mort un testament par lequel il léguait à l'Église l'essentiel de sa fortune, « plusieurs dizaines de millions de dollars », et prévu des « legs généreux » en faveur de sa femme et de « certains » de ses enfants. Nibs, bien entendu, n'eut pas un sou, non plus que sa demi-sœur Alexis, la fille dont Hubbard avait renié la paternité.

Certains sont persuadés que Hubbard était mort depuis des années et que les Messagers dissimulaient son décès afin de mieux affirmer leur mainmise sur l'Église.

D'autres croient que Hubbard s'incarnera bientôt dans un autre corps, s'il ne l'a déjà fait, et reprendra sa place à la tête de la Scientologie.

D'autres, encore, estiment qu'en dépit de ses défauts et de ses erreurs, Hubbard a apporté une contribution significative au bien et au progrès de l'humanité.

Et puis il y a tous ceux qui ont compris trop tard qu'ils ont été les victimes involontaires du plus impudent et du plus pittoresque des escrocs de ce siècle.

Table

Cet ouvrage a été composé et réalisé par la
SOCIÉTÉ NOUVELLE FIRMIN-DIDOT (Mesnil-sur-l'Estrée)
pour le compte de LA LIBRAIRIE PLON
76, rue Bonaparte, 75006 Paris

Achevé d'imprimer le 2 mars 1993

Imprimé en France
N° d'impression : 12248 – N° d'édition : 23035
Dépôt légal : mars 1993